CARLO GUASTALLA
CIRO MASSIMO NADDEO

domani

1

CORSO DI LINGUA
E CULTURA ITALIANA

redazione: **Euridice Orlandino** e **Chiara Sandri**
progetto grafico e impaginazione: **Lucia Cesarone**
progetto copertina: **Sergio Segoloni**
illustrazioni interne: **Luca Usai**
fumetto: **Werther Dell'edera**

desideriamo ringraziare tutti coloro che hanno controllato e sperimentato i materiali ed in particolare:
Roberto Aiello, Filippo Graziani, Filomena Anzivino, Katia D'Angelo, Prado Martin, Franco Pauletto, Giovanna Rizzo, Fabrizio Ruggeri, Paolo Torresan, Giuliana Trama, Manfred Zimmer.
vogliamo ringraziare anche tutti quelli che hanno prestato la loro voce per i brani audio ed in particolare:
James Leachman, Daniel McCarthy, Antonio D'Amico, Sarah Prost, Pedro Rocha, Kilian Heller, Yri Abe, Teresa Fallai, Filippo Graziani, Katia D'Angelo, Sabrina Galasso, Maria Zanella, Diana Pedol, Simone Iovino, Matteo Capanni, Fiammetta Jahier.

dediche:

- Oltre a ringraziare Katia e tutti coloro che mi sono stati accanto, voglio dedicare questo libro a chi mi ha lasciato in questi ultimi due anni, per quanto ha saputo e voluto darmi prima.
  Carlo
- Ad Ale, con cui tutto è iniziato, molti anni fa.
  E un ringraziamento speciale a Giuliana per aver condiviso con me questo lavoro con l'aiuto costante, le idee, i consigli e molto altro ancora...
  Massimo

Il **DVD** contiene tutti i materiali multimediali audio/video necessari per svolgere le lezioni e usare il libro.
I materiali multimediali sono contrassegnati all'interno del libro dalle seguenti icone:

 brani di ascolto per le attività di classe

 brani audio per l'autoapprendimento

  brani audio per le attività di fonetica

 altri multimedia (cortometraggio, fumetto animato, ecc.)

N.B. utenti Mac: Se si apre automaticamente il programma di lettura DVD, chiudere il programma.
Cliccare sull'icona **DOMANI1** che compare sul desktop. Entrare nella cartella **ROM** e fare clic sul file **Menu_MAC**.

I brani di ascolto per la classe e gli audio per le attività di fonetica sono disponibili anche su supporto **CD audio**, acquistabile a parte.

ALMA Edizioni
viale dei Cadorna, 44
50129 Firenze
tel +39 055 476644
fax +39 055 473531
alma@almaedizioni.it
www.almaedizioni.it

© 2010 **ALMA Edizioni**
Printed in Italy
ISBN 978-88-6182-196-5

L'Editore è a disposizione degli aventi diritto per eventuali mancanze o inesattezze.
I diritti di traduzione, di memorizzazione elettronica, di riproduzione e di adattamento totale o parziale, con qualsiasi mezzo (compresi i microfilm e le copie fotostatiche), sono riservati per tutti i paesi.

▸ indice

▸ indice

indice

▸ Domani e l'approccio globale

Domani rappresenta la sintesi compiuta della visione didattica che ha caratterizzato fino ad oggi ALMA Edizioni. Si propone infatti come il punto d'arrivo di anni di produzione editoriale, sperimentazione e ricerca, nel corso dei quali ALMA Edizioni ha sviluppato e brevettato l'**approccio globale**, l'innovativo metodo alla base di **Domani** i cui principi sono enunciati nel manifesto stampato nella terza di copertina di questo volume.

▸ Com'è Domani?

▸ Ogni livello è organizzato in moduli culturalmente connotati e classificati in base a differenti aree tematiche: **geografia**, **arti**, **società**, **storia**, **lingua**.

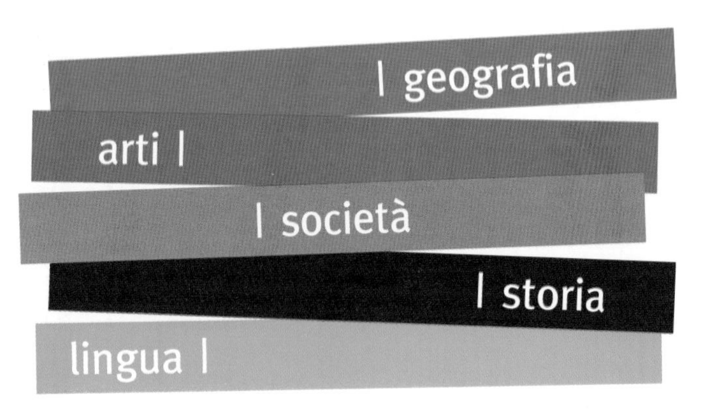

▸ A loro volta i moduli sono divisi in agili unità che propongono un percorso di apprendimento che mette in grado lo studente di sviluppare le diverse competenze in modo efficace e adeguato ai bisogni comunicativi reali.

▸ Dal punto di vista metodologico, la particolarità di **Domani** consiste principalmente nella dimensione attiva e vitale in cui viene immerso lo studente, fatta di input suggestivi e coinvolgenti, compiti non banali, attività creative, autenticità delle situazioni, contesti credibili e non pretestuosi che si sviluppano per fili conduttori immediatamente ricollocabili (personaggi, situazioni e storie ricorrenti).

▸ Da qui la scelta di privilegiare un **approccio globale** alla lingua, centrato su una testualità che oltre agli aspetti morfosintattici affronta – in modo sempre consono al livello di studio – quelli pragmatici, conversazionali, lessicali e socioculturali.

▸ Domani 1

Domani è indirizzato a studenti adulti e adolescenti ed è organizzato in tre livelli:

▸ **Domani 1** (A1) ▸ **Domani 2** (A2) ▸ **Domani 3** (B1)

Il livello A1 di **Domani** si compone di:

▸ un **libro dello studente**
provvisto di **eserciziario** con
- 16 unità organizzate in 6 moduli
- gli esercizi
- i test di autovalutazione
- una storia a fumetti
- le attività didattiche per il cortometraggio
- la grammatica

▸ **DVD multimediale** con
- i brani audio per le attività di classe
- i brani audio per l'autoapprendimento
- un cortometraggio con attività didattiche
- il fumetto animato
- le canzoni
- i glossari
- le chiavi degli esercizi

▸ una **guida per l'insegnante**

Domani 1 è disponibile in due versioni: **solo libro** e **libro + DVD multimediale.** Il DVD contiene tutti i materiali audio/video necessari per svolgere le lezioni e usare il libro.

I brani di ascolto per la classe e gli audio per le attività di fonetica sono disponibili anche su supporto CD audio, acquistabile a parte.

Tutti i materiali multimediali sono fruibili anche all'indirizzo **www.almaedizioni.it**, sul sito dedicato a **Domani**.

Domani ha un'impostazione innovativa, caratterizzata da un approccio globale e un coinvolgimento multisensoriale che permette un'immersione totale nella lingua, nella cultura e nella società italiana.

Ogni **modulo** si apre con:

▶ l'indice delle unità che compongono il modulo

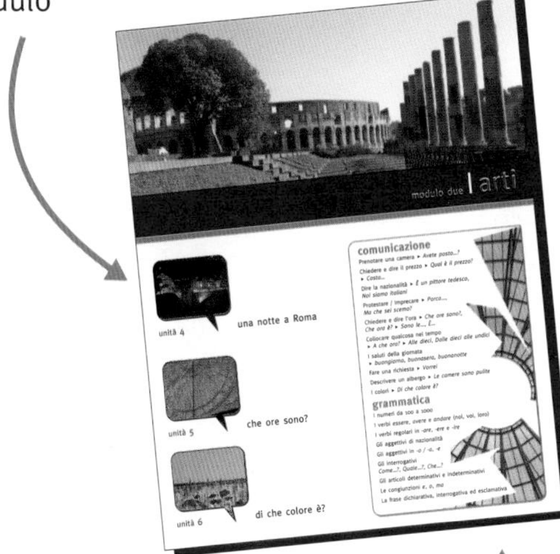

▶ l'indice delle strutture grammaticali e degli elementi di comunicazione affrontati nel modulo

Ogni **unità** si apre con:

▶ l'anticipazione delle strutture grammaticali e degli elementi di comunicazione affrontati nell'unità

▶ un'attività introduttiva al tema con stimoli visivi originali e motivanti secondo un approccio di attivazione costante delle pre-conoscenze dello studente

In **Domani** lo studente viene messo in grado di sviluppare le diverse competenze in modo efficace e adeguato ai bisogni comunicativi reali attraverso attività varie e dinamiche per la pratica e lo sviluppo delle quattro abilità.

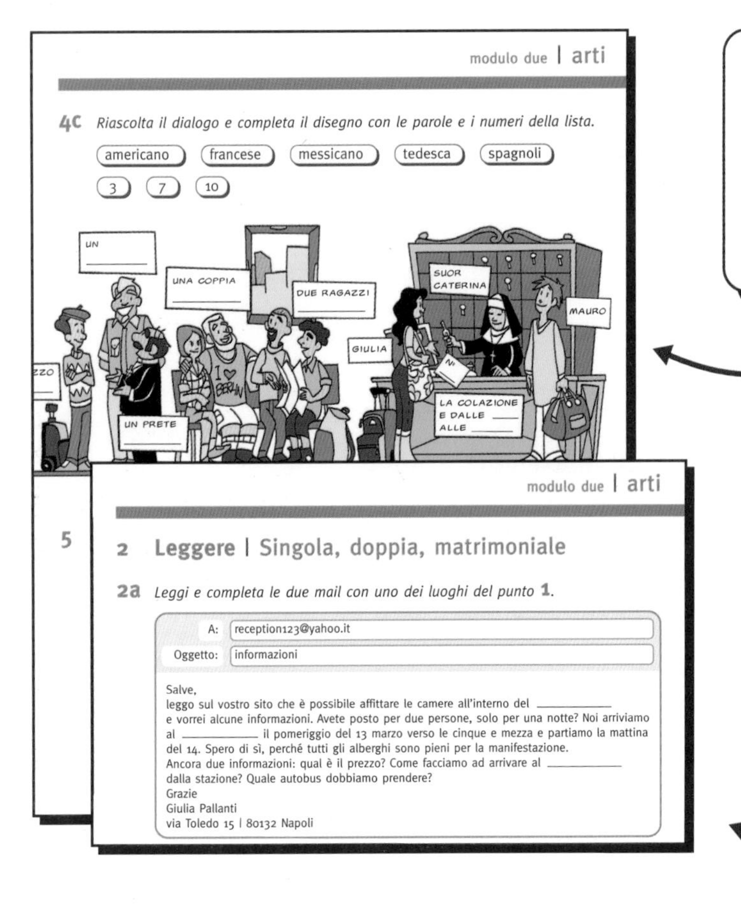
modulo due | arti

4c *Riascolta il dialogo e completa il disegno con le parole e i numeri della lista.*

americano · francese · messicano · tedesca · spagnoli

3 · 7 · 10

modulo due | arti

2 Leggere | Singola, doppia, matrimoniale

2a *Leggi e completa le due mail con uno dei luoghi del punto* **1**.

A: reception123@yahoo.it
Oggetto: informazioni

Salve,
leggo sul vostro sito che è possibile affittare le camere all'interno del ___________
e vorrei alcune informazioni. Avete posto per due persone, solo per una notte? Noi arriviamo al ___________ il pomeriggio del 13 marzo verso le cinque e mezza e partiamo la mattina del 14. Spero di sì, perché tutti gli alberghi sono pieni per la manifestazione.
Ancora due informazioni: qual è il prezzo? Come facciamo ad arrivare al ___________ dalla stazione? Quale autobus dobbiamo prendere?
Grazie
Giulia Pallanti
via Toledo 15 | 80132 Napoli

ascoltare

I brani di ascolto sono presentati attraverso originali attività di comprensione. Le attività di analisi della lingua orale pongono particolare attenzione all'**analisi conversazionale** e pragmatica.

leggere

Le letture appartengono a vari generi testuali e sono proposte attraverso percorsi di comprensione originali e motivanti. Le attività di analisi della lingua scritta riservano particolare attenzione all'**analisi lessicale**.

scrivere

Le attività di produzione scritta sono sempre funzionali all'inserimento attivo e consapevole dello studente all'interno del contesto di studio sia in Italia che all'estero.

parlare

Vengono proposti spunti di conversazione stimolanti, che danno la possibilità allo studente di esprimersi fin dall'inizio in italiano, in un'ampia varietà di contesti socio-culturali.

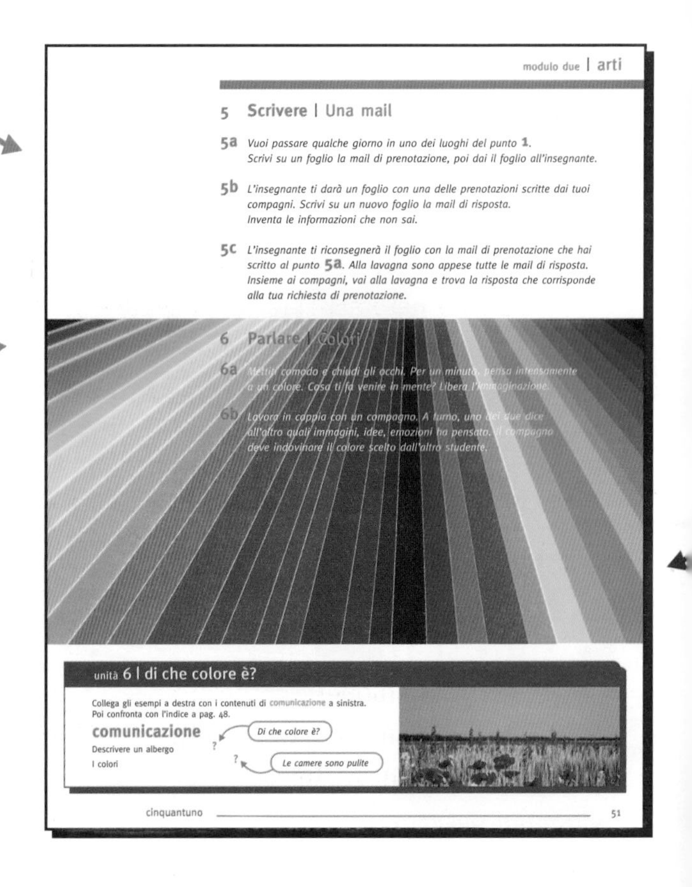
modulo due | arti

5 Scrivere | Una mail

5a *Vuoi passare qualche giorno in uno dei luoghi del punto* **1**. *Scrivi su un foglio la mail di prenotazione, poi dai il foglio all'insegnante.*

5b *L'insegnante ti darà un foglio con una delle prenotazioni scritte dai tuoi compagni. Scrivi su un nuovo foglio la mail di risposta. Inventa le informazioni che non sai.*

5c *L'insegnante ti riconsegnerà il foglio con la mail di prenotazione che hai scritto al punto* **5a**. *Alla lavagna sono appese tutte le mail di risposta. Insieme ai compagni, vai alla lavagna e trova la risposta che corrisponde alla tua richiesta di prenotazione.*

6 Parlare | Colori

6a *Mettiti comodo e chiudi gli occhi. Per un minuto, pensa intensamente a un colore. Cosa ti fa venire in mente? Libera l'immaginazione.*

6b *Lavora in coppia con un compagno. A turno, uno dei due dice all'altro quali immagini, idee, emozioni ha pensato. Il compagno deve indovinare il colore scelto dall'altro studente.*

unità 6 | di che colore è?

Collega gli esempi a destra con i contenuti di comunicazione a sinistra. Poi confronta con l'indice a pag. 48.

comunicazione
Descrivere un albergo
I colori

Di che colore è?
Le camere sono pulite

cinquantuno 51

In **Domani** particolare attenzione è riservata al coinvolgimento e all'**aspetto cooperativo** dell'apprendimento con la proposta di attività originali, creative e giocose e allo stesso tempo regolate e strutturate.

- L'impostazione grafica chiara e stimolante permette un uso piacevole e rapido sia per l'insegnante che per lo studente.
- Attenzione costante viene dedicata alle diverse fasi dell'apprendimento e agli strumenti utili per sostenere e stimolare la motivazione, la capacità di analisi e la curiosità dello studente.

riquadri

chiari e sintetici caratterizzati in base alla tipologia dei contenuti (funzionali, culturali, comunicativi).

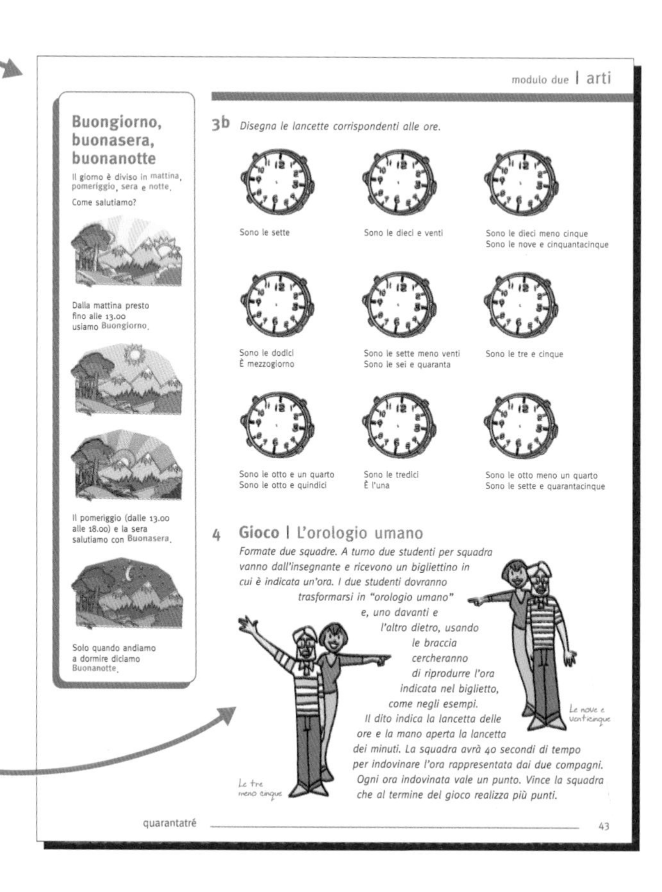

modulo due | arti

Buongiorno, buonasera, buonanotte

Il giorno è diviso in mattina, pomeriggio, sera e notte.

Come salutiamo?

Dalla mattina presto fino alle 13.00 usiamo Buongiorno.

Il pomeriggio (dalle 13.00 alle 18.00) e la sera salutiamo con Buonasera.

Solo quando andiamo a dormire diciamo Buonanotte.

3b *Disegna le lancette corrispondenti alle ore.*

Sono le sette

Sono le dieci e venti

Sono le dieci meno cinque
Sono le nove e cinquantacinque

Sono le dodici
È mezzogiorno

Sono le sette meno venti
Sono le sei e quaranta

Sono le tre e cinque

Sono le otto e un quarto
Sono le otto e quindici

Sono le tredici
È l'una

Sono le otto meno un quarto
Sono le sette e quarantacinque

4 Gioco | L'orologio umano

Formate due squadre. A turno due studenti per squadra vanno dall'insegnante e ricevono un bigliettino in cui è indicata un'ora. I due studenti dovranno trasformarsi in "orologio umano" e, uno davanti e l'altro dietro, usando le braccia cercheranno di riprodurre l'ora indicata nel biglietto, come negli esempi. Il dito indica la lancetta delle ore e la mano aperta la lancetta dei minuti. La squadra avrà 40 secondi di tempo per indovinare l'ora rappresentata dai due compagni. Ogni ora indovinata vale un punto. Vince la squadra che al termine del gioco realizza più punti.

Le nove e venticinque

Le tre meno cinque

quarantatré 43

giochi

che consentono allo studente di lavorare con i compagni (in coppie, in piccoli gruppi, in squadre) in un'atmosfera ludica e rilassata.

attività analitiche

che portano naturalmente lo studente alle regole grammaticali a partire dall'esperienza linguistica attraverso procedimenti induttivi.

pagina della fonetica

dedicata alla pronuncia ed al rapporto tra grafia e pronuncia.

sintesi riassuntiva

che coinvolge lo studente in prima persona nella riflessione sulle funzioni comunicative e i contenuti linguistico-grammaticali trattati.

Domani è ricco di materiali e strumenti multimediali utili sia all'insegnante per organizzare il lavoro in classe sia allo studente per proseguire lo studio a casa.

storia a fumetti

Creata allo scopo di dare allo studente la possibilità di scoprire il piacere di leggere un fumetto in italiano, la storia percorre tutto il volume. Alla fine di ogni modulo infatti, secondo una progressione delle strutture comunicative affrontate, viene presentato un episodio della storia in un crescendo di suspense che coinvolge lo studente e lo porta a contatto con la realtà della lingua viva, fuori dai canoni consueti dell'apprendimento.

Nel DVD è disponibile la **versione animata** della storia, che offre allo studente ed all'insegnante la possibilità di scegliere diverse tecniche di uso del fumetto.

cortometraggio

Il film breve "Petali" offre numerosi spunti di approfondimento per entrare in contatto con la dimensione sociale e culturale italiana attraverso il linguaggio e la struttura peculiare cinematografica.

Il cortometraggio è visionabile con o senza sottotitoli in italiano.

Nel DVD sono disponibili numerose attività ed esercizi.

La sezione di **autovalutazione** delle competenze e delle strategie di apprendimento coinvolge direttamente lo studente portandolo a riflettere su di sé, sui propri bisogni e sulle proprie potenzialità.

Ogni unità è corredata di una sezione di **esercizi** per consolidare e sistematizzare le strutture grammaticali affrontate.

Alla fine del volume una **grammatica** riassuntiva permette allo studente di avere un quadro d'insieme chiaro ed esauriente sui temi affrontati.

vai sul sito **www.almaedizioni.it** e scarica gratuitamente video, canzoni, test, glossari, attività extra, esercizi interattivi e moltissimi altri materiali.

unità 0 | come ti chiami?

comunicazione

Chiedere e dire il nome
▸ *Come ti chiami?*
▸ *Mi chiamo...*

Le espressioni
Che significa?, Come si scrive?, Come scusa?

Le operazioni aritmetiche
▸ *più, meno, uguale*

Salutare ▸ *ciao, buongiorno, buonasera, arrivederci*

grammatica

L'alfabeto

I numeri da 1 a 30

Il verbo *chiamarsi* (io, tu, lui / lei)

1 Introduzione

1a *Scrivi il tuo nome.*

■ Come ti chiami?
● Mi chiamo ______________.

1b *Vai alla lavagna insieme ai compagni e scrivete il vostro nome.*

1c *Conosci dei nomi italiani di persona sia maschili che femminili? Scrivili alla lavagna insieme ai compagni.*

2 Gioco | Il domino delle parole

2a *Hai 2 minuti di tempo: scrivi su un foglio tutte le parole italiane che ricordi.*

2b *Lavora con la tua squadra. Scambiatevi le parole che avete scritto e scrivetele su un altro foglio. Se non capisci qualche parola, chiedi "che significa" ai compagni.*

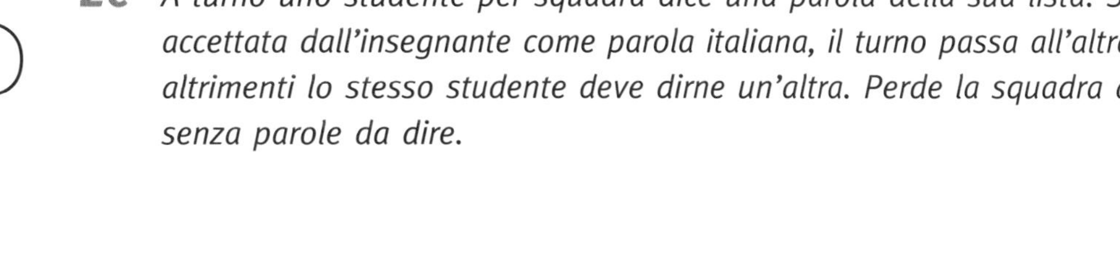

2c *A turno uno studente per squadra dice una parola della sua lista. Se è accettata dall'insegnante come parola italiana, il turno passa all'altra squadra, altrimenti lo stesso studente deve dirne un'altra. Perde la squadra che resta senza parole da dire.*

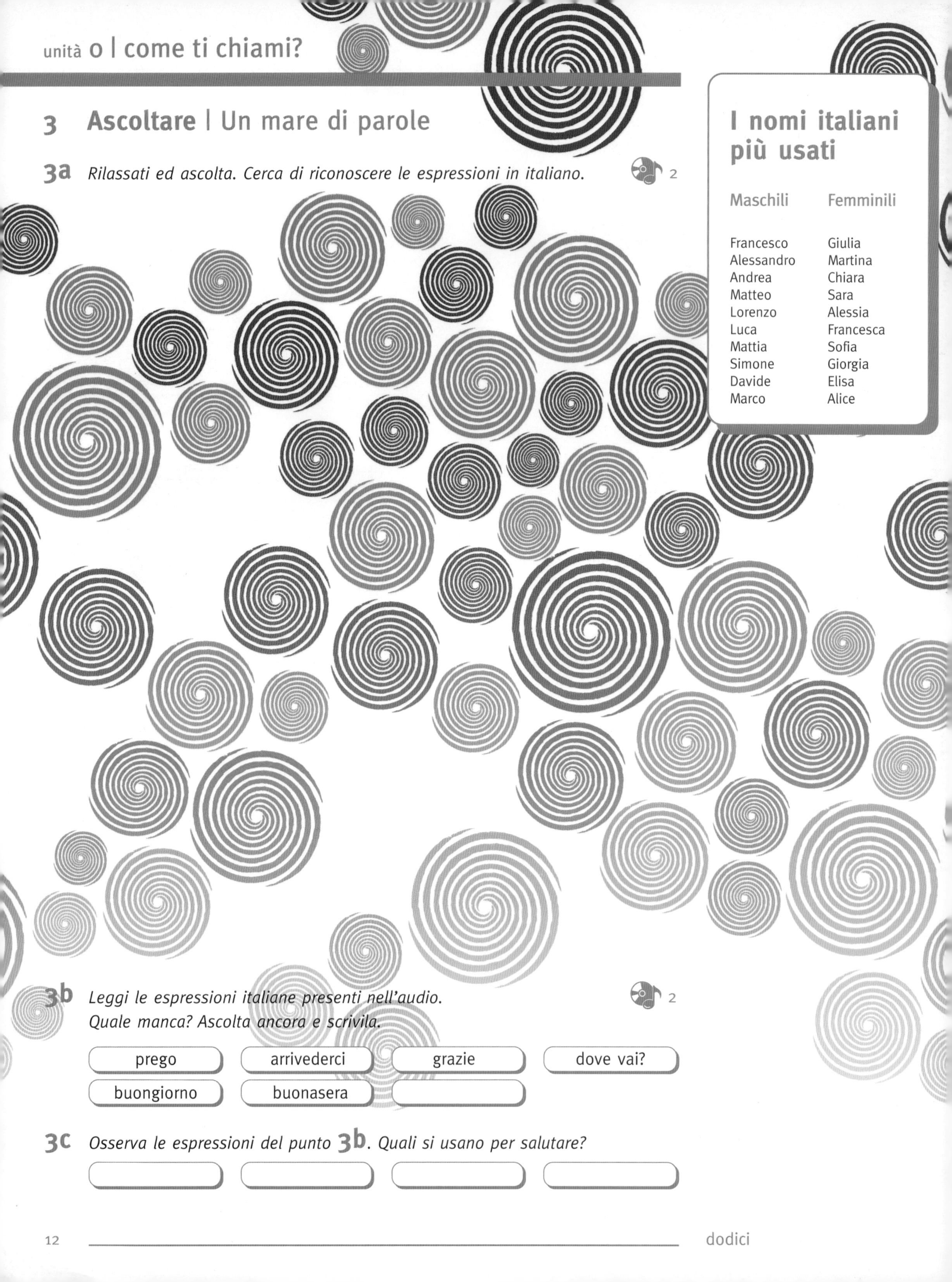

3 Ascoltare | Un mare di parole

3a *Rilassati ed ascolta. Cerca di riconoscere le espressioni in italiano.* 2

I nomi italiani più usati

Maschili	Femminili
Francesco	Giulia
Alessandro	Martina
Andrea	Chiara
Matteo	Sara
Lorenzo	Alessia
Luca	Francesca
Mattia	Sofia
Simone	Giorgia
Davide	Elisa
Marco	Alice

3b *Leggi le espressioni italiane presenti nell'audio.*
Quale manca? Ascolta ancora e scrivila. 2

prego | arrivederci | grazie | dove vai?
buongiorno | buonasera | ______

3c *Osserva le espressioni del punto* **3b**. *Quali si usano per salutare?*

______ | ______ | ______ | ______

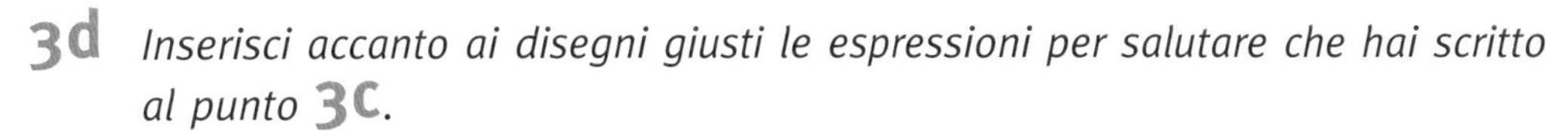

I numeri da 1 a 30

1	uno
2	due
3	tre
4	quattro
5	cinque
6	sei
7	sette
8	otto
9	nove
10	dieci
11	undici
12	dodici
13	tredici
14	quattordici
15	quindici
16	sedici
17	diciassette
18	diciotto
19	diciannove
20	venti
21	ventuno
22	ventidue
23	ventitré
24	ventiquattro
25	venticinque
26	ventisei
27	ventisette
28	ventotto
29	ventinove
30	trenta

3d *Inserisci accanto ai disegni giusti le espressioni per salutare che hai scritto al punto* **3c**.

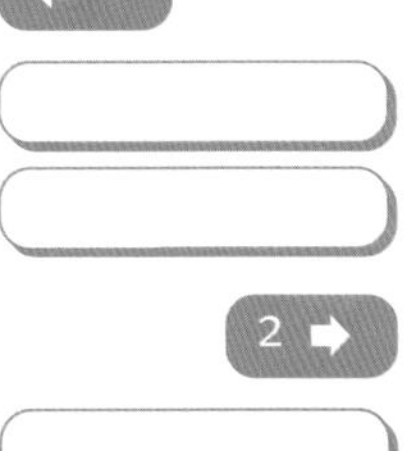

buongiorno

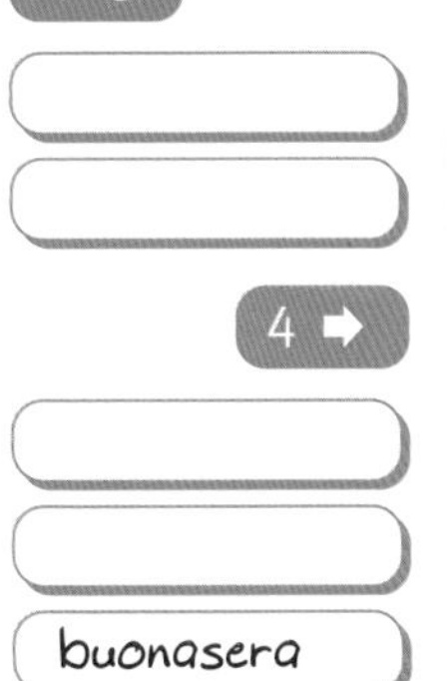

4 Gioco | I numeri da 1 a 20

4a *Forma un cerchio con i compagni. Contate da 1 a 20 con l'aiuto dell'insegnante.*

4b *Tutti gli studenti si alzano in piedi e camminano in silenzio nella classe. Chi vuole comincia a contare ad alta voce e dice "uno". Chi vuole dice "due" e così via fino a venti. Se due o più studenti dicono contemporaneamente un numero, si ricomincia.*

5 Gioco | Operazioni

* Studente A (Le istruzioni per lo **Studente B** sono a pag. 137)
Chiedi il risultato delle tue operazioni e controlla che la risposta sia corretta, seguendo l'esempio. Poi rispondi alle domande dello **Studente B**. Aiutati con la lista dei numeri da 1 a 30.

Esempio
Studente A Cinque più quattro? **Studente B** Nove! Studente A Sì.

le mie operazioni | + più | – meno | = uguale

5+4=9	7−2=5	18+11=29	21+3=24	21−7=14
30−11=19	6+15=21	8+9=17	28−19=9	23+3=26

6 Gioco | Battaglia navale

6a *Ascolta l'alfabeto e ripeti insieme ai compagni.*

3

6b *Lavora con un compagno. Ripetete insieme l'alfabeto. Se avete difficoltà chiamate l'insegnante.*

6c ✶ Studente A (Le istruzioni per lo **Studente B** sono a pag. 138)
Gioca a battaglia navale seguendo l'esempio. Cerca le parole nella tabella dello **Studente B** e scegli una casella. Se la casella è vuota, lo **Studente B** risponde "Acqua!". Se invece è piena, risponde "Colpito!", pronuncia il nome della lettera che occupa quella casella, e tu puoi scrivere la lettera nella tabella di destra. Vince chi ricostruisce per primo le cinque parole dell'altro.

Esempio
Studente A D2.
Studente B Colpito! R.
Studente B C4.
Studente A Acqua!

✶ Tabella Studente A

	1	2	3	4	5	6	7	8	9	10
A										
B			C	A	S	A				
C										
D										
E										
F						F				
G						E				
H						S				
I						T				
L						A				
M			B							
N			U		A	M	O	R	E	
O			O							
P			N							
Q			G							
R			I							
S			O							
T			R							
U			N							
V			O							
Z							R	O	M	A

✶ Tabella **Studente B**

	1	2	3	4	5	6	7	8	9	10
A										
B						I				
C		A								
D		R								
E										
F										
G										
H										
I										
L										
M										
N										
O					E					
P										
Q	I									
R										
S										
T										
U										
V								A		
Z										

L'alfabeto italiano

3

A	a
B	bi
C	ci
D	di
E	e
F	effe
G	gi
H	acca
I	i
L	elle
M	emme
N	enne
O	o
P	pi
Q	cu
R	erre
S	esse
T	ti
U	u
V	vu
Z	zeta

altre lettere

J	i lunga
K	kappa
W	doppia vu
X	ics
Y	ipsilon

7 Parlare | Come ti chiami?

7a *L'insegnante ti consegnerà un foglietto con un nome.** [*]
È la tua nuova identità. Scrivi il tuo nuovo nome nello spazio "Mi chiamo" e studia come dettarlo ad un'altra persona, lettera per lettera. Se necessario riguarda l'alfabeto a pagina 14.

Mi chiamo ________________

7b *Alzati in piedi e gira per la classe con il libro aperto. Quando incontri un compagno guarda la lavagna. Se c'è disegnato il sole è giorno, se c'è la luna è sera. Presentati secondo il modello qui sotto utilizzando il saluto adeguato e scrivi il nome del tuo compagno nello spazio "Come ti chiami?". Quando avete finito cambia coppia, guarda la lavagna e ricomincia. Continua fino allo stop dell'insegnante.*

- ● Buongiorno/Buonasera.
- ■ Buongiorno/Buonasera.
- ● Come ti chiami?
- ■ Paolo.
- ● Paolo? Come si scrive?
- ■ Pi – A – O – Elle – O.
- ● Così?
- ■ Sì.
- ● Grazie. Io mi chiamo Antonio.
- ■ Antonio? Come si scrive?
- ● A – Enne – Ti – O – Enne – I – O.
- ■ Grazie, arrivederci.
- ● Arrivederci.

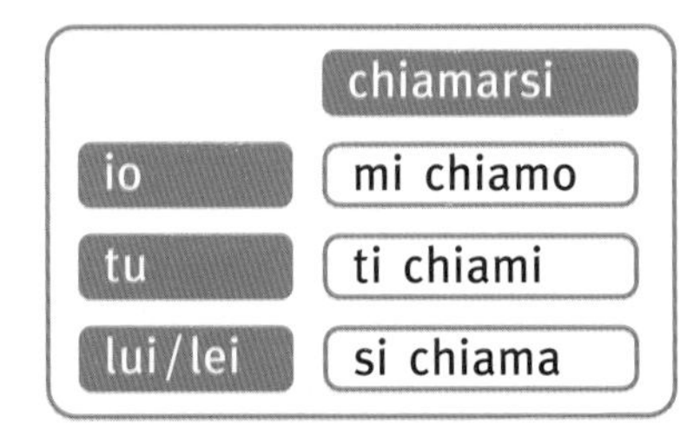

	chiamarsi
io	mi chiamo
tu	ti chiami
lui/lei	si chiama

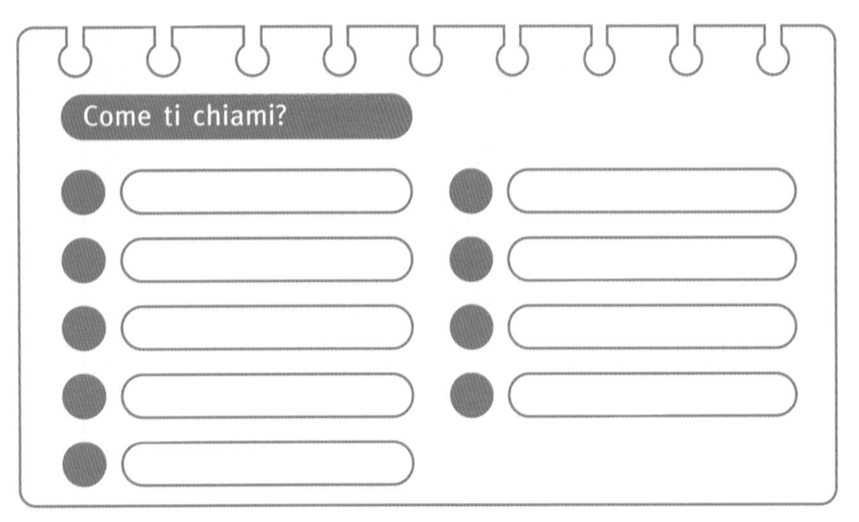

[*] Nota per l'insegnante: i nomi da consegnare sono a pag. 137.

7c *Ora trova nel puzzle i nomi che hai scritto e verifica. Poi controlla se trovi altri nomi italiani.*

C	I	R	A	M	S	O	D	M	I	D
H	P	O	R	S	F	I	F	A	B	X
I	P	B	S	E	R	V	Q	U	I	L
A	L	E	S	S	A	N	D	R	O	W
R	O	R	T	T	N	A	R	O	B	O
A	N	T	R	E	C	H	I	M	R	A
N	V	A	L	F	E	E	T	T	A	I
N	E	T	M	A	S	S	I	M	O	M
E	L	I	S	N	C	A	R	L	O	B
C	I	A	G	I	O	V	A	N	N	A
E	L	I	S	A	B	E	T	T	A	J

unità 0 | come ti chiami?

Segna con una X le cose che hai studiato. Poi verifica con l'indice a pag. 11. Attenzione: c'è una cosa in più. Il contenuto "intruso" della lista sarà presentato nel modulo uno.

comunicazione

- ☐ Chiedere e dire il nome ▸ *Come ti chiami?* ▸ *Mi chiamo...*
- ☐ Le espressioni *Che significa?*, *Come si scrive?*, *Come scusa?*
- ☐ Le operazioni aritmetiche ▸ *più, meno, uguale*
- ☐ Chiedere l'età ▸ *Quanti anni hai?*
- ☐ Salutare ▸ *ciao, buongiorno, buonasera, arrivederci*

grammatica

- ☐ L'alfabeto
- ☐ I numeri da 1 a 30
- ☐ Il verbo *chiamarsi* (io, tu, lui / lei)

unità 1 di dove sei?

unità 2 mi dai il tuo numero?

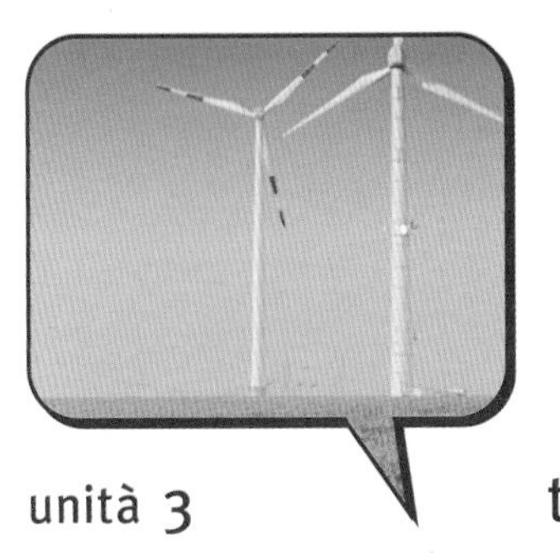

unità 3 tutti in piazza!

comunicazione

Le espressioni *grazie, prego, scusa*

Chiedere e dire la provenienza e la destinazione ▸ *Di dove sei, Dove vai?* ▸ *Sono di..., Vado a...*

Chiedere e dare il numero di telefono ▸ *Mi dai il tuo numero di telefono?*

Chiedere l'età ▸ *Quanti anni hai?*

Aprire una telefonata ▸ *Pronto?*

Concordare il luogo di un appuntamento ▸ *Dove ci vediamo?*

L'espressione *Come si dice in italiano...?*

grammatica

I verbi *andare* e *essere* (io, tu, lui / lei)

Il verbo *avere* (io, tu, lui / lei)

I numeri da 0 a 100

I nomi

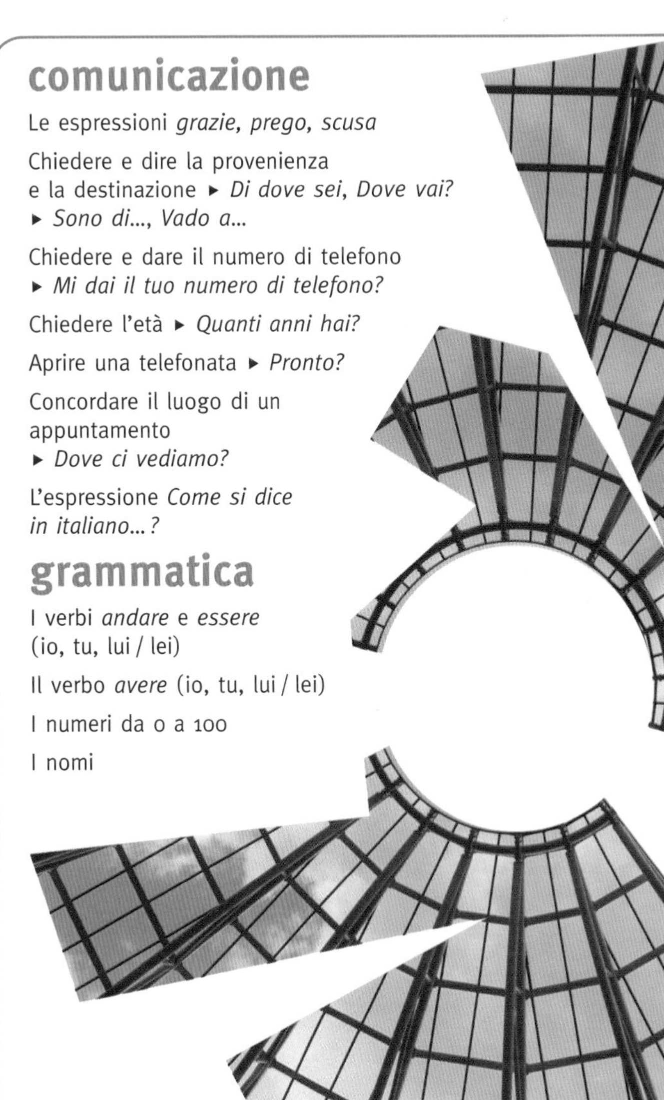

unità 1 | di dove sei?

comunicazione

Le espressioni *grazie, prego, scusa*

Chiedere e dire la provenienza e la destinazione
- *Di dove sei, Dove vai?*
- *Sono di..., Vado a...*

grammatica

I verbi *andare* e *essere* (io, tu, lui / lei)

1 Introduzione

Guarda i messaggi a sinistra e collegali ai luoghi dove si trovano. Poi confronta le tue scelte con quelle di un compagno.

a.

b.

c.

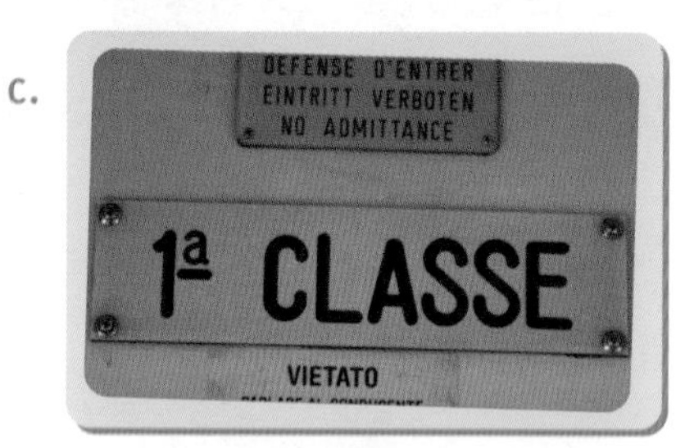

d.

in aeroporto

in aereo

in stazione

in treno

Città italiane

Roma	2.600.000 abitanti
Milano	1.300.000 abitanti
Napoli	1.000.000 abitanti
Torino	900.000 abitanti
Palermo	700.000 abitanti

2 Ascoltare | Un annuncio

4

2a *Ascolta il messaggio. In quale luogo puoi sentirlo?*

aeroporto | stazione | treno | aereo

2b *Scrivi i nomi delle città al posto giusto nella cartina e ricostruisci il percorso del treno. Se necessario riascolta il messaggio.*

'ALMA.tv

Vai su *www.alma.tv*,
nella rubrica In viaggio con Sara
e scopri itinerari originali e curiosità sull'Italia e gli italiani.

In viaggio con Sara CERCA

3 Gioco | L'Italia

La classe si divide in due o più squadre. Ogni squadra ha 5 minuti di tempo per scrivere più nomi possibili sulla cartina del punto **2b** *(città, regioni, isole, ecc.) in base alle conoscenze di ogni studente. Vince la squadra che, allo scadere del tempo, ha scritto il maggior numero di nomi corretti al posto giusto.*

4 Ascoltare | Scusa, è libero questo posto?

4a *Abbina ogni parola ad un'immagine, come negli esempi. Poi confronta con un compagno.*

4b *Ascolta il dialogo e scegli quale serie di disegni esprime la situazione.* 5

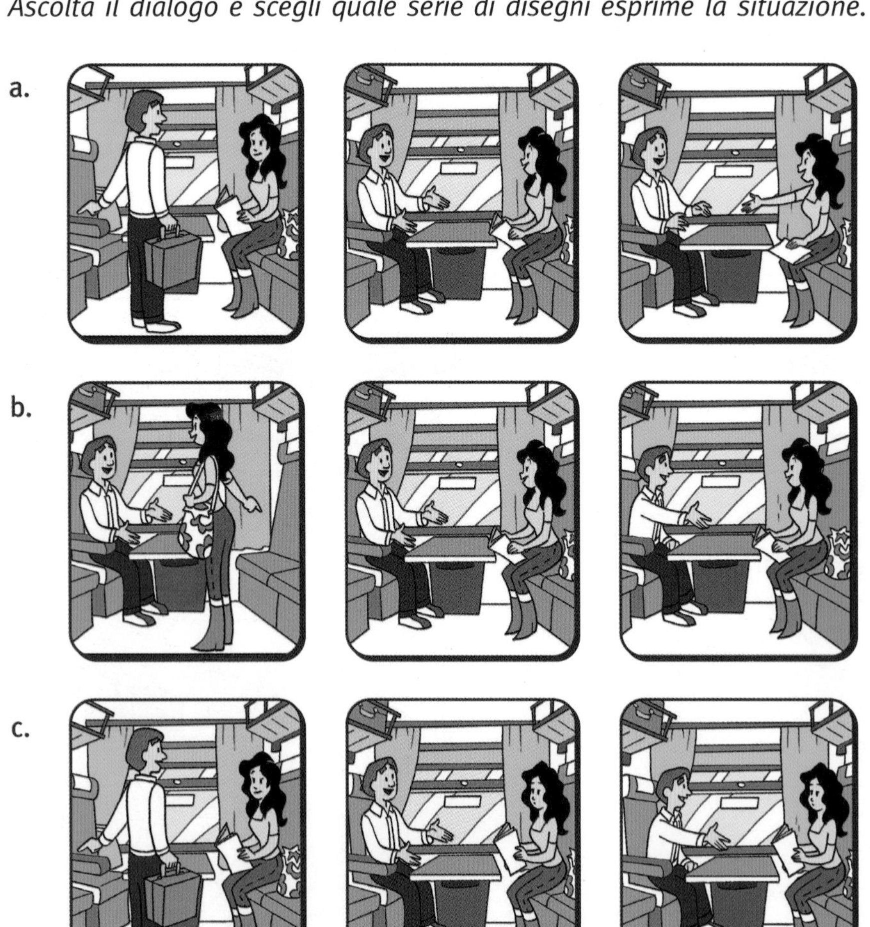

Scusa

4c *Ascolta di nuovo il dialogo e scrivi nella tabella le informazioni che capisci.*  5

	Lui	Lei
Nome	Paolo	______
Di dove è?	Napoli	/
Dove va?	Roma	______
Professione	Insegnante	______
Va alla manifestazione?	Sì ☒ No ☐	Sì ☐ No ☐
Nazionalità	Italiana	______
Anni	Trenta	______

5 Analisi grammaticale | Andare e essere

Completa il dialogo. Inserisci negli spazi ______ il verbo **essere** *e negli spazi ______ il verbo* **andare**. *Aiutati con la tabella. Poi confronta con un compagno.*

Paolo Scusa! ______ libero questo posto?
Pilar Sì, prego.
Paolo Grazie. Dove ______ ?
Pilar Io?
Paolo Sì.
Pilar ______ a Roma.
Paolo Anch'io vado a Roma.
Pilar Ah.
Paolo Però non ______ di Roma.
Sono di Napoli.

	andare	essere
io	vado	sono
tu	vai	sei
lui/lei	va	è

6 Esercizio | Sono di Roma

Collega le frasi ai disegni.

sono di Roma

vado a Roma

7 Esercizio | Dove vai?

7a *Lavora con un compagno. Immaginate di essere in treno. Leggete il dialogo del punto* **5** *e esercitatevi a recitarlo.*

7b *Ora dovete recitare il dialogo davanti alla classe. Ma attenzione, i nomi delle città cambiano. Usate quelli che vi indica ogni volta l'insegnante. Vince la coppia che fa il dialogo migliore.*

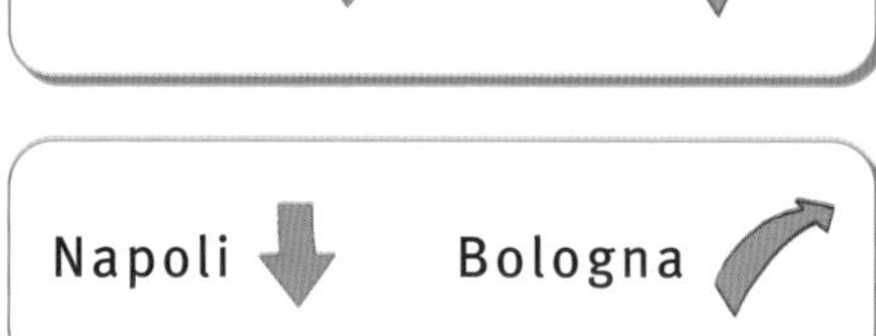

Roma ↓ Napoli ↗

Bologna ↓ Firenze ↗

Milano ↓ Roma ↗

Napoli ↓ Bologna ↗

Firenze ↓ Milano ↗

Grazie, prego

unità 1 | di dove sei?

Completa lo spazio riguardando quello che hai studiato. Poi confronta con l'indice a pag. 18.

comunicazione

Le espressioni *grazie, prego, scusa*

Chiedere e dire la provenienza e la destinazione ▸ *Di dove sei, Dove vai?* ▸ *Sono di..., Vado a...*

grammatica

I verbi *andare* e *essere* (______ , tu, lui / lei)

unità 2 | mi dai il tuo numero?

comunicazione

Chiedere e dare il numero di telefono ▸ *Mi dai il tuo numero di telefono?*

Chiedere l'età ▸ *Quanti anni hai?*

grammatica

Il verbo *avere* (io, tu, lui / lei)

I numeri da 0 a 100

1 Ascoltare | Mi dai il tuo numero?

1a *Osserva le vignette. Quale rappresenta meglio i personaggi del dialogo dell'unità **1**?*

1

2

3

'ALMA.tv

Paolo cerca di attaccare bottone con la ragazza in treno. Vuoi sapere cosa significa? Vai su *www.alma.tv*, cerca "Attaccare bottone" nella rubrica Vai a quel paese e guarda la divertente spiegazione di Federico Idiomatico.

Attaccare bottone | CERCA

1b *Ascolta una parte più lunga del dialogo. Verifica il punto* **1a** *e poi rispondi alla nuova domanda qui sotto.* 6

▸ Secondo te, cosa risponde Pilar alla domanda di Paolo?

Paolo Allora Pilar, mi dai il tuo numero?
Pilar Sì ☐ No ☐

1c *Ascolta l'ultima parte e verifica. Poi riguarda la tabella dell'unità* **1** *punto* **4c** *a pagina 21. Sei ancora della stessa idea? Quali informazioni sulla ragazza cambiano dopo questo ascolto? Parlane con un compagno.* 7

1d *Guarda il numero di telefono di Giulia. È uguale a quello che ha dato a Paolo? Ascolta il dialogo e verifica.* 8

3 3 8 5 6 2 3 4 9 7 | ______

2 Esercizio | Dati anagrafici

Completa la tua scheda. Poi gira per la classe: utilizza le domande indicate e scrivi i dati dei tuoi compagni.

	avere	essere
io	ho	sono
tu	hai	sei
lui/lei	ha	è

io
nome ______
città ______
anni ______

come ti chiami?
di dove sei?
quanti anni hai?

il mio compagno
nome ______
città ______
anni ______

il mio compagno
nome ______
città ______
anni ______

il mio compagno
nome ______
città ______
anni ______

3 Esercizio | I numeri da 0 a 100

3a *Completa la tabella con i numeri della lista.*

cinquanta | novanta | ottanta | otto | quarantotto | quarantaquattro | quattordici | ventidue | ventinove

0	zero	10	dieci	20	venti	30	trenta	50	________
1	uno	11	undici	21	ventuno	31	trentuno	51	cinquantuno
2	due	12	dodici	22	________	32	________	55	________
3	tre	13	tredici	23	ventitré	33	trentatré	60	sessanta
4	quattro	14	________	24	________	38	trentotto	68	________
5	cinque	15	quindici	25	venticinque	40	quaranta	69	________
6	sei	16	sedici	26	________	41	________	70	settanta
7	sette	17	diciassette	27	________	42	quarantadue	80	________
8	________	18	diciotto	28	ventotto	44	________	90	________
9	nove	19	diciannove	29	________	48	________	100	cento

3b *Ora scrivi i numeri mancanti.*

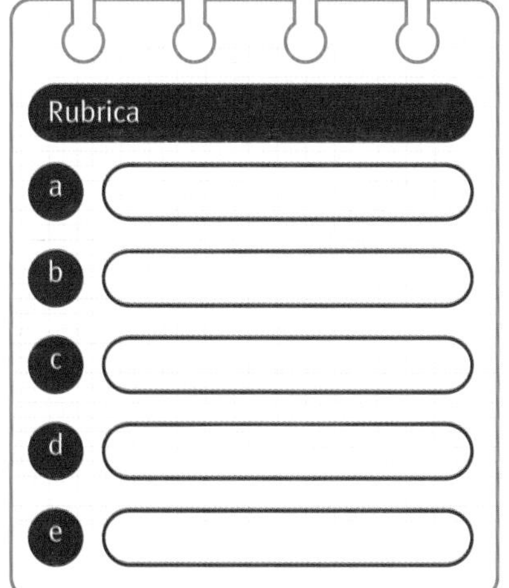

3c *Ascolta i numeri di telefono e scrivili nella rubrica.*  9

4 Parlare | In treno

4a *Riprendi la tua scheda del punto* **2** *e aggiungi altri dati su di te, compreso il numero di telefono.*

4b *Ora sei in treno insieme ad altre tre persone. Parla di te e fai amicizia.*

unità 2 | mi dai il tuo numero?

Collega gli esempi a destra con i contenuti di comunicazione a sinistra.
Poi confronta con l'indice a pag. 23.

comunicazione

Chiedere e dare il numero di telefono ?

Chiedere l'età ?

Quanti anni hai?

Mi dai il tuo numero di telefono?

unità 3 | tutti in piazza!

comunicazione

Aprire una telefonata ▸ *Pronto?*

Concordare il luogo di un appuntamento ▸ *Dove ci vediamo?*

L'espressione *Come si dice in italiano...?*

grammatica

I nomi

1 Leggere | Il volantino

1a *Guarda il volantino. Due fotografie sono al posto sbagliato. Quali?*

CONTRO L'INQUINAMENTO! sabato 25 giugno
PER IL NOSTRO FUTURO! 8 appuntamenti in 7 città

Palermo

Una pizza contro l'inquinamento
ore 9.00 • Lungomare

Appuntamento al mare: pizza e vino per tutti con l'Associazione "Buongiorno natura".

Roma

Manifestazione nazionale
ore 10.00 • Piazza della Repubblica

Per dire NO all'inquinamento! Da Piazza della Repubblica al Circo Massimo.

Milano

sit in all'Università Bocconi
ore 14.30 • via Sarfatti 25

Gli studenti delle 7 università di Milano si incontrano per 7 lezioni sull'ecologia.

Roma

Notte di musica
ore 22.00 • Centro storico

Canzoni per il futuro: i gruppi di musica popolare cantano e suonano nelle strade e nelle piazze della città.

Genova

Partita di calcio
ore 21.00 • Stadio Ferraris

Partita di calcio con le star del cinema e della televisione.

Venezia

100 gondole per un mondo pulito
ore 21.00 • Canal Grande

100 gondole per un mondo pulito nella città più bella del mondo: da Rialto a Piazza San Marco.

Firenze

Giornata in piazza
ore 14.00 • Piazza Dallapiccola

Spettacoli, arte e musica per grandi e bambini: una giornata di appuntamenti contro l'inquinamento a cura della Casa dello Studente.

Napoli

Lezione di teatro
ore 19.30 • via Roma

Al teatro "Roma" lezioni di teatro gratis per tutti.

1b *Dove va Paolo? Se necessario riascolta il dialogo dell'unità* **1**.  5

Paolo va a ____________

1c *Alcune parole del volantino sono rappresentate nelle fotografie. Collegale alle immagini corrispondenti, come nell'esempio a sinistra.*

Roma
Manifestazione nazionale
ore 10.00 • Piazza della Repubblica
Per dire NO all'inquinamento!
Da Piazza della Repubblica al Circo Massimo.

1d *Lavora in squadra con alcuni compagni. Trovate il maggior numero possibile di parole rappresentate nelle fotografie. Vince la squadra che ne trova di più.*

2 Analisi grammaticale | I nomi

2a *Trova nel testo del volantino i singolari e i plurali dei nomi dello schema e scrivili nello spazio corrispondente.*

nomi in -o / -a	maschile		femminile	
	singolare	plurale	singolare	plurale
	appuntamento	____________	piazza	____________

nomi in -e	maschile		femminile	
	singolare	plurale	singolare	plurale
	studente	____________	lezione	____________

2b *Scrivi i singolari e i plurali dei nomi dello schema. Se necessario cercali nel testo del punto* **1**.

nomi in -o / -a	maschile		femminile	
	singolare	plurale	singolare	plurale
	____________	centri	____________	partite
	____________	vini	strada	____________
	____________	teatri	____________	case
	gruppo	____________	____________	giornate
	spettacolo	____________	____________	pizze
	bambino	____________	gondola	____________

nomi in -e	maschile		femminile	
	singolare	plurale	singolare	plurale
	____________	mari	____________	manifestazioni
	studente	____________	____________	televisioni
			____________	arti
			____________	notti
			canzone	____________

2c *Completa la regola dei nomi.*

- i nomi singolari in *-o* ➡ sono maschili ☐ femminili ☐ ➡ plurale in ____________
- i nomi singolari in *-a* ➡ sono maschili ☐ femminili ☐ ➡ plurale in ____________
- i nomi singolari in *-e* ➡ (maschili e femminili) ➡ plurale in ____________

2d *Trova nel testo i singolari e i plurali delle parole* università *e* città. *Poi completa la regola dell'eccezione.*

- i nomi in *-à* ➡ il singolare e il plurale sono ➡ uguali □ differenti □

3 Gioco | Singolare o plurale?

Formate due squadre. L'insegnante scrive alla lavagna una parola.
La squadra che pensa di sapere il corrispondente singolare o plurale si prenota. Uno studente della squadra che si prenota per prima va alla lavagna e scrive il singolare o il plurale corrispondente. Attenzione: le squadre possono consultarsi, ma solo fino al momento della prenotazione.

Risposta esatta: + 1 punto.
Errore: -2 punti e l'altra squadra può provare a scrivere la soluzione.

4 Analisi della conversazione | Al telefono

4a *Inserisci al posto giusto le battute di Giulia.*

Ciao! Sono in treno. | Non lo so. | Ok, perfetto. | Pronto?

Giulia ______________________
Mauro Pronto? Pronto, Giulia mi senti? Sono Mauro.
Giulia ______________________
Mauro Ciao, senti: dove ci vediamo?
Giulia ______________________
Mauro Allora, la manifestazione parte da Piazza della Repubblica. Per te va bene?
Giulia ______________________

4b *Guarda il dialogo del punto* **4a** *e scrivi come si risponde al telefono, in italiano e nella tua lingua madre.*

come si risponde al telefono?

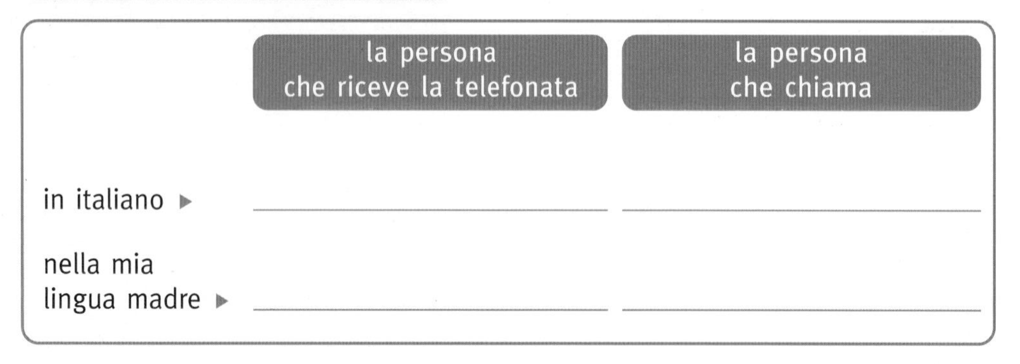

	la persona che riceve la telefonata	la persona che chiama
in italiano ▸	______________	______________
nella mia lingua madre ▸	______________	______________

Città italiane

Venezia città turistica, costruita sull'acqua.

Milano centro dell'economia e degli affari.

Genova città di mare, con un importante porto commerciale.

Bologna città universitaria, sede dell'università più antica d'Europa.

Roma capitale d'Italia, ricca di monumenti e di storia. È il centro della religione cattolica.

...

...

Firenze città d'arte, importante nel Rinascimento.

Napoli la più importante città del sud Italia, ricca di arte e di cultura.

Palermo la più importante città della Sicilia.

5 Gioco | Sì o no?

La classe si divide in due squadre. Ogni studente sceglie una coppia di cose da dire (dove sta e dove è l'appuntamento), poi a turno uno studente per squadra fa il dialogo dell'esempio al telefono con l'insegnante. Le squadre devono capire perché l'insegnante a volte risponde sì e altre volte risponde no. Gli studenti possono scrivere le risposte dell'insegnante e consultarsi in qualsiasi momento per cercare di capire il criterio secondo cui l'insegnante risponde sì o no. La soluzione per l'insegnante è a pag. 144.

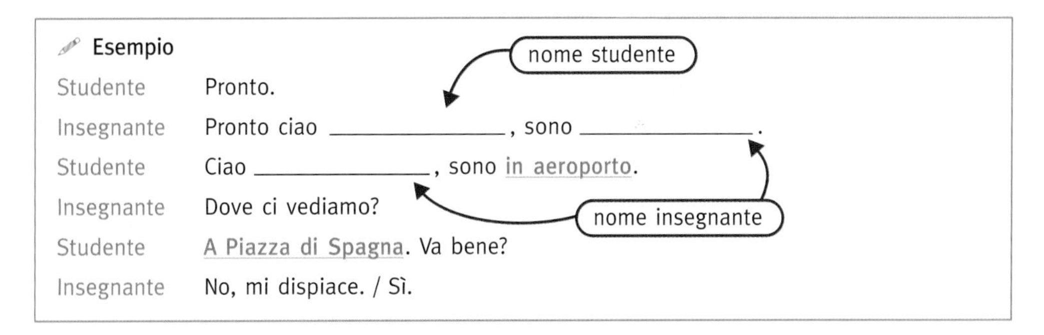

Esempio

Studente	Pronto.
Insegnante	Pronto ciao ____________, sono ____________.
Studente	Ciao ____________, sono in aeroporto.
Insegnante	Dove ci vediamo?
Studente	A Piazza di Spagna. Va bene?
Insegnante	No, mi dispiace. / Sì.

Dove sono?	Dove è l'appuntamento?
in aeroporto	a Piazza di Spagna
alla stazione	al Teatro Nazionale
in treno	al Duomo
in aereo	a Via Regina Elena
a casa	a Corso Vittorio Emanuele
in ufficio	alla Fontana Maggiore

6 Scrivere | Il volantino

Lavora con uno o più compagni. Scrivete un volantino per un evento in città. Può essere un concerto, uno spettacolo, una manifestazione o quello che preferite.

unità 3 | tutti in piazza!

Cosa hai studiato di grammatica in questa unità? Scegli uno dei contenuti della lista. Poi confronta con l'indice di pag. 26. Attenzione: gli altri contenuti saranno presentati nel modulo due.

I verbi *andare*, *essere* e *avere* (noi, voi, loro) | I nomi | Gli articoli

grammatica

____

ROMA, 2050. DOPO LA GRANDE DISTRUZIONE, LA CITTA È CONTROLLATA DAI SOLDATI ROMANI.

IL COLOSSEO
ALT! DOVE VAI?

EHI! SONO UN AMICO... TRANQUILLO.

PAROLA D'ORDINE.
MI CHIAMO BRUNO.
ROMA CAPUT MUNDI*
*IN LATINO SIGNIFICA: "ROMA CENTRO DEL MONDO".

GIUSTO.
VADO?

UN MOMENTO! E LUI?
LUI SI CHIAMA FIDUS. È IL MIO CANE.

VA BENE, VAI.
GRAZIE.

VENEZIA, 2050. TUTTA LA CITTÀ È SOTTO L'ACQUA.

PIAZZA SAN MARCO. LA CITTÀ È CONTROLLATA DAI CROCIATI VENEZIANI.
ALT! DOVE VAI?
MI CHIAMO ANNA. SONO UN'ARCHEOLOGA.
OK, VAI.

MA DENTRO LA BASILICA DI SAN MARCO...
ANNA!

HO UN MESSAGGIO PER TE.

Vai a Roma.
Buona fortuna!

EHI, TU! CHE COSA HAI IN MANO?

FERMA!
CONTINUA...

PAGINA DELLA FONETICA

1 I suoni [k] e [tʃ]

1a *Ascolta le parole. Che suono senti? Segui gli esempi.* 

	[k]	[tʃ]		[k]	[tʃ]		[k]	[tʃ]
cinema	☐	☒	amico	☒	☐	Luca	☐	☐
ciao	☐	☐	cento	☐	☐	cinque	☐	☐
perché	☐	☐	chiave	☐	☐	cioccolata	☐	☐
Luciana	☐	☐	cuore	☐	☐	chiamo	☐	☐
piacere	☐	☐	come	☐	☐	casa	☐	☐
Lucio	☐	☐						

1b *Metti i simboli [k] e [tʃ] al posto giusto e completa la tabella, come nell'esempio.*

			[k]					
ciao Luciana	cento piacere	amico come	perché	chiave chiamo	cioccolata Lucio	Luca casa	cinema cinque	cuore

1c *Completa la regola, come negli esempi.*

[k] = _c_ a ___he ___i ___o ___u [tʃ] = _ci_ a ___e ___i ___o

1d *Ascolta e segna quale suono senti per ogni parola.* DVD 11

	1.	2.	3.	4.	5.	6.	7.	8.	9.	10.	11.	12.
[k]	☐	☐	☐	☐	☐	☐	☐	☐	☐	☐	☐	☐
[tʃ]	☐	☐	☐	☐	☐	☐	☐	☐	☐	☐	☐	☐

2 I suoni [g] e [dʒ]

2a *Ascolta le prime due parole, poi prova a indicare il suono per le altre parole. Infine confrontati con un compagno.* DVD 12

	[g]	[dʒ]		[g]	[dʒ]		[g]	[dʒ]
Gianni	☐	☒	ragazza	☒	☐	gas	☐	☐
gioco	☐	☐	buongiorno	☐	☐	Gorizia	☐	☐
spaghetti	☐	☐	Germania	☐	☐	gelato	☐	☐
lago	☐	☐	Giulia	☐	☐	Inghilterra	☐	☐
pagina	☐	☐	gusto	☐	☐			

2b *Ascolta e verifica.* 

2c *Completa la regola, come negli esempi.*

[g] = _g_ a ___e ___i ___o ___u [dʒ] = _gi_ a ___e ___i ___o ___u

2d *Ascolta e completa le parole.* 

1. ra_____ zzo 2. Lui_____ 3. _____rnale 4. _____pardo 5. _____cca
6. la_____ 7. ma_____ 8. la_____na 9. _____nova 10. _____sto

2e *Cerca nel volantino di pag. 26 tutte le parole con i suoni* [k], [tʃ], [g], [dʒ].

modulo due | arti

unità 4 — una notte a Roma

unità 5 — che ore sono?

unità 6 — di che colore è?

comunicazione

Prenotare una camera ▸ *Avete posto...?*

Chiedere e dire il prezzo ▸ *Qual è il prezzo?* ▸ *Costa...*

Dire la nazionalità ▸ *È un pittore tedesco, Noi siamo italiani*

Protestare / Imprecare ▸ *Porca..., Ma che sei scemo?*

Chiedere e dire l'ora ▸ *Che ore sono?, Che ora è?* ▸ *Sono le..., È...*

Collocare qualcosa nel tempo ▸ *A che ora?* ▸ *Alle dieci, Dalle dieci alle undici*

I saluti della giornata ▸ *buongiorno, buonasera, buonanotte*

Fare una richiesta ▸ *Vorrei*

Descrivere un albergo ▸ *Le camere sono pulite*

I colori ▸ *Di che colore è?*

grammatica

I numeri da 100 a 1000

I verbi *essere*, *avere* e *andare* (noi, voi, loro)

I verbi regolari in *-are*, *-ere* e *-ire*

Gli aggettivi di nazionalità

Gli aggettivi in *-o / -a*, *-e*

Gli interrogativi *Come...?, Quale...?, Che...?*

Gli articoli determinativi e indeterminativi

Le congiunzioni *e*, *o*, *ma*

La frase dichiarativa, interrogativa ed esclamativa

unità 4 una notte a Roma

comunicazione

Prenotare una camera
▸ *Avete posto...?*

Chiedere e dire il prezzo
▸ *Qual è il prezzo?* ▸ *Costa...*

Dire la nazionalità
▸ *È un pittore tedesco, Noi siamo italiani*

grammatica

I numeri da 100 a 1000

I verbi *essere, avere* e *andare* (noi, voi, loro)

I verbi regolari in *-are*, *-ere* e *-ire*

Gli aggettivi di nazionalità

Gli aggettivi in *-o / -a*, *-e*

1 Introduzione

1a *Vuoi passare una notte a Roma. Dove vai a dormire? Guarda le foto e scegli una soluzione.*

albergo ★★★★

pensione ★★

convento

campeggio

bed & breakfast

1b *Gira per la classe e trova un compagno che va nello stesso posto.*

Albergo o pensione?

Chi viene in vacanza in Italia può scegliere tra diverse possibilità di alloggio:

- il classico albergo (hotel);
- la pensione, un piccolo albergo di solito a gestione familiare;
- il bed & breakfast, un posto dove dormire e fare colazione (ma attenzione: in realtà in molti bed & breakfast la colazione non è disponibile);
- il campeggio, per i più giovani e gli appassionati che amano dormire in tenda;
- l'agriturismo, un posto in campagna, dove è possibile assaggiare i prodotti locali;
- il convento (o monastero), che offre la possibilità di alloggiare all'interno di strutture religiose, spesso molto antiche.

I numeri da 100 a 1000

- 101 centouno
- 105 centocinque
- 110 centodieci
- 113 centotredici
- 150 centocinquanta
- 190 centonovanta
- 200 duecento
- 300 trecento
- 500 cinquecento
- 1000 mille

2 Leggere | Singola, doppia, matrimoniale

2a *Leggi e completa le due mail con uno dei luoghi del punto* **1**.

A: reception123@yahoo.it
Oggetto: informazioni

Salve,
leggo sul vostro sito che è possibile affittare le camere all'interno del ____________
e vorrei alcune informazioni. Avete posto per due persone, solo per una notte? Noi arriviamo al ____________ il pomeriggio del 13 marzo verso le cinque e mezza e partiamo la mattina del 14. Spero di sì, perché tutti gli alberghi sono pieni per la manifestazione.
Ancora due informazioni: qual è il prezzo? Come facciamo ad arrivare al ____________ dalla stazione? Quale autobus dobbiamo prendere?
Grazie
Giulia Pallanti
via Toledo 15 | 80132 Napoli

A: giuliapallanti@gmail.com
Oggetto: Re: informazioni

Gentile Giulia,
per la notte del 13 abbiamo ancora delle camere. Nella Sua mail scrive che siete due persone, ma non capisco bene: volete due camere singole, una camera doppia o una matrimoniale?
La singola costa 55 euro, la doppia e la matrimoniale costano 85 euro. Per il bagno in camera c'è un supplemento di 20 euro. La colazione non è compresa nel prezzo, il supplemento è di 8 euro a persona (ma c'è anche un bar di fronte al ____________).
Arrivare dalla stazione è molto facile. Potete prendere il 56 e scendere dopo 5 fermate.
L'autobus parte ogni quindici minuti dalla stazione Termini.
Aspetto al più presto una risposta. Abbiamo poche camere ancora libere.
Il 14 a Roma c'è una grande cerimonia religiosa con il Papa e qui al ____________ arrivano religiosi da tutto il mondo.
Cordiali saluti,
Suor Caterina

	essere	avere	andare
noi	siamo	abbiamo	andiamo
voi	siete	avete	andate
loro	sono	hanno	vanno

2b *Rileggi la mail di Suor Caterina e scrivi sotto i disegni il prezzo di ogni camera.*

3 Analisi grammaticale | I verbi regolari in *-are*, *-ere*, *-ire*

3a *Rileggi le due mail e* <u>*sottolinea*</u> *le forme dei verbi* **arrivare, scrivere** *e* **partire**. *Poi scrivile al posto giusto nella tabella qui sotto e confrontati con un compagno.*

	arrivare	scrivere	partire
io			
tu			
lui / lei			
noi			
voi			
loro			

3b *Gioco a coppie. Le istruzioni per lo* Studente A *sono a pag. 137, quelle per lo* Studente B *sono a pag. 139.*

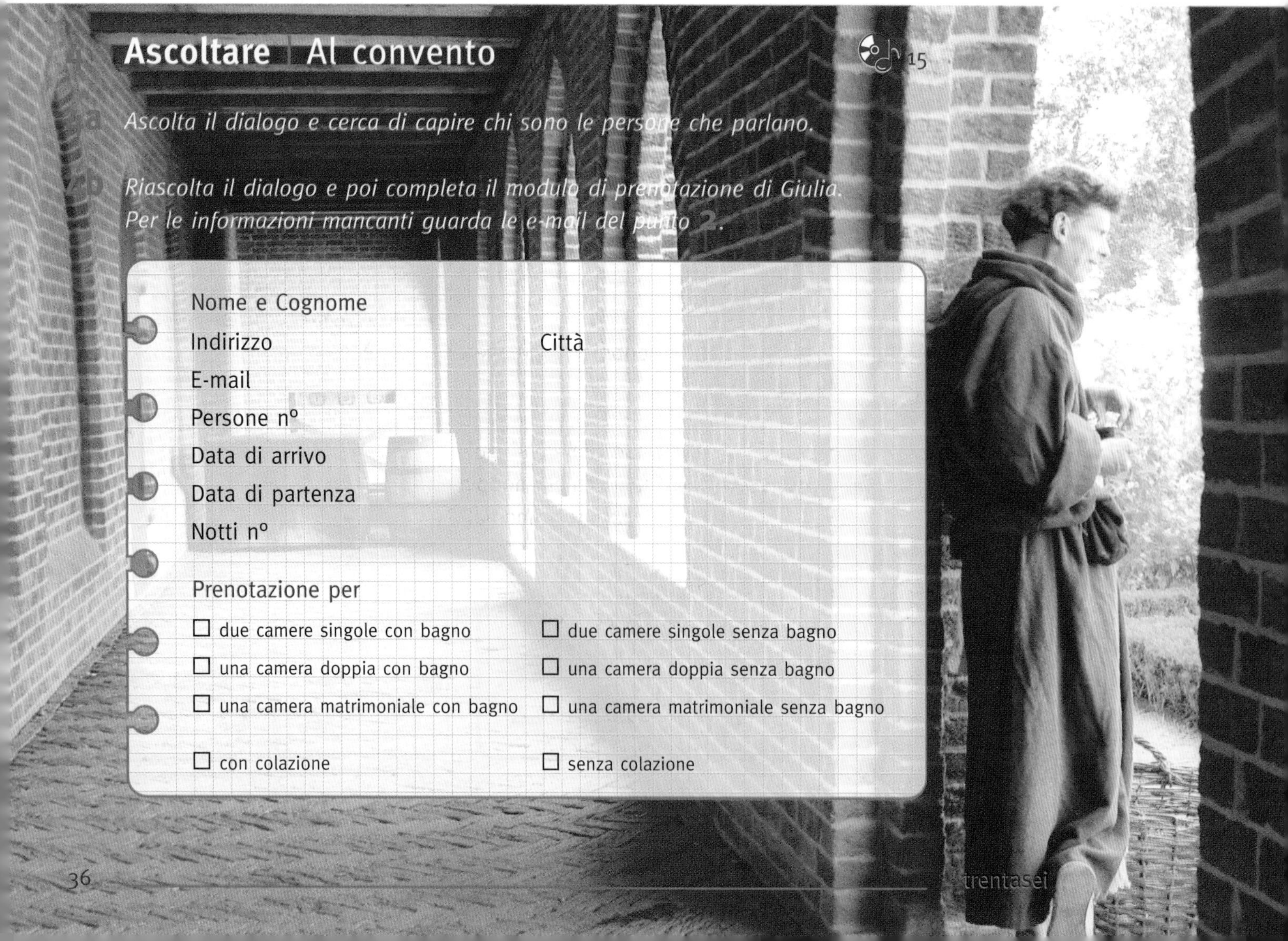

4 Ascoltare | Al convento

15

4a *Ascolta il dialogo e cerca di capire chi sono le persone che parlano.*

4b *Riascolta il dialogo e poi completa il modulo di prenotazione di Giulia. Per le informazioni mancanti guarda le e-mail del punto 2.*

Nome e Cognome
Indirizzo Città
E-mail
Persone n°
Data di arrivo
Data di partenza
Notti n°

Prenotazione per

☐ due camere singole con bagno ☐ due camere singole senza bagno
☐ una camera doppia con bagno ☐ una camera doppia senza bagno
☐ una camera matrimoniale con bagno ☐ una camera matrimoniale senza bagno

☐ con colazione ☐ senza colazione

4C *Riascolta il dialogo e completa il disegno con le parole e i numeri della lista.*

americano | francese | messicano | tedesca | spagnoli

3 | 7 | 10

5 Analisi lessicale | Chiedere informazioni

Ricostruisci le domande e poi collegale alla risposta giusta, come nell'esempio. Attenzione: una domanda non ha risposta. Scrivila tu.

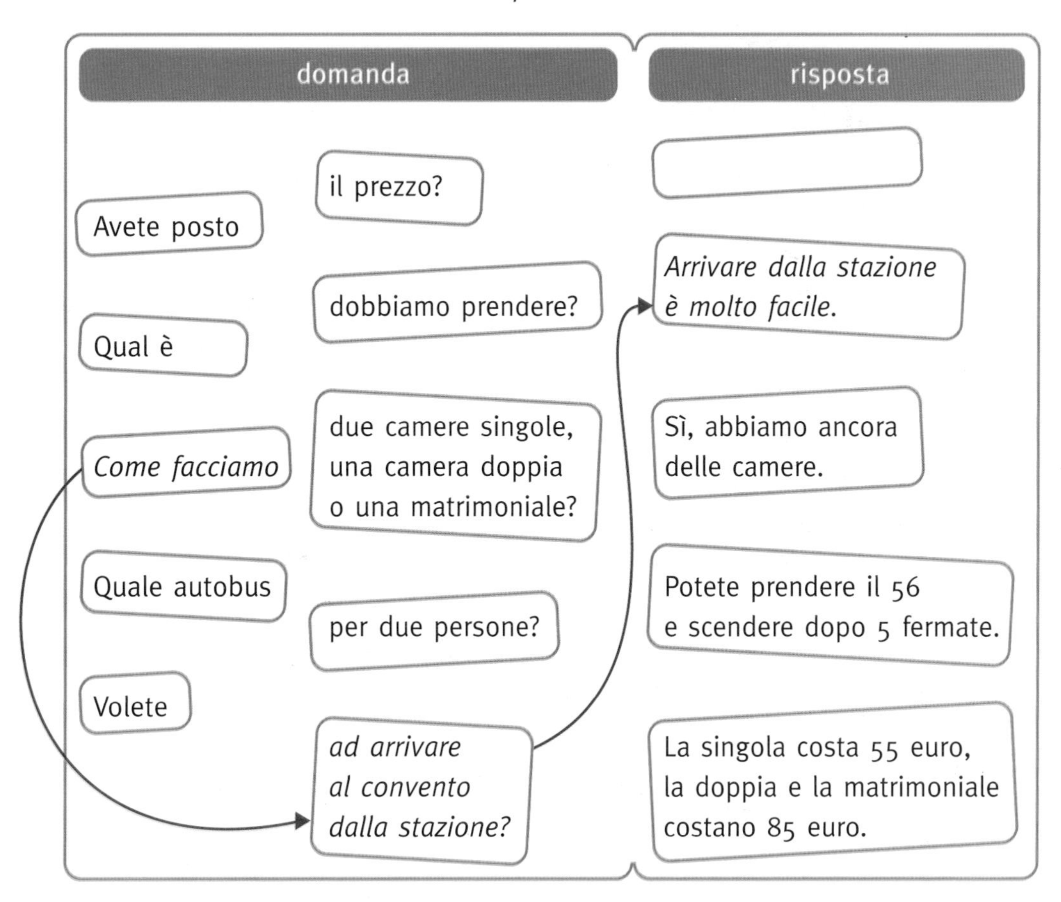

6 Gioco | Un mondo di pittori

Scrivi le nazionalità dei pittori e collega i quadri alle nazioni, dove è necessario.

Giulia
Senta, ma c'è molta gente nel convento in questo periodo?
Suora
Sì, una coppia tedesca che viene ogni anno da Berlino, due ragazzi spagnoli, un ragazzo francese...
Mauro
Tutti stranieri?
Suora
Beh, la maggior parte sì... e un prete messicano, un americano...

Vincent Van Gogh
pittore olandese

Henri Matisse
pittore ______________

Italia

Svizzera

Francia

Andy Warhol
pittore americano / statunitense

Leonardo da Vinci
pittore ______________

Frida Kahlo
pittrice ______________

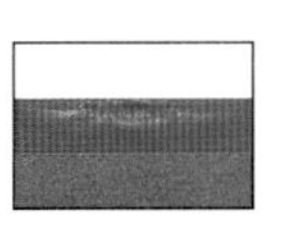
Russia

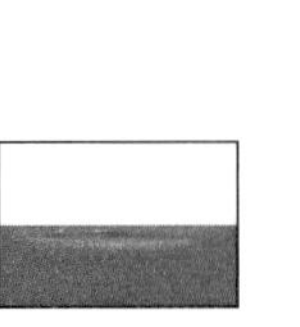
Polonia

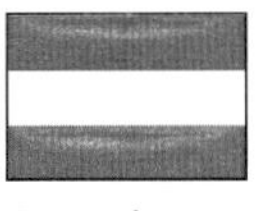
Austria

Germania

Stati Uniti

Spagna

Olanda

Messico

Albrecht Dürer
pittore ______________

Vassilij Kandinsky
pittore russo

Egon Schiele
pittore austriaco

Pablo Picasso
pittore ______________

Paul Klee
pittore svizzero

Tamara de Lempicka
pittrice polacca

7 Analisi grammaticale | Gli aggettivi

Completa le tabelle degli aggettivi. Nell'ultima riga della prima o della seconda tabella aggiungi il tuo Paese.

aggettivi in -o / -a

	maschile		femminile	
	singolare	plurale	singolare	plurale
Italia	italiano	_______	_______	italiane
Spagna	_______	spagnoli	_______	spagnole
Argentina	_______	_______	argentina	_______
_______	_______	_______	_______	_______

aggettivi in -e

	maschile		femminile	
	singolare	plurale	singolare	plurale
Francia	_______	francesi	_______	francesi
Cina	_______	cinesi	cinese	_______
Canada	canadese	_______	_______	_______
_______	_______	_______	_______	_______

8 Esercizio | Nazionalità

*Lavora in coppia con un compagno. Ognuno di voi sceglie un elemento all'interno di ogni lista (A e B) senza comunicarlo al compagno. Poi dividetevi i ruoli e recitate il dialogo cambiando le parti in verde e in **rosso**, come nell'esempio. Ripetete il dialogo cambiando ogni volta gli elementi e i ruoli.*

Suora Buonasera.
Giulia Buonasera.
Suora Ah, voi siete i due ragazzi brasiliani vero?
Giulia Sì, esatto. / No, siamo italiani.
Questa è la mail di prenotazione.
Suora Ah, sì mi ricordo. È **una matrimoniale con bagno**, vero?
Giulia **Sì, esatto. Costa 105 euro**, vero? / **No, sono due singole con bagno. Costano 190 euro**, vero?
Suora Sì.

A la nazione dei due ragazzi

1. Italia
2. Francia
3. Brasile
4. Spagna
5. Germania
6. Olanda

B i due ragazzi vogliono

1. una doppia con bagno, 105 euro
2. una matrimoniale con bagno, 105 euro
3. due singole con bagno, 190 euro
4. una doppia senza bagno, 85 euro
5. una matrimoniale senza bagno, 85 euro
6. due singole senza bagno, 150 euro

unità 4 | una notte a Roma

Cosa hai studiato in questa unità? Scegli un contenuto per comunicazione e uno per grammatica, poi confronta con l'indice a pag. 34.

comunicazione

☐ I colori
☐ Dire la nazionalità

grammatica

☐ I verbi regolari in *-are*, *-ere* e *-ire*
☐ I verbi in *-isco*

unità 5 | che ore sono?

comunicazione

Protestare / Imprecare
▸ *Porca..., Ma che sei scemo?*

Chiedere e dire l'ora
▸ *Che ore sono?, Che ora è?*
▸ *Sono le..., È...*

Collocare qualcosa nel tempo
▸ *A che ora?*
▸ *Alle dieci, Dalle dieci alle undici*

I saluti della giornata
▸ *buongiorno, buonasera, buonanotte*

Fare una richiesta ▸ *Vorrei...*

grammatica

Gli interrogativi *Come...?, Quale...?, Che...?*

Gli articoli determinativi e indeterminativi

Le congiunzioni *e, o, ma*

1 Ascoltare | Aprite!

1a *Ascolta l'inizio del dialogo e fai delle ipotesi (cosa succede, dove siamo, chi sono i personaggi...). Poi confrontati con un compagno.* 16

1b *Ora ascolta tutto il dialogo e scegli le risposte giuste.* 17

1. Che ore sono?

□  □  □  □  □ 

2. Come si chiama il barbiere?

□ Figaro
□ Bacco
□ Isacco
□ Mauro
□ Non dice il nome

3. Perché i tre sono a Roma?

□ I due ragazzi per la manifestazione, il barbiere per turismo
□ I due ragazzi per turismo, il barbiere per la manifestazione
□ I due ragazzi per la manifestazione e per turismo, il barbiere per partecipare a una fiera
□ Tutti e tre per turismo
□ Tutti e tre per la manifestazione

Imprecazioni e insulti

- L'imprecazione Porca... può essere seguita dalle parole miseria, vacca o da altre più volgari e indica rabbia, disappunto.
- Le espressioni scemo, cretino, idiota, stupido si usano in modo offensivo contro qualcuno.

2 Gioco | Chi, cosa, quando

17

Dividetevi in squadre e mettete in ordine cronologico le azioni del dialogo. Per ogni azione, scrivete anche chi la compie, come nell'esempio. Se necessario, potete riascoltare il dialogo. Quando la vostra squadra ha finito, chiamate l'insegnante. Se la sequenza è giusta, avete vinto, altrimenti il gioco continua.

chi: Giulia | Mauro | Suor Caterina | Barbiere | Abitante del palazzo

n°	azione	chi
	Arriva e apre il portone	
	Arrivano e chiedono cosa succede	
1	Chiama suor Caterina e chiede di aprire il portone	Barbiere
	Dice che lavoro fa	
	Dice che vuole dormire	
	Legge gli orari sul portone	
	Non ascolta le proteste e continua a chiamare suor Caterina	
	Parla di Caravaggio	
	Prova anche lui a chiamare suor Caterina	
	Risponde che sta arrivando	
	Si presentano	
	Tira un secchio d'acqua	

Come...?
Quale...?
Che... ?

- ● Come si chiama il barbiere?
- ■ Non dice il nome.
- ● Quale autobus dobbiamo prendere?
- ■ Il 56.
- ● Che ore sono?
- ■ È mezzanotte.

3 Esercizio | Che ore sono? / Che ora è?

3a

Collega le frasi che indicano la stessa ora, poi collegale all'orologio giusto, come nell'esempio.

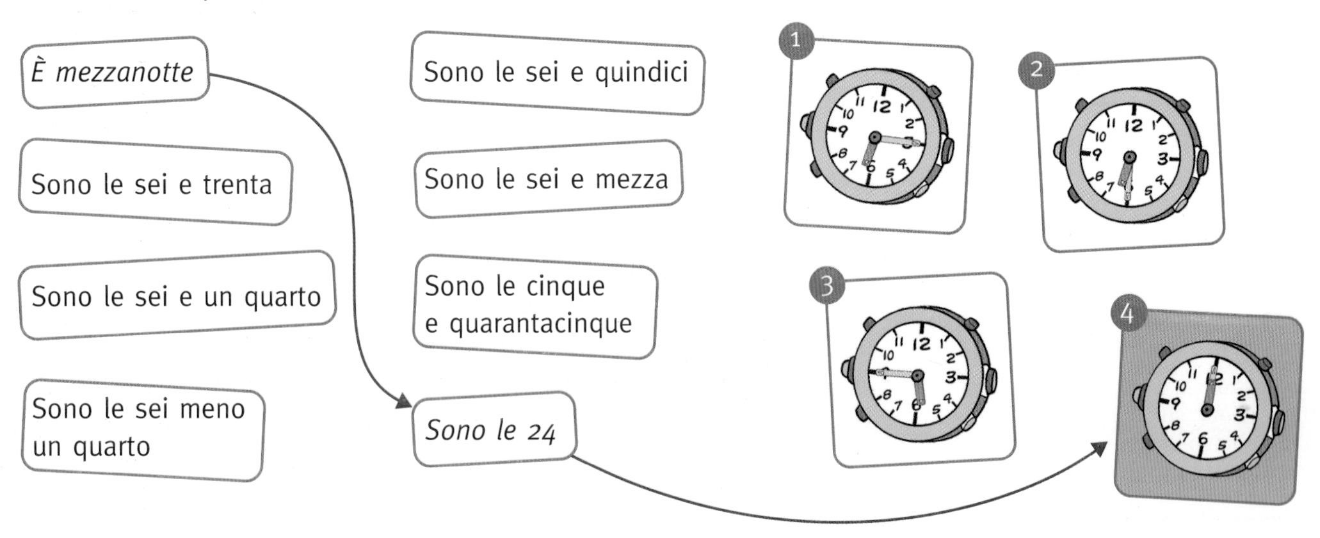

Buongiorno, buonasera, buonanotte

Il giorno è diviso in mattina, pomeriggio, sera e notte.

Come salutiamo?

Dalla mattina presto fino alle 13.00 usiamo Buongiorno.

Il pomeriggio (dalle 13.00 alle 18.00) e la sera salutiamo con Buonasera.

Solo quando andiamo a dormire diciamo Buonanotte.

3b *Disegna le lancette corrispondenti alle ore.*

Sono le sette

Sono le dieci e venti

Sono le dieci meno cinque
Sono le nove e cinquantacinque

Sono le dodici
È mezzogiorno

Sono le sette meno venti
Sono le sei e quaranta

Sono le tre e cinque

Sono le otto e un quarto
Sono le otto e quindici

Sono le tredici
È l'una

Sono le otto meno un quarto
Sono le sette e quarantacinque

4 Gioco | L'orologio umano

Formate due squadre. A turno due studenti per squadra vanno dall'insegnante e ricevono un bigliettino in cui è indicata un'ora. I due studenti dovranno trasformarsi in "orologio umano" e, uno davanti e l'altro dietro, usando le braccia cercheranno di riprodurre l'ora indicata nel biglietto, come negli esempi. Il dito indica la lancetta delle ore e la mano aperta la lancetta dei minuti. La squadra avrà 40 secondi di tempo per indovinare l'ora rappresentata dai due compagni. Ogni ora indovinata vale un punto. Vince la squadra che al termine del gioco realizza più punti.

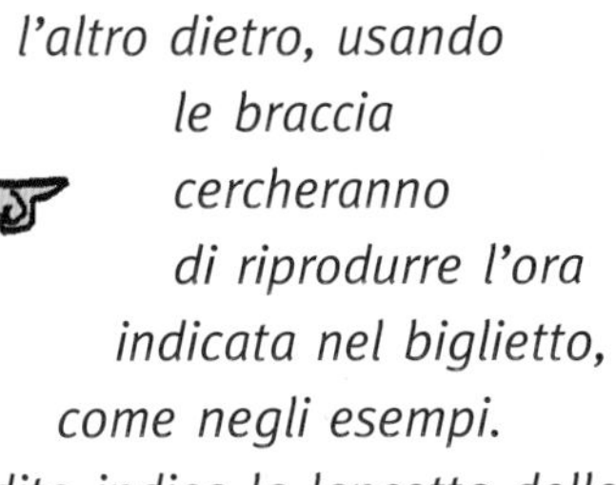

5 Analisi grammaticale | Gli articoli

5a *Dividetevi in squadre di tre studenti. Sottolineate nelle due mail tutti gli articoli, determinativi e indeterminativi, come negli esempi. Indicate il numero esatto di articoli per ogni mail e il numero totale. Quando la vostra squadra ha finito, chiamate l'insegnante. Se il numero è giusto, avete vinto, altrimenti il gioco continua.*

A: reception123@yahoo.it
Oggetto: informazioni

Salve,
leggo sul vostro sito che è possibile affittare le camere all'interno del convento e vorrei alcune informazioni. Avete posto per due persone, solo per una notte? Noi arriviamo al convento il pomeriggio del 13 marzo verso le cinque e mezza e partiamo la mattina del 14. Spero di sì, perché tutti gli alberghi sono pieni per la manifestazione.
Ancora due informazioni: qual è il prezzo? Come facciamo ad arrivare al convento dalla stazione? Quale autobus dobbiamo prendere?
Grazie
Giulia Pallanti
via Toledo 15 | 80132 Napoli

n° articoli ________

A: giuliapallanti@gmail.com
Oggetto: Re: informazioni

Gentile Giulia,
per la notte del 13 abbiamo ancora delle camere. Nella Sua mail scrive che siete due persone, ma non capisco bene: volete due camere singole, una camera doppia o una matrimoniale? La singola costa 55 euro, la doppia e la matrimoniale costano 85 euro. Per il bagno in camera c'è un supplemento di 20 euro. La colazione non è compresa nel prezzo, il supplemento è di 8 euro a persona (ma c'è anche un bar di fronte al convento).
Arrivare dalla stazione è molto facile. Potete prendere il 56 e scendere dopo 5 fermate. L'autobus parte ogni quindici minuti dalla stazione Termini.
Aspetto al più presto una risposta. Abbiamo poche camere ancora libere. Il 14 a Roma c'è una grande cerimonia religiosa con il Papa e qui al convento arrivano religiosi da tutto il mondo.
Cordiali saluti,
Suor Caterina

n° articoli ________

n° totale articoli ________

5b *Riguarda le mail e completa la tabella con gli articoli mancanti.*

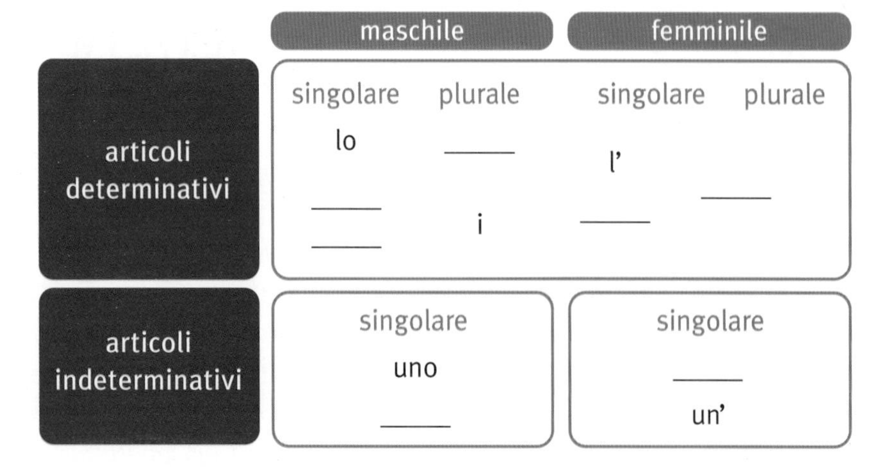

	maschile		femminile	
	singolare	plurale	singolare	plurale
articoli determinativi	lo _____ _____	_____ i	l' _____	_____
	singolare		singolare	
articoli indeterminativi	uno _____		_____ un'	

Le congiunzioni *e, o, ma*

e si usa per unire due elementi di una frase (o anche due frasi):
▸ *La doppia e la matrimoniale costano 85 euro.*

o si usa per unire due elementi che si escludono tra di loro:
▸ *Volete una camera doppia o una matrimoniale?*

ma si usa per dire una cosa in opposizione a un'altra detta prima:
▸ *La singola costa 55 euro ma per il bagno in camera c'è un supplemento di 20 euro.*

il Linguaquiz

Mettiti alla prova.
Vai su *www.alma.tv* nella rubrica Linguaquiz e fai il videoquiz "Che ora è?".

Che ora è? CERCA

6 Gioco | A che ora?

✶ Studente A (Le istruzioni per lo **Studente B** sono a pag. 140)
Fai la domanda, ascolta la risposta dello **Studente B** e verifica nella seconda colonna se è corretta (Esempio 1). Poi ascolta la domanda dello **Studente B** e verifica nella prima colonna se è corretta. Infine rispondi guardando l'orario nella seconda colonna (Esempio 2). Per ogni frase corretta si guadagna un punto. Vince lo studente che alla fine ha totalizzato più punti.

Esempio 1
Studente A domanda
aprire / il museo
▸ *A che ora apre il museo?*
Studente B risposta
▸ Alle nove e un quarto. / Alle nove e quindici.

Esempio 2
Studente B domanda
▸ A che ora vai in palestra?
Studente A risposta
7.30 – 9.00
▸ *Dalle sette e mezza alle nove. / Dalle sette e trenta alle nove.*

	domanda	risposta
1	*aprire / il museo*	*Alle nove e un quarto.* *Alle nove e quindici.*
2	*A che ora vai in palestra?*	*7.30 – 9.00*
3	essere / i corsi di italiano	Dalle nove alle due e trentacinque. Dalle nove alle quattordici e trentacinque.
4	A che ora comincia la cena?	19.00
5	arrivare in ufficio / Marta e Maria	Alle otto e mezza. Alle otto e trenta.
6	A che ora parte l'autobus per Roma?	19.42
7	essere / la cena	Dalle sette alle dieci. Dalle diciannove alle ventidue.
8	A che ora sono le lezioni?	19.10 – 21.25
9	partire / tu e Franco	Alle nove meno dieci. Alle otto e cinquanta.
10	A che ora arrivano i bambini?	8.45
11	andare in piscina / tu	Dalle cinque alle sei. Dalle diciassette alle diciotto.
12	A che ora è il pranzo?	11.35 – 14.00

7 Esercizio | Le città di Caravaggio

18

7a *Ascolta questa parte del dialogo e indica sulla cartina, nell'ordine in cui le visitano Giulia e Mauro, le città caravaggesche.*

7b *Questi tre quadri sono nominati nel dialogo. Dove si trovano? Riascolta il dialogo e collega i quadri alle città.*

Bacco

Cena in Emmaus

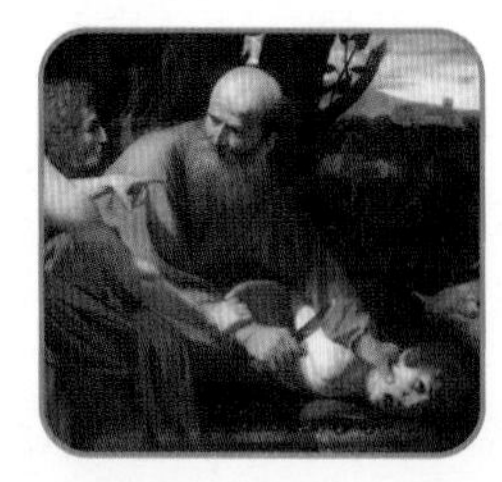

Sacrificio di Isacco

Vorrei

La parola **vorrei** si usa per chiedere qualcosa in modo cortese.
▸ *Vorrei alcune informazioni.*

TORINO
MILANO
VENEZIA
VERONA
GENOVA
BOLOGNA
FIRENZE
PERUGIA
SIENA
ROMA
BARI
NAPOLI
PALERMO
MESSINA
SIRACUSA

8 Parlare | Telefonata al museo

Lavora con un compagno e dividetevi i ruoli.

Turista

Sei un turista. Vuoi vedere la mostra di Caravaggio alla Galleria degli Uffizi. Devi telefonare al museo per avere tutte le informazioni e prenotare due biglietti. Lavora insieme a tutti i turisti e preparate le domande da fare al telefono. Quando sei pronto, mettiti seduto di spalle con un operatore e telefona al museo.

Operatore Museo degli Uffizi

Lavori al servizio informazioni della Galleria degli Uffizi. Devi dare tutte le informazioni ai turisti che telefonano. Lavora insieme agli altri operatori del servizio informazioni e pensate alle informazioni che dovete dare. Aiutatevi con il riquadro a pag. 140. Quando sei pronto, mettiti seduto di spalle con un turista e rispondi alla sua telefonata.

unità 5 | che ore sono?

Completa gli spazi riguardando quello che hai studiato. Poi confronta con l'indice a pag. 41.

comunicazione

Protestare / Imprecare ▸ *Porca..., Ma che sei scemo?*

Chiedere e dire l'ora ▸ *Che ore sono?, Che ora è?* ▸ *Sono le..., È...*

Collocare qualcosa nel tempo ▸ *A che ora?* ▸ *Alle dieci, Dalle dieci alle undici*

I saluti della giornata ▸ ____________, ____________, *buonanotte*

Fare una richiesta ▸ *Vorrei...*

grammatica

Gli interrogativi *Come...?, Quale...?, Che...?*

Gli ____________ determinativi e indeterminativi

Le congiunzioni *e, o, ma*

CARAVAGGIO

CARAVAGGIO (MICHELANGELO MERISI) NASCE NEL 1571, VICINO MILANO. DA BAMBINO DIMOSTRA UN GRANDE TALENTO PER LA PITTURA.

NEL 1595 È A ROMA. QUI DIPINGE MOLTE OPERE RELIGIOSE E DIVENTA UN ARTISTA FAMOSO. MA FORSE LA SUA ARTE È TROPPO "SENSUALE" E POCO ADATTA ALLA RAPPRESENTAZIONE SACRA.

L'ARTE DI CARAVAGGIO È RIVOLUZIONARIA PER IL SUO TEMPO. LA SUA TECNICA (DETTA "CHIAROSCURO") EVIDENZIA I CONTRASTI DI LUCE.

CARAVAGGIO HA UN CARATTERE PASSIONALE E VIOLENTO.

NEL 1606 UCCIDE UN UOMO IN UN DUELLO. RICERCATO DALLA POLIZIA, DEVE FUGGIRE.

NELLA SUA FUGA, CARAVAGGIO TOCCA MOLTE CITTÀ: GENOVA, NAPOLI, MESSINA, CATANIA. NEL 1608 ARRIVA A MALTA. MA VIENE CACCIATO (QUALCUNO DICE PER LA SUA PRESUNTA OMOSESSUALITÀ).

18 LUGLIO 1610. SOLO E MALATO, CARAVAGGIO MUORE A 39 ANNI, SULLA SPIAGGIA DI PORTO ERCOLE, IN TOSCANA.

unità 6 | di che colore è?

comunicazione

Descrivere un albergo
▸ *Le camere sono pulite*

I colori ▸ *Di che colore è?*

grammatica

La frase dichiarativa, interrogativa ed esclamativa

1 Leggere | Dove dormiamo?

1a *Completa con le parole della lista i consigli del sito Tripadvisor su Firenze.*

Fiorenza Bed & Breakfast ***
Mia moglie ed io abbiamo provato la piacevole sensazione di sentirci come a casa per la calorosa accoglienza di Elena, la titolare del B&B. I letti sono ___________ e nuovi. La colazione è buona e ___________, con torte deliziose, sempre diverse e calde ogni mattina. Il posto è pulito, tranquillo e silenzioso. Sicuramente un ottimo soggiorno che consigliamo a tutti.

- abbondante
- comodi

Hotel David ***
All'Hotel David c'è un ambiente molto accogliente. L'albergo è moderno, con aria ___________ e connessione internet gratuita. Il personale è gentile: professionale ma amichevole. Le camere sono pulite e ___________. L'albergo ha un parcheggio privato e ___________.

- condizionata
- gratuito
- silenziose

Campeggio Campo All'oca **
Ambiente naturale e atmosfera ___________. Consiglio il Camping Campo All'oca a tutti quelli che cercano il contatto ___________ con la natura. Il campeggio offre un meraviglioso panorama del Parco ___________ delle Foreste Casentinesi. È lontano dal centro storico ma è molto facile andare a Firenze con l'autobus.

- diretto
- nazionale
- rilassante

Pensione Mastropeppe *
La pensione Mastropeppe si trova nel cuore del centro ___________ di Firenze, a pochi metri dalla splendida Piazza della Signoria e dalla Galleria degli Uffizi. L'ambiente è ___________, adatto ad un soggiorno di studio, di lavoro o di vacanza.

- familiare
- storico

Convento di San Domenico
Dormire al Convento di San Domenico è un'esperienza unica. La bellissima chiesa del '700 conserva molte opere ___________, come i dipinti di Lorenzo di Credi e del Beato Angelico. Il convento è aperto a uomini e donne ed è anche possibile (solo per gli uomini) partecipare alla vita della comunità ___________.

- monastica
- rinascimentali

1b *Ricordi? Anche Mauro e Giulia vanno a Firenze. Secondo te, in quale dei posti del punto* **1a** *vanno a dormire? Se necessario, riascolta il dialogo.*

17

1c *E tu? Scegli un posto dove andare.*

2 Analisi lessicale | Aggettivi qualificativi

In ogni frase c'è un aggettivo usato in modo inappropriato. Trovalo e scambialo con l'aggettivo inappropriato della frase a fianco, come nell'esempio.

L'ambiente è accogliente / gratuito / caloroso / familiare.	Il parcheggio è comodo / naturale / privato.
Le camere sono buone / tranquille / pulite / accoglienti.	Le torte sono calde / deliziose / silenziose.
Il posto è pulito / gentile / silenzioso / tranquillo.	Il personale è moderno / amichevole / professionale.
La colazione è deliziosa / accogliente / buona / calda.	L'albergo è moderno / familiare / abbondante.

3 Analisi della conversazione | Aprite!

3a *Ascolta molte volte il brano audio e inserisci i segni di punteggiatura negli spazi. Poi confronta con un compagno. Se necessario ascolta ancora.*

19

? ! .

Mauro	È successo qualcosa ____
Barbiere	Eh... sì, eh... è successo che m'hanno tirato un secchio d'acqua!
Giulia	Un secchio d'acqua? Ma chi ____
Barbiere	Uno... un cretino che abita qui sopra nel palazzo ____
Giulia	Ma dai ____
Mauro	Ma è chiuso ____
Barbiere	Sì, è chiuso ____
Mauro	Ma forse è tardi.
Giulia	No... Non ci hanno detto niente...

3b *Le figure qui sotto indicano le intonazioni. Inserisci il segno di punteggiatura corrispondente ad ogni immagine.*

3c *Lavora insieme a due compagni. Dividetevi i ruoli e recitare il dialogo cercando di essere fedeli all'originale.*

4 Gioco | Di che colore è?

✶ **Studente A** (Le istruzioni per lo **Studente B** sono a pag. 141)
Guarda i quadri nella colonna destra e fai una domanda allo **Studente B**, come nell'Esempio 1. Poi verifica la sua risposta (se il colore è giusto). Quindi ascolta la domanda dello **Studente B** (Esempio 2) e prova a indovinare il colore mancante. Se la risposta è giusta colora il quadro. Vince chi colora per primo tutti i quadri.

Esempio 1
Studente A Nel quadro di de Chirico, di che colore è la palla?
Studente B È ...
Studente A Sì./No.

Esempio 2
Studente B Nel quadro di Modigliani, di che colore è il cuscino?
Studente A È ...
Studente B Sì./No.

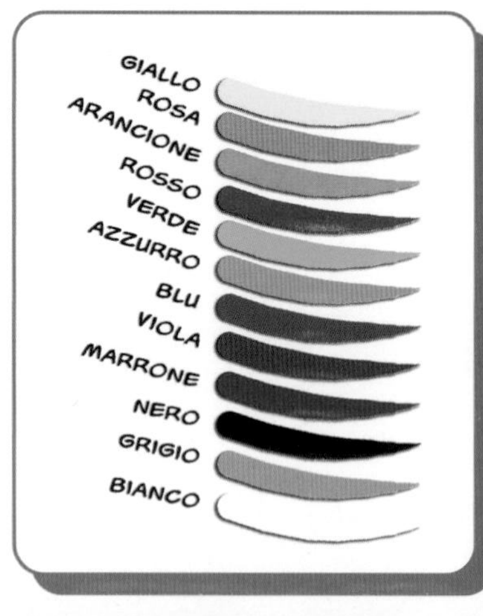

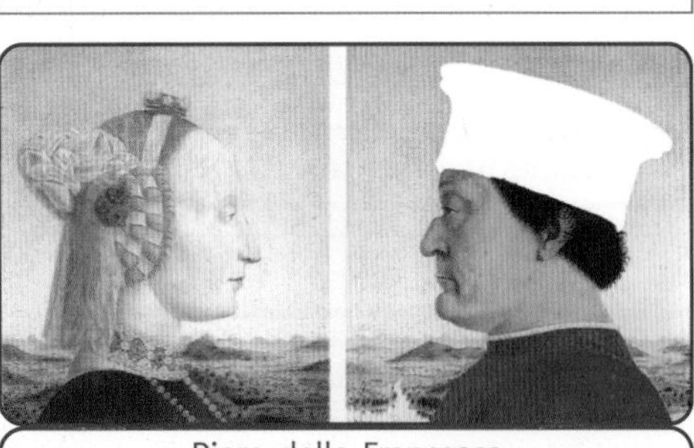
Piero della Francesca
il cappello

Andrea Mantegna
la nuvola

Pietro Longhi
i cappelli

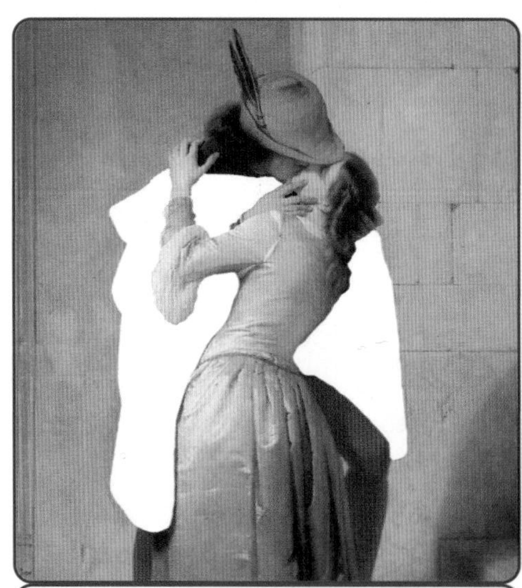
Francesco Hayez
la giacca

Felice Casorati
le mele

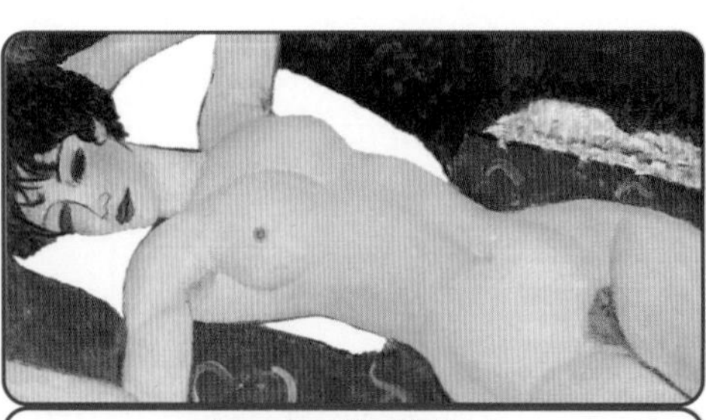
Amedeo Modigliani
il cuscino

Giorgio de Chirico
la palla

Raffaello
le maniche

Carlo Carrà
il triangolo

Caravaggio
la tunica

Giorgione la mantella

Lorenzo Lotto i pantaloni

5 Scrivere | Una mail

5a *Vuoi passare qualche giorno in uno dei luoghi del punto* **1**.
Scrivi su un foglio la mail di prenotazione, poi dai il foglio all'insegnante.

5b *L'insegnante ti darà un foglio con una delle prenotazioni scritte dai tuoi compagni. Scrivi su un nuovo foglio la mail di risposta.*
Inventa le informazioni che non sai.

5c *L'insegnante ti riconsegnerà il foglio con la mail di prenotazione che hai scritto al punto* **5a**. *Alla lavagna sono appese tutte le mail di risposta. Insieme ai compagni, vai alla lavagna e trova la risposta che corrisponde alla tua richiesta di prenotazione.*

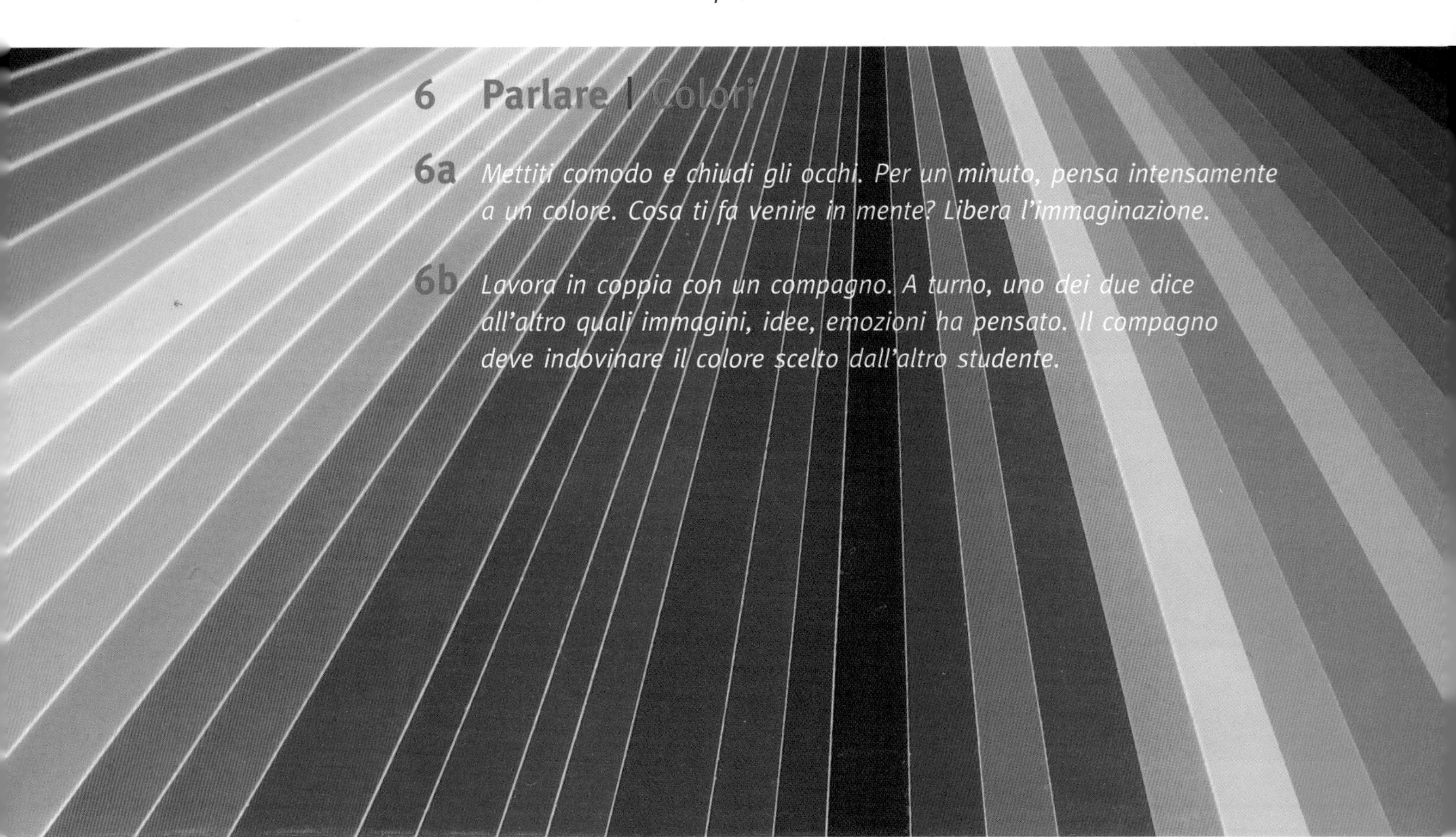

6 Parlare | Colori

6a *Mettiti comodo e chiudi gli occhi. Per un minuto, pensa intensamente a un colore. Cosa ti fa venire in mente? Libera l'immaginazione.*

6b *Lavora in coppia con un compagno. A turno, uno dei due dice all'altro quali immagini, idee, emozioni ha pensato. Il compagno deve indovinare il colore scelto dall'altro studente.*

unità 6 | di che colore è?

Collega gli esempi a destra con i contenuti di comunicazione a sinistra.
Poi confronta con l'indice a pag. 48.

comunicazione

Descrivere un albergo ?

I colori ?

Di che colore è?

Le camere sono pulite

A VENEZIA, ANNA RICEVE
L'ORDINE DI ANDARE A ROMA.

I CROCIATI VENEZIANI
SEGUONO ANNA, MA LEI...

ARRIVEDERCI!

NEL TRENO PER ROMA...
IO MI RICORDO...
LA FINE DEL MONDO...

TERREMOTI...
MILANO, 2045 D.C.

MAREMOTI...
AGRIGENTO, 2046 D.C.

PISA, 2048 D.C.
URAGANI...

ROMA... TUTTI VANNO
A ROMA... LO SPECCHIO
DI ROMA...
SILENZIO, VECCHIO!

ALBERGO
ROMA
QUATTRO ORE DOPO ANNA È A ROMA E VA IN UN ALBERGO VICINO ALLA FONTANA DI TREVI.

CIAO BELLA! SAI CHE ORE SONO?
NON MI CHIAMO BELLA. E NON HO L'OROLOGIO.
Arruolati con noi vieni a
Napoli

BUONASERA, AVETE UNA CAMERA PER QUESTA NOTTE?
SI, CERTO SIGNORINA.
QUAL È IL PREZZO?

PER I ROMANI 80 EURO, PER TUTTI GLI ALTRI 150.
IO SONO VENEZIANA.
ALLORA 150. MA LE CAMERE SONO PULITE.

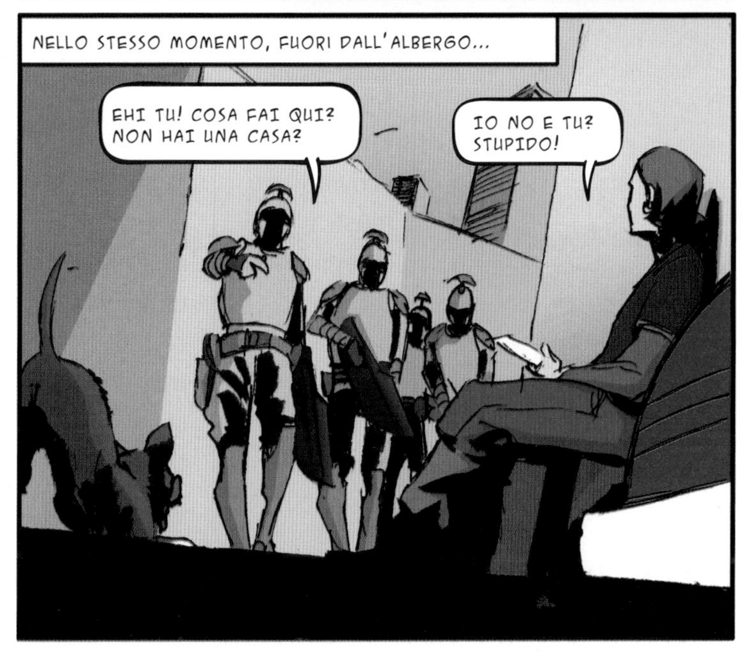
NELLO STESSO MOMENTO, FUORI DALL'ALBERGO...
EHI TU! COSA FAI QUI? NON HAI UNA CASA?
IO NO E TU? STUPIDO!

OMA
VIENI CON NOI.
CONTINUA...

PAGINA DELLA FONETICA

1 I suoni [l] e [r]

1a *Ascolta e segna quale suono senti per ogni parola.* DVD 20
Segui gli esempi.

	1.	2.	3.	4.	5.	6.	7.	8.	9.	10.	11.	12.
[l]	☒	☐	☐	☐	☐	☐	☐	☐	☐	☐	☐	☐
[r]	☐	☒	☐	☐	☐	☐	☐	☐	☐	☐	☐	☐

1b *Ascolta e inserisci la lettera giusta.* DVD 21

1. a__ba 2. apri__e 3. ca__mo 4. cope__to 5. gia__dino 6. gio__nale
7. odo__e 8. pa__co 9. po__tone 10. p__anzo 11. sa__to 12. st__ano

2 L'accento di parola

2a *Ascolta le parole e sottolinea la vocale accentata, come negli esempi.*  22

1. albergo 2. caffe 3. arrivare 4. brasiliano 5. camera 6. colazione
7. costano 8. facile 9. lunedi 10. museo 11. Napoli 12. olandese
13. perche 14. sabato 15. undici 16. unita 17. ventitre 18. ventinove

2b *Sottolinea così le parole dell'esercizio* **2a**:

- tre volte = accentata sulla terz'ultima vocale (costano)
- due volte = accentata sulla penultima vocale (albergo)
- una volta = accentata sull'ultima vocale (lunedì)

2c *Osserva queste parole e sottolinea la vocale accentata. Poi confrontati con un compagno.*

1. albero 2. arrivano 3. cinquantatre 4. citta 5. dodici 6. difficile 7. domenica
8. francese 9. italiano 10. parlano 11. quaranta 12. singola 13. studente 14. giovedi

2d *Ascolta e verifica.* DVD 23

2e *Gioca con un compagno.* (Le istruzioni per lo **Studente B** sono a pag. 145)

* Studente A
Scegli una parola nella tua lista e pronunciala sottolineando la vocale accentata.
Lo **Studente B** controlla se è giusto. In caso di pronuncia corretta, prendi i punti indicati qui sotto. Poi il turno passa al tuo compagno. Lui sceglie una parola dalla sua lista e la pronuncia. Tu controlli nella lista dello **Studente B** se la pronuncia è corretta. Alternatevi in questo modo fino a pronunciare tutte le parole. Vince chi realizza più punti.

- parola accentata sulla terz'ultima vocale = 3 punti
- parola accentata sulla penultima vocale = 2 punti
- parola accentata sull'ultima vocale = 1 punto

	Studente A	Studente B
1.	familiare	ventuno
2.	scrivere	storico
3.	musica	libero
4.	insegnante	quarantatre
5.	partono	universita
6.	numero	colore
7.	liberta	matrimoniale
8.	turista	stazione
9.	pulito	telefono
10.	nazionalita	prendere

2f *Ascolta e verifica.* DVD 24

modulo tre | società

unità 7 — che lavoro fai?

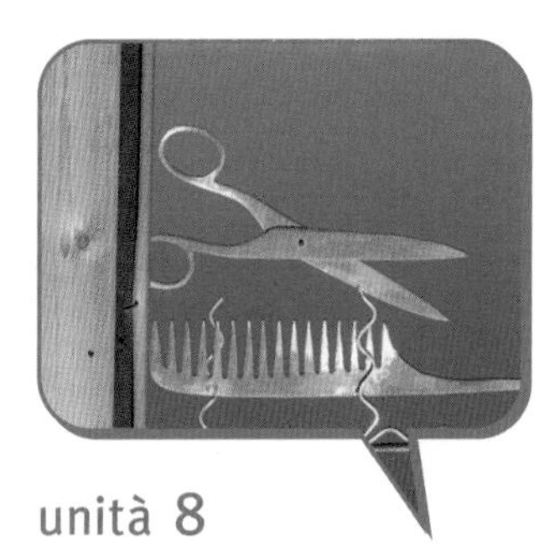

unità 8 — bene grazie, e Lei?

unità 9 — al bar

comunicazione

Chiedere e dire il lavoro ▸ *Che lavoro fai?* ▸ *Faccio il cuoco, Sono cuoco*

Informale / Formale ▸ *Dare del tu, Dare del Lei*

Chiedere a una persona come sta e rispondere ▸ *Come stai?* ▸ *Bene grazie e tu?* ▸ *Come sta?* ▸ *Bene grazie e Lei?*

Chiedere e rispondere al bar ▸ *Tu cosa prendi?, Cosa prendete?, Posso avere...?* ▸ *Vorrei..., Io prendo... Per me...*

Salutare in modo informale e formale ▸ *Ciao, Ci vediamo, A presto, Buongiorno, Arrivederci*

Richiamare l'attenzione di qualcuno in modo informale e formale ▸ *Scusa, Scusi*

Chiedere e dire il prezzo ▸ *Quant'è?* ▸ *Sono quattro euro e venti*

grammatica

I verbi in *-isco*

Gli articoli determinativi

La concordanza articolo-nome-aggettivo

Il verbo *fare*

I nomi delle professioni

I verbi modali *dovere, potere, volere*

Le preposizioni di luogo *da, a* e *in*

Gli articoli indeterminativi

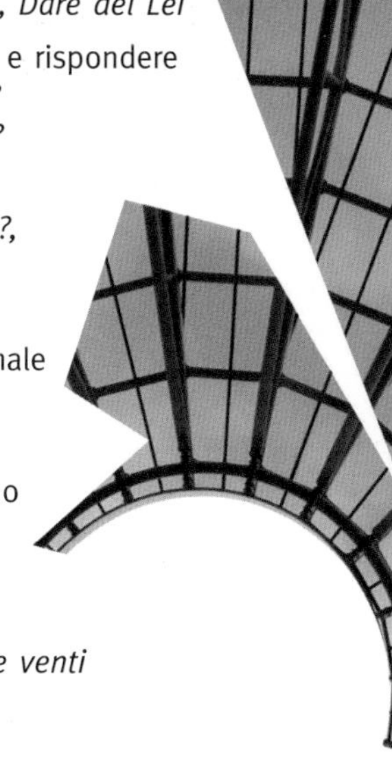

tunità 7 | che lavoro fai?

comunicazione

Chiedere e dire il lavoro
- *Che lavoro fai?*
- *Faccio il cuoco, Sono cuoco*

grammatica

I verbi in *-isco*

Gli articoli determinativi

La concordanza articolo-nome-aggettivo

Il verbo *fare*

I nomi delle professioni

1 Introduzione

1a *Abbina i titoli dei film alle locandine, dove necessario.*

1.

2.

3.

4.

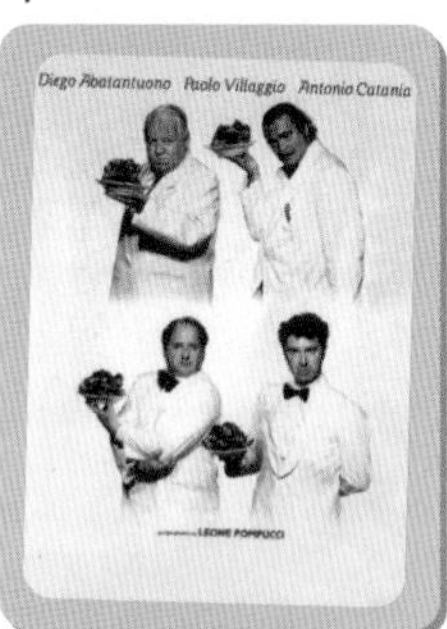

5.

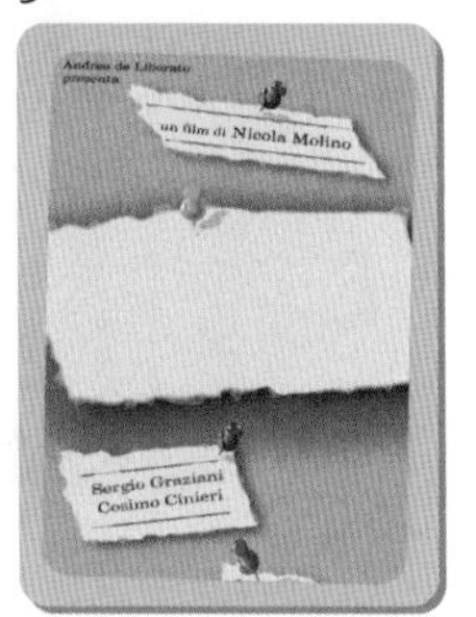

6.

7.

8.

9.

10.

11.

12.

Auguri professore

Camerieri

Il barbiere di Rio

Segretario particolare

I due carabinieri

1b *Sottolinea le 12 professioni presenti nei titoli dei film.*

Verbi in -*isco*

Molti verbi in *-ire* hanno una coniugazione particolare, come il verbo capire.
Nelle trame dei film ci sono altri 4 verbi di questo tipo:

____

____

____

____

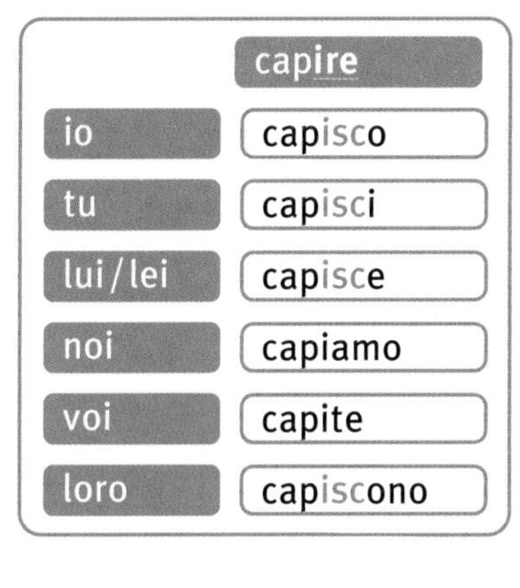

	capire
io	capisco
tu	capisci
lui/lei	capisce
noi	capiamo
voi	capite
loro	capiscono

2 Leggere | Andiamo al cinema

2a *Completa le trame dei film con i loro titoli, tra quelli del punto* **1a**.

1. Davide è il ____________________ di un uomo politico: prende gli appuntamenti, riceve le telefonate, pulisce lo studio, compra i fiori per sua moglie. Ma non solo: deve anche amministrare una grande quantità di denaro. Un giorno capisce che quei soldi hanno una provenienza sospetta, ma è troppo tardi.

2. Vincenzo Lipari fa l'insegnante e, dopo tanti anni, non sopporta più gli studenti e odia il suo lavoro. Ma un giorno arriva una nuova collega: si chiama Luisa, una ex alunna dei primi anni. Grazie a questo incontro Lipari ricostruisce un nuovo rapporto con la sua classe e con il suo lavoro. Il film vuole mostrare la vita dura ma affascinante dell'insegnante nella scuola italiana. È proprio il caso di dire "____________________!"

3. Marino e Glauco si conoscono all'esame di ammissione all'Arma e diventano grandi amici. Tutto va bene, fino a quando conoscono Rita, che si innamora di Glauco. I due vogliono sposarsi e Marino, anche lui innamorato di Rita, preferisce andare in un'altra città. Glauco lo raggiunge e lo aiuta a risolvere alcune missioni importanti e pericolose.
Il film finisce bene: ____________________ tornano amici e Marino accetta la nuova situazione. Finalmente Glauco e Rita possono sposarsi.

2b *Prova ad immaginare il genere dei film del punto* **2a**. *Inseriscili sulla linea, come nell'esempio.*

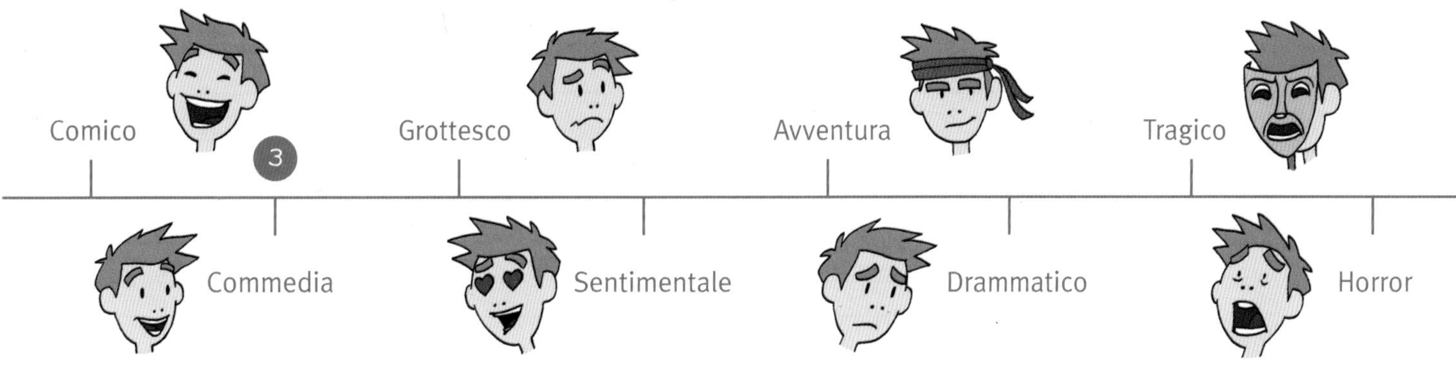

2c *Scegli un film (tra quelli del punto* **2a**) *che vuoi vedere e uno che non vuoi vedere. Poi cerca, tra i compagni di classe, quelli che hanno i tuoi stessi gusti.*

Voglio vedere ____________________

Non voglio vedere ____________________

3 Analisi grammaticale | Gli articoli determinativi

Guardando i testi 1 e 2 del punto **2a**, *inserisci gli articoli determinativi della lista nello schema, come nell'esempio.*

il 

l' 

maschile	Prima di *z, gn, ps, pn, x, y, s* + cons.	Prima di vocale	Prima di consonante
singolare	______	______	______
plurale	______		______

femminile	Prima di consonante	Prima di vocale
singolare	______	l'
plurale	______	

4 Gioco | Concordanze

4a *Formate delle squadre. Ricostruite le frasi combinando le quattro parti in base al colore. La prima squadra che pensa di avere finito chiama l'insegnante. Se la frase è giusta può andare al punto* **4b**, *altrimenti si continua*.*

1. articolo	2. nome	3. verbo	4. aggettivo / nome
Gli			
I			
I			
La			
La			
Le			
L'			
Lo			
Il			
Il			

2. nome	3. verbo	4. aggettivo / nome
alberghi	conserva	accogliente
ambiente	è	ancora libere
Bed & Breakfast	è	amici
camere	guarda	comodi
chiesa del '700	ha	la televisione
due carabinieri	si chiama	Luisa
letti	sono	molte opere
nuova collega	sono	tutti pieni
pompiere	sono	simpatico
studente di italiano	sono	tante torte

**Nota per l'insegnate: nella Guida è disponibile una versione del gioco con bigliettini ritagliabili.*

4b *Continua a lavorare con la stessa squadra. Inserite nelle frasi del punto* **4a**, *dove vi sembra opportuno, i quattro aggettivi qui sotto. La prima squadra che pensa di avere finito chiama l'insegnante. Se è giusto vince, altrimenti si continua.*

rinascimentali | economiche | romani | deliziose

5 Ascoltare | Strani mestieri

 25

5a *Ascolta il servizio giornalistico e rispondi alla domanda.*

▸ Tra le professioni presenti nei titoli dei film del punto **1**, due vengono pronunciate nell'audio. Quali?

(______________) (______________)

5b *Indica i mestieri nell'ordine in cui vengono nominati nell'audio, come negli esempi. Attenzione: nella lista ci sono quattro mestieri in più.*

☐ Montatore di mobili

☐ Cameriere

☐ Commesso

[3] Stiratrice

☐ Cronista sportivo

☐ Cuoco

☐ Farmacista

☐ Hostess

[8] Operatore call center

☐ Infermiera

☐ Maestra

☐ Mistery shopper

☐ Affittacamere

☐ Operaio

☐ Segretaria

6 Gioco | Cruciverba

Completa lo schema scrivendo il maschile o il femminile delle professioni e il luogo di lavoro. Aiutati facendo il cruciverba. Segui l'esempio.

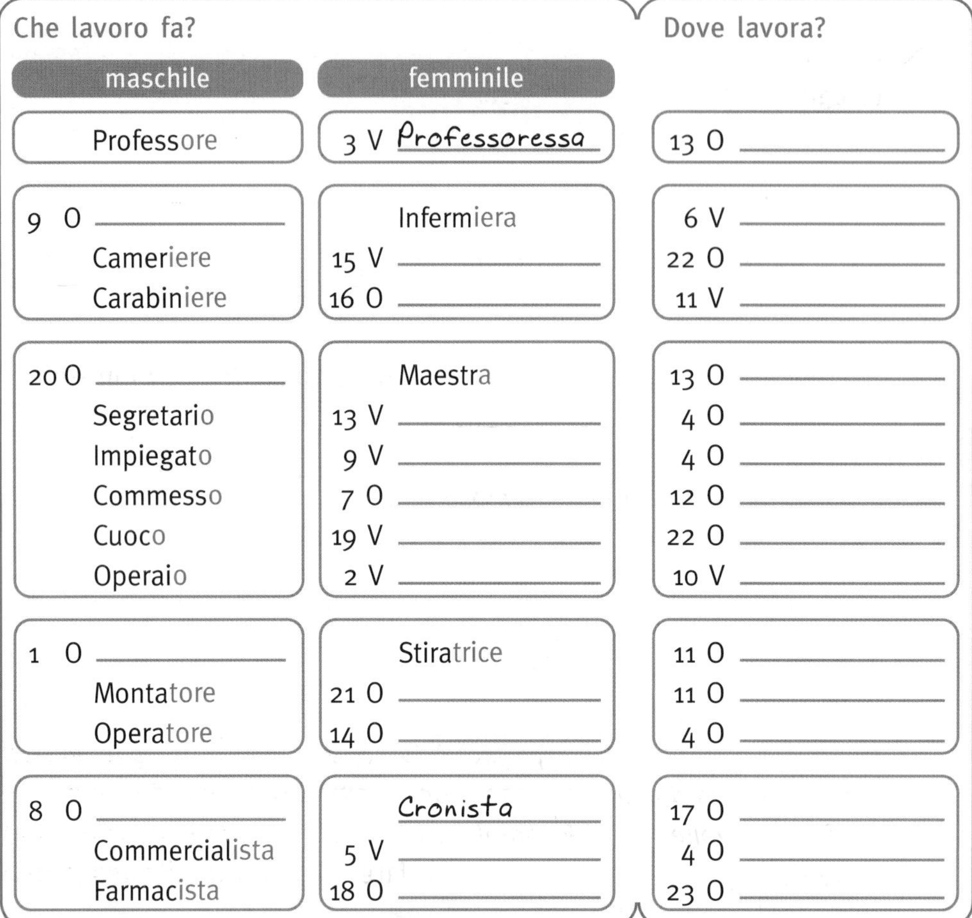

Che lavoro fa? maschile	femminile	Dove lavora?
Professore	3 V Professoressa	13 O ______
9 O ______	Infermiera	6 V ______
Cameriere	15 V ______	22 O ______
Carabiniere	16 O ______	11 V ______
20 O ______	Maestra	13 O ______
Segretario	13 V ______	4 O ______
Impiegato	9 V ______	4 O ______
Commesso	7 O ______	12 O ______
Cuoco	19 V ______	22 O ______
Operaio	2 V ______	10 V ______
1 O ______	Stiratrice	11 O ______
Montatore	21 O ______	11 O ______
Operatore	14 O ______	4 O ______
8 O ______	Cronista	17 O ______
Commercialista	5 V ______	4 O ______
Farmacista	18 O ______	23 O ______

Che lavoro fai?

Osserva:

- Che lavoro fa Vincenzo Lipari?
- Fa l'insegnante. / È insegnante.
- Che lavoro fai?
- Faccio il barbiere. / Sono barbiere.

	fare
io	faccio
tu	fai
lui/lei	fa
noi	facciamo
voi	fate
loro	fanno

O = orizzontale ➡
V = verticale ⬇

7 Analisi grammaticale | I nomi delle professioni

Osserva i nomi delle professioni del cruciverba al punto **6** *e completa la regola.*

Nomi in *-ista*

I nomi di professione in *-ista* al singolare hanno il maschile e il femminile
☐ uguale. ☐ diverso.

Nomi in *-e*

Molti nomi di professione in *-e* al maschile singolare finiscono in *-iere* e al femminile in ______________.

Altri nomi di professione in *-e* al maschile singolare finiscono in *-tore* e al femminile in ______________.

Un caso particolare è il nome *professore* (femminile: ______________).

'ALMA.tv

il Linguaquiz

Qual è il femminile di giornalista?
Vai su *www.alma.tv* nella rubrica Linguaquiz e fai il videoquiz "Le professioni".

Le professioni CERCA

8 Esercizio | Che lavoro fai?

8a *Lavora in coppia con un compagno. A turno, uno dei due sceglie una coppia di nomi e fa una domanda al compagno, l'altro risponde e domanda. Attenzione: a volte dovete usare il maschile (♂), a volte il femminile (♀), a volte il verbo* **essere**, *a volte il verbo* **fare** *con l'articolo. Seguite l'esempio.*

Esempio
Cameriere (♀ / sono) – Impiegato (♂ / faccio)

■ Che lavoro fai?
● Sono cameriera. E tu?
■ Faccio l'impiegato.

1. Infermiere (♀ / faccio) – Operaio (♂ / sono)
2. Attore (♀ / sono) – Psicanalista (♂ / faccio)
3. Professore (♀ / sono) – Barista (♀ / faccio)
4. Giornalista (♂ / sono) – Scrittore (♂ / faccio)
5. Biologo (♀ / faccio) – Dentista (♂ / sono)
6. Gelataio (♂ / faccio) – Cuoco (♀ / sono)

8b *E tu che lavoro fai?*

9 Scrivere e parlare | Il tuo film

9a *Mettiti comodo, chiudi gli occhi e ascolta. A che tipo di film ti fa pensare questa musica? Immagina il genere, i personaggi e i luoghi. Libera l'immaginazione.*

9b *Ora riascolta e prendi appunti.*

9c *Confronta i tuoi appunti con un compagno. Mentre lavorate, riascoltate la musica. Alla fine scrivete un titolo per ognuno dei due film.*

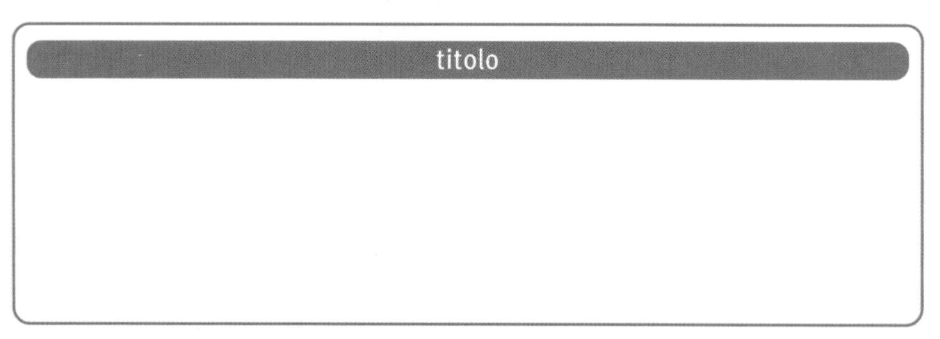

unità 7 | che lavoro fai?

Cosa hai studiato di grammatica in questa unità? Collega i contenuti di sinistra con gli esempi di destra, come nell'esempio.

grammatica

I verbi in *-isco*	*i letti sono comodi*
Gli articoli determinativi	*faccio, fai, ...*
La concordanza articolo-nome-aggettivo	*il, la, ...*
Il verbo *fare*	*giornalista, cameriere, ...*
I nomi delle professioni	*capire, finire, ...*

comunicazione

Informale / Formale
▸ *Dare del tu, Dare del Lei*

Chiedere a una persona come sta e rispondere
▸ *Come stai?* ▸ *Bene grazie e tu?*
▸ *Come sta?* ▸ *Bene grazie e Lei?*

Chiedere e rispondere al bar
▸ *Tu cosa prendi?, Cosa prendete?, Posso avere...?* ▸ *Vorrei..., Io prendo... Per me...*

grammatica

I verbi modali *dovere, potere, volere*

Le preposizioni di luogo *da, a* e *in*

unità 8 bene grazie, e Lei?

1 Ascoltare | Dal barbiere

27

1a *Ascolta il dialogo e scegli il disegno che meglio esprime il contenuto.*

1

2

3

Dare del Lei

Nel registro formale si usa la terza persona singolare femminile.

Per questo parlare in modo formale si dice "dare del Lei".

Parlare in modo informale si dice "dare del tu".

1b *Ascolta ancora il dialogo e rispondi alle domande.*

1. Che lavoro fanno i quattro personaggi? Unisci i personaggi ai lavori, come nell'esempio.

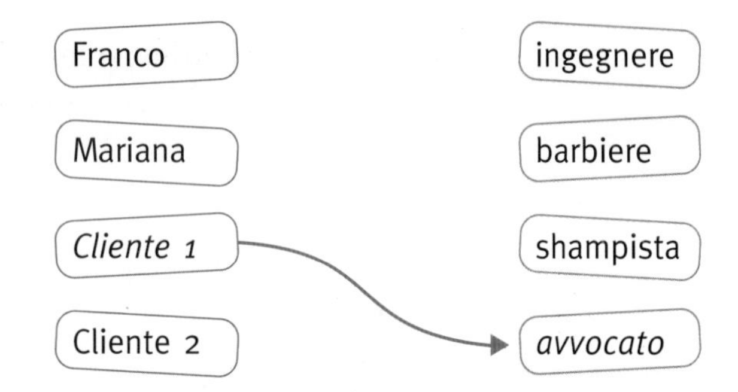

2. Di solito, in quale giorno della settimana il negozio di Franco è chiuso?

3. In quale giorno della settimana si svolge il dialogo?
☐ Lunedì ☐ Martedì ☐ Mercoledì ☐ Giovedì ☐ Venerdì
☐ Sabato ☐ Domenica

1c *Perché Franco è preoccupato? Parlane con un compagno. Se necessario, riascoltate il dialogo.*

2 Analisi grammaticale | Formale e informale  28

2a *Il dialogo dal barbiere ha un registro formale. Ascolta l'inizio e indica da cosa lo capisci.*

Il dialogo è formale perché:
☐ Le due persone usano la seconda persona plurale (voi).
☐ Le due persone usano la terza persona singolare femminile (Lei).
☐ Le due persone usano la seconda persona singolare (tu).

2b *Nella colonna a sinistra una parte del dialogo è stata trasformata al registro informale. Completa il dialogo nella colonna a destra, usando il registro formale, come nell'esempio. Poi ascolta e verifica.*

Informale

Barbiere	Che devi fare?
Avvocato	Barba e capelli.
Barbiere	Finisco di tagliare i capelli all'ingegnere e poi ci sei tu.
Avvocato	Ingegnere buongiorno.
Ingegnere	Ah, buongiorno avvocato. Come stai?
Avvocato	Bene grazie. E tu?
Ingegnere	Non c'è male.

Formale

Barbiere	Che _______ fare?
Avvocato	Barba e capelli.
Barbiere	Finisco di tagliare i capelli all'ingegnere e poi c'è Lei.
Avvocato	Ingegnere buongiorno.
Ingegnere	Ah, buongiorno avvocato. Come _______?
Avvocato	Bene grazie. E _______?
Ingegnere	Non c'è male.

Come stai?

Quando due amici si incontrano la prima domanda è come stai?

Quasi sempre la risposta è bene. Si risponde male o così così solo ad una persona molto amica.

3 Gioco | Come stai?

3a *Completa le possibili risposte alla domanda* "Come stai? / Come sta?" *con due espressioni del dialogo al punto* **2b**.

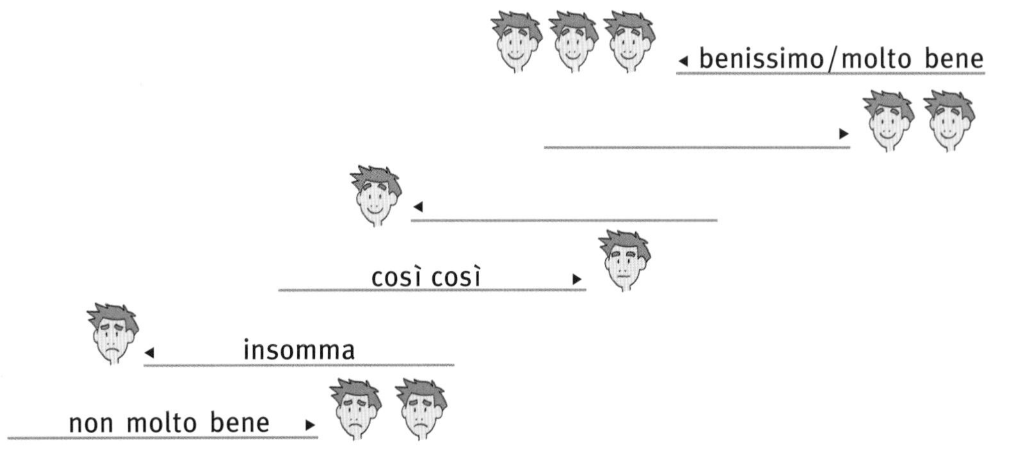

3b *Formate delle coppie. Ogni coppia sceglie un disegno e due stati d'animo (uno per ogni personaggio). Poi prepara il dialogo d'esempio con gli elementi scelti inventando i nomi dei personaggi e facendo attenzione al formale / informale. Attenzione: è vietato scrivere il dialogo.*

Esempio
2. Paolo / [two faces], Signora Torre / [one face].
• Ciao Paolo, come stai? ■ Bene, grazie signora Torre, e Lei? • Così così.

3c *Ogni coppia gira per la classe e "sfida" le altre. Durante la sfida la prima coppia recita il proprio dialogo e l'altra deve indovinare quale disegno è stato scelto e quali sono gli stati d'animo dei due personaggi. Se indovina tutti gli elementi prende un punto. Poi le coppie si scambiano i ruoli. Vince la coppia che, dopo aver sfidato tutte le altre, ha ottenuto più punti.*

4 Leggere | Altamura

Leggi l'articolo e decidi quale è il titolo giusto.

LA STAMPA

QUOTIDIANO FONDATO NEL 1867

LUNEDÌ 20 ▬▬ • ▬▬ 1,00 € IN ITALIA (PREZZI PROMOZIONALI ED ESTERO IN ULTIMA) SPEDIZIONE ABB. POSTALE - D.L. 353/03 (CONV. IN L. 27/02/04) ART. 1 COMMA 1, DCB - TO www.lastampa.it

Altamura:

Conoscete il detto "volere è potere"? In questo caso è vero. Questa storia inizia cinque anni fa, quando *McDonald's* arriva in Puglia e decide di aprire un suo spazio a Altamura, una cittadina di 65.000 abitanti. La novità ha subito un grande successo: la maggior parte della gente infatti ha visto un fast-food solo in televisione e così il nuovo *McDonald's* registra ogni giorno il "tutto esaurito". Al punto che, per mangiare un *Big Mac*, le persone devono prendere il ticket e fare una lunga fila.

Ma a questo punto succede qualcosa di imprevisto. Luca Digesù, un giovane panettiere del posto, apre una piccola bottega nella stessa piazza.

Il panettiere abbassa subito i prezzi e moltiplica l'offerta: focacce, focaccine, pizze e panini di tutti i tipi. Naturalmente tutto preparato con prodotti locali e genuini. Digesù capisce che la sua è la scelta giusta quando i genitori, dopo aver accompagnato i bambini da *McDonald's*, vanno a mangiare qualcosa di buono da lui. In poche settimane la "corrente" dei clienti s'inverte e la piccola bottega comincia a riempirsi di clienti insoddisfatti dei *Big Mac*. Infatti tutti vogliono mangiare la meravigliosa "focaccia" locale di farina di grano duro, spessa e spugnosa, condita con l'olio di oliva e il pomodoro fresco.

McDonald's, per recuperare le perdite, inventa nuove promozioni, moltiplica le feste per bambini, cambia direttore. Ma non può fare niente per cambiare le cose: davanti ai prodotti di qualità di un piccolo fornaio, il gigante americano deve chiudere.

- ☐ *Altamura*: pizza e McDonald's nella stessa piazza
- ☐ *Altamura*: apre fornaio e chiude McDonald's
- ☐ *Altamura*: apre McDonald's e chiude fornaio del paese

Pane, pizza e altro

- La pizzeria è un ristorante dove si mangia la pizza tonda, di differenti tipi a seconda della regione. Nelle pizzerie al taglio la pizza non è tonda e si mangia in piedi.
- Il forno è un negozio che produce e vende pane e pizza (generalmente solo bianca o rossa). Al forno si prendono anche focacce e panini di vario tipo.
- La persona che fa la pizza si chiama pizzaiolo, chi fa il pane si chiama panettiere.

5 Analisi della conversazione | Richieste al bar

5a *Guarda le 5 parti evidenziate nel dialogo: 4 sono state scambiate. Rimettile nella giusta posizione.*

Barbiere	Hai sentito Mariana? I nostri due clienti più affezionati! Meritano proprio un caffè!
Mariana	Ma certo, vado io al bar. Tu cosa prendi?
Avvocato	Io prendo un caffè macchiato per favore. Grazie.
Ingegnere	E io... Per me un cappuccino?
Mariana	Certo ingegnere. Franco? Cosa prendete?
Barbiere	Eh... Posso avere un caffè normale, grazie Mariana.
Mariana	Allora io vado.

Un caffè...

Il caffè al bar si prende velocemente, in piedi al banco. Il caffè si beve sempre dopo pranzo, mentre la mattina è possibile anche prendere un cappuccino.
Il caffè può essere: semplice, macchiato (con un po' di latte caldo), corretto (con un alcolico), ristretto (molto piccolo), lungo (con molta acqua), al vetro (in un bicchierino di vetro), ecc.
Molto importante è anche la differenza tra cappuccino e latte macchiato: il primo è una tazza di latte con schiuma e caffè, il secondo è un bicchiere con molto latte e poco caffè.

5b *Ascolta molte volte il dialogo e sottolinea, in ogni frase, la sillaba con l'accento più forte, come negli esempi.*

29

Mariana	Ma certo, | vado io al bar. | Cosa prendete?
Avvocato	Io prendo un caffè macchiato per favore. | Grazie.
Ingegnere	E io... | Posso avere un cappuccino?
Mariana	Certo ingegnere. | Franco? | Tu cosa prendi?
Barbiere	Eh... | Per me un caffè normale, | grazie Mariana.
Mariana	Allora io vado.

5c *Lavorate in gruppi di quattro. Recitate il dialogo dell'attività* **5b** *rispettando le intonazioni e gli accenti. Se necessario riascoltate.*

6 Analisi grammaticale | Verbi modali

6a *Completa le tabelle dei verbi. Aiutati cercando i verbi nel testo dell'attività* **4**.

verbi modali

	dovere	potere	volere
io	devo	posso	voglio
tu	devi	puoi	vuoi
lui/lei			vuole
noi	dobbiamo	possiamo	vogliamo
voi	dovete	potete	volete
loro		possono	

6b *Completa la regola sui verbi modali. Aiutati ancora con i testi dell'attività* **4**.

I verbi dovere, potere e volere si chiamano "modali".
Generalmente sono seguiti da:

- ☐ un nome.
- ☐ un verbo all'infinito.
- ☐ un verbo al presente.
- ☐ un aggettivo.

7 Parlare | Modi di dire

7a *Lavora con un compagno. Cercate di capire il significato dei modi di dire della lista. Poi sceglietene uno e improvvisate un minidialogo (2-3 battute) usando il modo di dire scelto.*

Volere è potere

Sognare non costa niente

Prima il dovere e poi il piacere

Parla come mangi

7b *Quando l'insegnante sorteggia il modo di dire che hai scelto al punto* **7a**, *recita il dialogo con il tuo compagno davanti alla classe. Quando tutte le coppie hanno recitato il loro dialogo, la classe vota la coppia migliore.*

8 Analisi lessicale | Preposizioni di luogo

8a *Inserisci nelle frasi le preposizioni a destra, come nell'esempio. Le preposizioni sono in ordine.*

1. McDonald's arriva Puglia — *in*
2. McDonald's decide aprire un suo spazio Altamura — di | a
3. Ma questo punto succede qualcosa imprevisto — a | di
4. I genitori vanno mangiare qualcosa buono lui — a | di | da
5. I genitori accompagnano i bambini Mc Donald's — da

8b *Completa la regola.*

Quando il luogo è geografico si usano le preposizioni:
____________ (con i nomi di regione e nazione) e ____________ (con i nomi di città).

Quando il luogo è una persona (un nome, un pronome, ecc.), si usa la preposizione:
____________.

unità 8 | bene grazie, e Lei?

Completa gli spazi riguardando quello che hai studiato. Poi confronta con l'indice a pag. 63.

comunicazione

Informale / Formale ▸ *Dare del* ____________, *Dare del* ____________

Chiedere a una persona come sta e rispondere
▸ *Come stai?* ▸ *Bene grazie e tu?*
▸ *Come sta?* ▸ *Bene grazie e Lei?*

Chiedere e rispondere al bar ▸ *Tu cosa prendi?, Cosa prendete?, Posso avere...?* ▸ *Vorrei..., Io prendo... Per me...*

grammatica

I verbi modali *dovere*, ____________, *volere*

Le preposizioni di luogo *da*, *a* e *in*

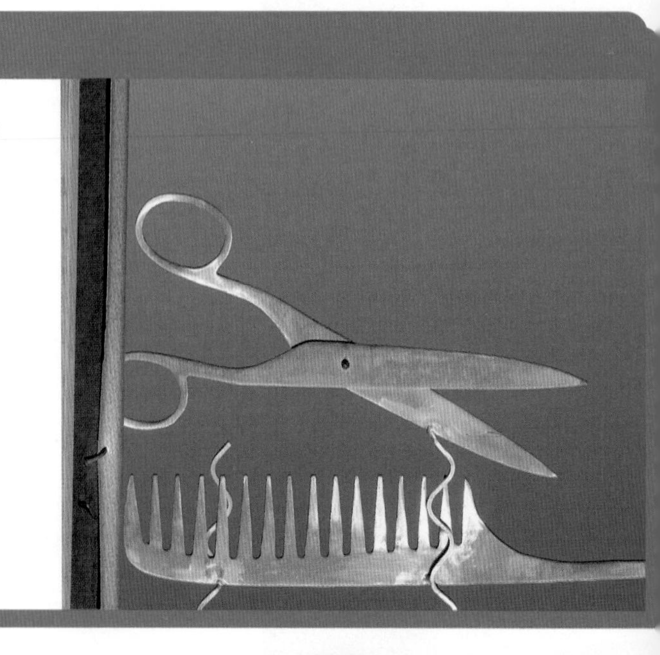

unità 9 | al bar

comunicazione

Salutare in modo informale e formale
▸ *Ciao, Ci vediamo, A presto, Buongiorno, Arrivederci*

Richiamare l'attenzione di qualcuno in modo informale e formale
▸ *Scusa, Scusi*

Chiedere e dire il prezzo
▸ *Quant'è?* ▸ *Sono quattro euro e venti*

grammatica

Gli articoli indeterminativi

1 Analisi lessicale | Caffè o cappuccino?

Collega i nomi delle cose che puoi ordinare al bar con le immagini, come nell'esempio.

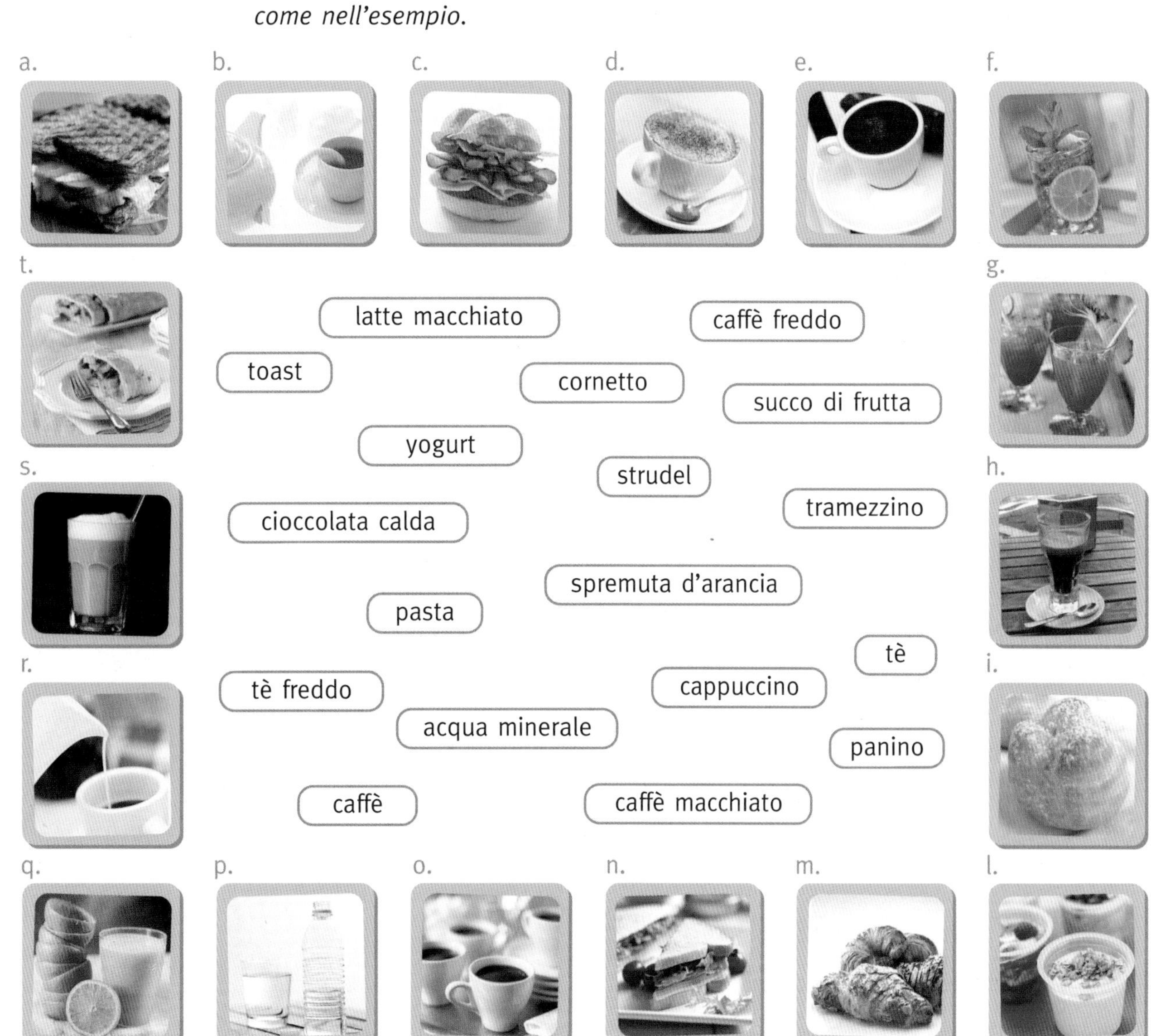

2 Ascoltare | Un cornetto semplice

30

2a *Ascolta il dialogo e scegli l'opzione corretta riguardo al rapporto tra le tre persone che parlano.*

Mariana e l'altra cliente	☐ si conoscono.	☐ non si conoscono.
	☐ forse si conoscono, forse non si conoscono.	
Mariana e il barista	☐ si conoscono.	☐ non si conoscono.
	☐ forse si conoscono, forse non si conoscono.	
L'altra cliente e il barista	☐ si conoscono.	☐ non si conoscono.
	☐ forse si conoscono, forse non si conoscono.	

2b *Ascolta ancora e rispondi alle domande.*

Chi prende il cornetto? ☐ L'altra cliente. ☐ Mariana. ☐ Nessuno.

Quanti soldi dà Mariana al barista?
☐ 10 euro.
☐ 9 euro e 30 centesimi.
☐ 10 euro e 70 centesimi.

3 Analisi lessicale | Al bar

3a *Tutte le espressioni della lista vengono dette nel dialogo al bar. Ascolta ancora e indica a cosa serve ognuna delle espressioni.*

Informale		Formale
Per salutare una persona quando arrivo	scusi	Per salutare una persona quando arrivo
Per salutare una persona quando vado via	buongiorno	Per salutare una persona quando vado via
Per richiamare l'attenzione di qualcuno	ciao	Per richiamare l'attenzione di qualcuno
	arrivederci	
	ci vediamo	
	scusa	
	a presto	
	ciao	

3b *Abbina le due espressioni estratte dal dialogo del punto **2** alla loro funzione.*

1. *Vorrei un caffè normale.* 2. *Quant'è?*

a. Si usa per chiedere il prezzo: ______________________

b. Si usa per ordinare qualcosa in modo gentile: ______________________

Acqua

L'Italia è il maggior consumatore di acqua minerale del mondo. Ogni italiano consuma, in media, 194 litri l'anno di acqua in bottiglia. L'acqua può essere **naturale** (**liscia**) o **gassata** (**frizzante**). In Italia molto popolare è anche l'acqua **effervescente naturale**, o **leggermente frizzante**: è un tipo di acqua gassata naturalmente alla sorgente.

4 Esercizio | Scusa...

Lavora in un gruppo di tre. Scegliete una situazione e modificate il dialogo originale come nell'esempio. Poi scambiatevi i ruoli e scegliete una nuova situazione. Continuate finché non avete riprodotto tutte le situazioni.

Situazioni

1

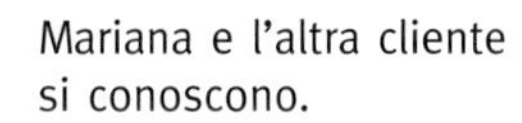

Mariana e l'altra cliente si conoscono.
Mariana e il barista si conoscono.
L'altra cliente e il barista non si conoscono.

2

Mariana e l'altra cliente si conoscono.
Mariana e il barista non si conoscono.
L'altra cliente e il barista si conoscono.

3

Mariana e l'altra cliente si conoscono.
Mariana e il barista non si conoscono.
L'altra cliente e il barista non si conoscono.

4

Mariana e l'altra cliente non si conoscono.
Mariana e il barista si conoscono.
L'altra cliente e il barista si conoscono.

5

Mariana e l'altra cliente non si conoscono.
Mariana e il barista non si conoscono.
L'altra cliente e il barista si conoscono.

6

Mariana e l'altra cliente non si conoscono.
Mariana e il barista non si conoscono.
L'altra cliente e il barista non si conoscono.

Caffè, ristretto, macchiato o corretto? Vai su *www.alma.tv*, cerca "Che caffè vuoi?" nella rubrica **Vai a quel paese** e guarda la divertente spiegazione di Federico Idiomatico.

Che caffè vuoi? **CERCA**

Esempio

Situazione 2

Mariana e l'altra cliente si conoscono.
Mariana e il barista non si conoscono.
L'altra cliente e il barista si conoscono.

Dialogo originale:

Mariana	Ciao.
Barista	Ciao Mariana. Cosa prendi?
Cliente	Scusi... posso chiedere un'informazione?
Mariana	Certo! Prego.
Cliente	Buongiorno.
Barista	Buongiorno.
Cliente	I cornetti sono finiti?
Barista	No, no.

Testo modificato:

Mariana	Buongiorno.
Barista	**Buongiorno signora**. Cosa **prende**?
Cliente	**Scusa**... posso chiedere un'informazione?
Mariana	Certo! Prego.
Cliente	**Ciao**.
Barista	**Ciao**.
Cliente	**I tramezzini** sono **finiti**?
Barista	No, no.

5 Analisi grammaticale | Gli articoli indeterminativi

5a *Sottolinea gli articoli indeterminativi nelle frasi estratte dal dialogo del punto 2, come nell'esempio.*

5b *Guarda gli articoli che hai sottolineato al punto* **5a** *e inseriscili nello schema.*

maschile		
	Prima di *z*, *gn*, *ps*, *pn*, *x*, *y*, *s* + cons.	Prima di consonante o vocale
singolare	______	______

femminile		
	Prima di consonante	Prima di vocale
singolare	______	______

6 Parlare | Il giro dei bar

La classe si divide in due gruppi: i baristi e i clienti.

Barista

Sei un barista. Quando un cliente ordina un prodotto dal menù, guarda sulla lista* se è disponibile nel tuo bar. Se è disponibile lo puoi vendere altrimenti no. Attenzione: quando vendi un prodotto lo devi cancellare dalla lista. Quando finisci un prodotto non lo puoi più vendere.

Cliente

Insieme ad un amico fai il giro dei bar della zona. Andate in un bar e ordinate quello che volete. Chiedete il conto e pagate. Dopo aver consumato, andate in un altro bar e ordinate qualcosa di diverso.

**Nota per l'insegnate: fotocopiare e consegnare ad ogni barista la lista a pag. 142.*

unità 9 | al bar

Cosa hai studiato di grammatica in questa unità? Scegli un contenuto della lista e scrivilo sotto. Poi confronta con l'indice di pag. 69. Attenzione: gli altri contenuti saranno presentati nel modulo quattro.

I verbi riflessivi | Gli aggettivi possessivi | Gli articoli indeterminativi

grammatica

____

A ROMA, I SOLDATI ROMANI PRENDONO BRUNO.
VUOI TROVARE IL TUO PADRONE? OK, ANDIAMO!

MAMMA MIA! È TUTTO DISTRUTTO!
ROMA, SAN PIETRO

LA CORSA DI FIDUS FINISCE AL COLOSSEO.
BRAVO!

BRUNO È IN PERICOLO, MA ANNA...
DAI, CORRI!

EHI, GRAZIE!
RINGRAZIA IL TUO CANE.

COME STAI?
STO BENE! GRAZIE. MA NON CAPISCO... TU CHI SEI? DA DOVE VIENI?
ROMA, IL GIANICOLO. DUE ORE DOPO...

SONO VENEZIANA. FACCIO L'ARCHEOLOGA! MI CHIAMO ANNA.
VENEZIANA??? AH, AH, AH! MA VENEZIA NON È MORTA SOTTO L'ACQUA?

SEI UNO STUPIDO!
PIACERE, BRUNO.

NELLO STESSO MOMENTO ARRIVA IL VECCHIO DEL TRENO.
LA FINE DEL MONDO...

DISTRUZIONE...
RAPINE...
MORTE...
MA C'È UNA SOLUZIONE... LO SPECCHIO... LO SPECCHIO DI ROMA!

IL VECCHIO SA QUALCOSA! ANDIAMO CON LUI! DOBBIAMO TROVARE QUESTO SPECCHIO!
È SOLO UN VECCHIO PAZZO! IO VADO A NAPOLI. VOGLIO ENTRARE NELL'ESERCITO DEL SUD!
Arruolati con noi vieni a Napoli

FAI QUELLO CHE VUOI. IO VADO CON IL VECCHIO.
E IO VADO A NAPOLI. PUOI PRENDERE FIDUS!
GUERRA, MORTE, LA SOLUZIONE È LO SPECCHIO...
CONTINUA...

PAGINA DELLA FONETICA

1 I suoni [sk] e [ʃ]

1a *Ascolta le parole. Che suono senti? Segui gli esempi.* DVD 31

	[sk]	[ʃ]		[sk]	[ʃ]		[sk]	[ʃ]
conosce	☐	☒	scala	☒	☐	tasca	☐	☐
finisco	☐	☐	discesa	☐	☐	sciopero	☐	☐
maschera	☐	☐	lascia	☐	☐	rischio	☐	☐
scheletro	☐	☐	scuola	☐	☐	esci	☐	☐
maschile	☐	☐	asciugamano	☐	☐	scivolo	☐	☐
scudo	☐	☐						

1b *Metti i simboli* [sk] *e* [ʃ] *al posto giusto e completa la tabella, come nell'esempio.*

			[ʃ]						
conosce discesa	scala tasca	finisco	sciopero	maschera scheletro	lascia	rischio maschile	scuola scudo	esci scivolo	asciugamano

1c *Completa la regola, come negli esempi.*

[sk] = sca ___he ___i ___o ___u [ʃ] = scia ___e ___i ___o ___u

1d *Ascolta e completa le parole.* DVD 32

1. pe___ 2. ___perta 3. ___avo 4. ca___na 5. na___re 6. cono___ 7. la___
8. To___na 9. a___tto 10. la___mo 11. ___ma 12. ___rpa 13. ___sa 14. ___ndere

1e *Gioco. Formate due squadre, A e B. Ogni squadra scrive nello schema di sinistra una lista di 6 parole con i suoni* [sk] *e* [ʃ] *e si esercita a pronunciarle. Poi si formano delle coppie (uno* Studente A + *uno* Studente B*). A turno ogni studente sceglie una casella nel suo schema di destra e l'altro legge la parola corrispondente nel suo schema di sinistra. Se il primo studente scrive correttamente la parola nel suo schema di destra, conquista la casella. Vince il primo che fa tris.*

2 Le doppie

2a *Ascolta e segna la parola che senti.* DVD 33

1. ☐ sette ☐ sete 2. ☐ nono ☐ nonno 3. ☐ caro ☐ carro 4. ☐ camino ☐ cammino
5. ☐ eco ☐ ecco 6. ☐ pollo ☐ polo 7. ☐ cappello ☐ capello 8. ☐ rosa ☐ rossa

2b *Ascolta le coppie di parole e indica con una X quando c'è una doppia.* DVD 34

1. ☐___ ☐___ 2. ☐___ ☐___ 3. ☐___ ☐___ 4. ☐___ ☐___ 5. ☐___ ☐___ 6. ☐___ ☐___
7. ☐___ ☐___ 8. ☐___ ☐___ 9. ☐___ ☐___ 10. ☐___ ☐___ 11. ☐___ ☐___ 12. ☐___ ☐___

2c *Riascolta e scrivi, al punto* **2b***, la doppia che senti.*

modulo quattro | **società**

unità 10 **la mia giornata**

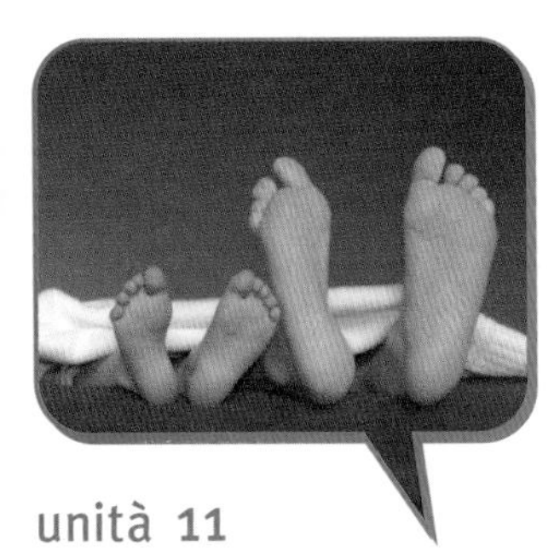

unità 11 **in famiglia**

comunicazione

Dire a che ora si fa una cosa ▸ *Alle 8 e un quarto, Alle 7*

Dire in che momento della giornata si fa una cosa ▸ *La mattina, Il venerdì pomeriggio*

Parlare della propria famiglia ▸ *Abito con mia madre*

Esprimere accordo o disaccordo ▸ *È giusto, Sono d'accordo / Non è giusto, Non sono d'accordo*

Fare una proposta e accettare ▸ *Ti va di...* ▸ *Certo*

Incoraggiare ▸ *Dai!*

Introdurre un nuovo discorso ▸ *Senti*

grammatica

I verbi riflessivi

Anche / Neanche

Gli avverbi di frequenza

Gli articoli con i giorni della settimana

I possessivi

Gli aggettivi possessivi e i nomi di parentela

C'è / Ci sono

I numeri dopo 1.000

unità 10 | la mia giornata

comunicazione

Dire a che ora si fa una cosa
▸ *Alle 8 e un quarto, Alle 7*

Dire in che momento della giornata si fa una cosa
▸ *La mattina, Il venerdì pomeriggio*

grammatica

I verbi riflessivi

Anche / *Neanche*

Gli avverbi di frequenza

Gli articoli con i giorni della settimana

I possessivi

1 Introduzione

1a *Inserisci la azioni della lista negli spazi, sotto ai disegni corrispondenti.*

si alza | si fa la doccia | si lava i denti | si pettina | si sveglia | si veste

Alle 8:00 ▸ io mi sveglio, lui dorme.

Alle 8:01 ▸ io mi alzo, lui dorme.

Alle 8:05 ▸ io faccio colazione, lui dorme.

Alle 8:15 ▸ io mi lavo i denti, lui dorme.

Alle 8:20 ▸ io mi faccio la doccia, lui dorme.

Alle 8:25 ▸ io mi vesto, lui dorme.

Alle 8:50 ▸ io mi vesto, lui _______________.

Alle 8:53 ▸ io mi trucco, lui _______________.

Alle 8:57 ▸ io mi pettino, lui fa colazione,
_______________,
_______________,
si fa la barba,
_______________,
_______________.

Alle 9:00 ▸ siamo pronti per una nuova giornata!

Il bagno

Il bagno in Italia riunisce in un unico ambiente la sala da bagno per lavarsi e il gabinetto (o wc).

Il bagno di solito prevede un lavandino, una vasca o una doccia, un wc e un bidet.

1b *Disegna in modo semplice le prime cose che fai quando ti svegli, senza scrivere il verbo. Hai cinque minuti di tempo.*

1c *Lavora con un compagno. Scambiatevi i libri e scrivete, per ogni disegno del compagno, il verbo corrispondente, come nell'esempio.*

2 Analisi grammaticale | I verbi riflessivi

Inserisci nella coniugazione del verbo **lavarsi** *i pronomi riflessivi, come negli esempi. Poi confronta con un compagno.*

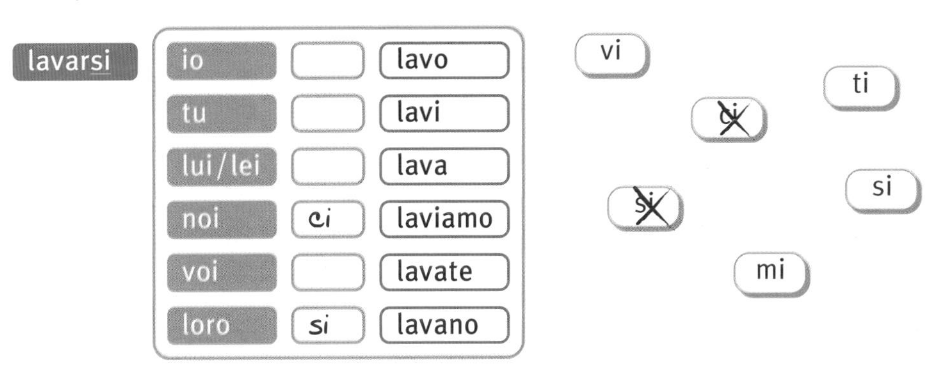

lavarsi		
io		lavo
tu		lavi
lui/lei		lava
noi	ci	laviamo
voi		lavate
loro	si	lavano

I verbi riflessivi

Riflessivo	Non riflessivo
 Io mi vesto. (*vestirsi*)	 La mamma veste Marco. (*vestire*)
 Io mi lavo le mani. (*lavarsi*)	 Franco lava la macchina. (*lavare*)

3 Gioco | Il mimo dei verbi riflessivi

Gioca con un compagno, contro un'altra coppia (coppia A e coppia B). Ogni coppia ha 10 frasi (le frasi della coppia B sono a pag. 139). La prima coppia sceglie una frase e la consegna segretamente ad uno dei due studenti dell'altra coppia. Lo studente deve mimare il contenuto della frase e il suo compagno di coppia deve indovinare e dire l'infinito del verbo dell'azione (ha 30 secondi per indovinare e può provare tutte le volte che vuole). Se lo indovina la coppia guadagna un punto. Poi tocca all'altra squadra.

Frasi coppia A	
Io guardo la finestra	Io mi pettino
Io scrivo	Io mi vesto
Io mi alzo	Io mangio una mela
Io mi lavo i denti	Io dormo
Io apro il libro	Io mi faccio la doccia

Anche / Neanche

Osserva:

- ● Mi sveglio sempre alle 8.
- ■ Anche io mi alzo presto.
- ● A pranzo di solito non mangio.
- ■ Neanche io.

4 Leggere | La mia giornata tipo

4a *Inserisci i numeri delle emoticon negli spazi, come nell'esempio.*

▸ 1
▸ 2
▸ 3
▸ 4
▸ 5
▸ 6
▸ 7
▸ 8
▸ 9
▸ 10

▸ La mia giornata tipo
Idea! Descrivete la vostra giornata tipo. Poi votiamo la più bella! ___2___
Giulio
quote

Re: ▸ La mia giornata tipo
ciao Giulio, mi piace la tua idea! ______ allora... mi sveglio sempre alle 8, mi alzo con molta calma e faccio colazione: caffè, spremuta d'arancia, cereali, biscotti... ma prima faccio un po' di ginnastica. Poi vado all'università. A pranzo di solito non mangio, vado in palestra e poi a casa a studiare per l'esame.
Marina
quote

Re: ▸ La mia giornata tipo
Ciao! Anche io mi alzo presto, verso le 7.30, poi di corsa mi lavo, faccio colazione e ancora un po' addormentata vado a scuola ______. Resto lì praticamente tutto il giorno (8 ORE ___4___ AAARGH!!!). Che palle! La peggiore in assoluto è la prof. di matematica... ______ LA ODIO!!! La sera sto quasi sempre a casa... mi chiudo nella mia stanza a chattare con le mie amiche o ad ascoltare musica. Il sabato il mio ragazzo mi passa a prendere con la sua moto e andiamo in giro con i nostri amici fino a tardi ______. Spesso andiamo a ballare, disco, tecno... stiamo bene insieme! ______
Ilaria
quote

Re: ▸ La mia giornata tipo
Da quando non lavoro più ho molto tempo libero, ma le mie giornate sono un po' tutte uguali. La mattina vado al parco con il cane. Resto lì fino all'ora di pranzo a leggere. Poi torno a casa, mangio e mi riposo. Il venerdì pomeriggio viene a trovarmi Rita, con i suoi due bambini, Matteo e Dino. La loro visita è il momento più bello della settimana! ______ La sera di solito vado a letto presto. Solo il sabato e la domenica qualche volta vado al cinema o a cena con i miei ex colleghi.
Aldo
quote

Re: ▸ La mia giornata tipo
La mia giornata tipo non c'è ___9___. Lavoro per una compagnia aerea come pilota e sono sempre in viaggio. Non ho orari fissi, a volte mi sveglio alle 5 perché il volo parte presto, a volte dormo fino a tardi e il resto della giornata sono libero. Tutto ok? Sì, questa vita movimentata mi piace... Unico problema: la mia ragazza fa la hostess ma non siamo mai sullo stesso aereo!!! ______
Stefano
quote

4b *Ora scrivi i nomi degli autori dei post sotto alle loro foto, come nell'esempio.*

nome ______
età 70 anni

nome ______
età 28 anni

nome Giulio
età 41 anni

nome ______
età 15 anni

nome ______
età 23 anni

5 Analisi lessicale | Gli avverbi di frequenza

Leggi le frasi e inserisci al posto giusto nella scala gli avverbi di frequenza, come negli esempi.

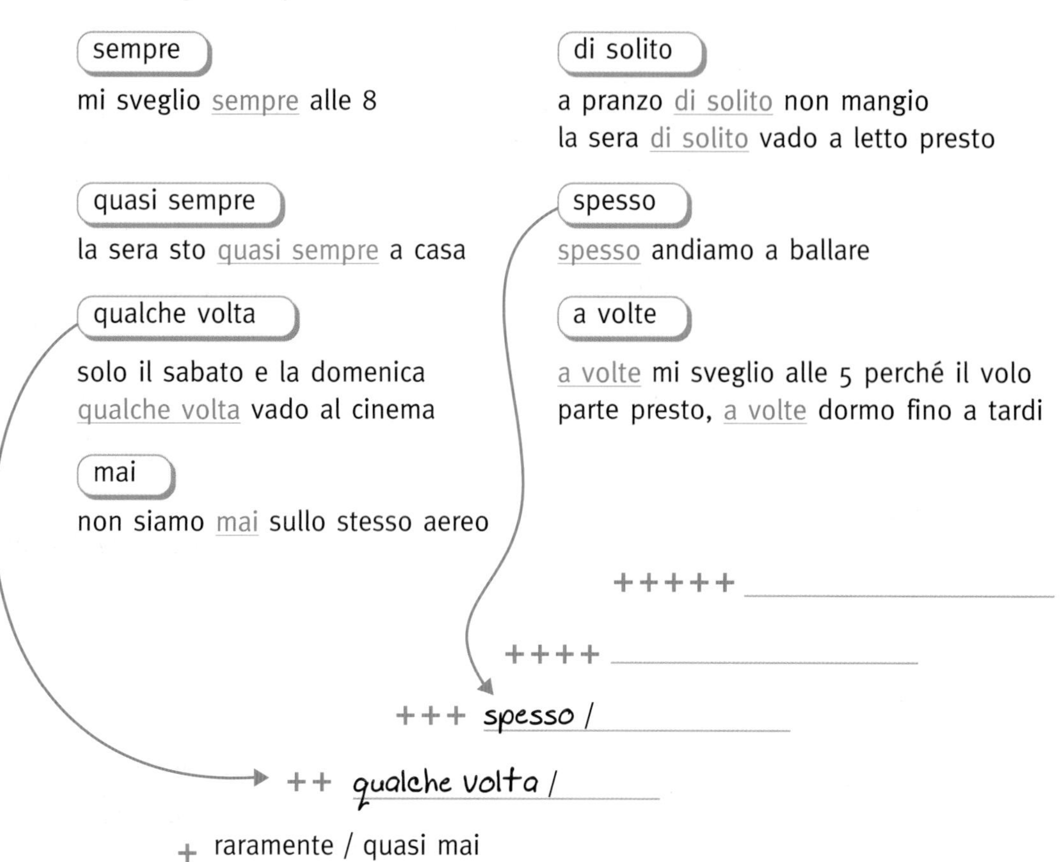

I giorni della settimana e gli articoli

I giorni della settimana sono tutti maschili, solo "domenica" è femminile. Sai inserire l'articolo giusto?

- il lunedì
- ___ martedì
- ___ mercoledì
- ___ giovedì
- ___ venerdì
- ___ sabato
- ___ domenica

6 Gioco | Tabù

Si gioca a coppie, uno studente A e uno studente B. Lo **Studente A** *sceglie dalla lista un'espressione e la scrive nella colonna TABÙ, senza farsi vedere dal compagno. Poi lo* **Studente A** *comincia a parlare con lo* **Studente B** *allo scopo di fargli dire l'espressione TABÙ. Compito dello* **Studente B** *è quello di dire, durante la conversazione, il maggior numero di espressioni possibili contenute nella lista, tranne naturalmente quella TABÙ. Per ogni espressione pronunciata riceve un punto. Se però lo* **Studente B** *pronuncia l'espressione TABÙ la conversazione si interrompe e il gioco riprende a ruoli invertiti.*
Il gioco va avanti fino allo STOP dell'insegnante. Vince chi alla fine ha realizzato più punti.

sempre | quasi sempre | spesso
di solito | qualche volta | a volte | il sabato
raramente | quasi mai | mai | la domenica

Tabù

7 Analisi grammaticale | Gli aggettivi possessivi

7a *Riguarda i post del punto* **4a** *e indica nella tabella a quale persona si riferiscono gli aggettivi possessivi, come negli esempi.*

7b *Ora indica per ogni aggettivo possessivo se è maschile (M) o femminile (F), e singolare (S) o plurale (P), come negli esempi.*

	io, tu, lui/lei, noi, voi, loro	M | F	S | P
la vostra giornata	Voi (i partecipanti al forum)	F	S
la tua idea	Tu (Giulio)	F	S
nella mia stanza			
il mio ragazzo			
la sua moto			
i nostri amici			
le mie giornate			
i suoi due bambini			
la loro visita			
i miei ex colleghi			

7c *Inserisci gli aggettivi possessivi dei punti* **7a** *e* **7b** *al posto giusto nella tabella.*

aggettivi possessivi

	singolare maschile	singolare femminile	plurale maschile	plurale femminile
io				
tu	il tuo		i tuoi	le tue
lui/lei	il suo			le sue
noi	il nostro	la nostra		le nostre
voi	il vostro		i vostri	le vostre
loro	il loro		i loro	le loro

7d *Lavora con un compagno. Guardate la tabella che avete completato e rispondete alle domande.*

- Di solito gli aggettivi possessivi hanno l'articolo?
- Un aggettivo possessivo si comporta in modo diverso dagli altri. Quale?

8 Scrivere | La mia giornata tipo

Scrivi un post sulla tua giornata tipo e partecipa al forum del punto **4a**.

unità 10 | la mia giornata

Completa gli spazi con le parole a destra. Poi confronta con l'indice a pag. 78.

grammatica

I verbi ______________

Anche / Neanche

Gli avverbi di frequenza

Gli ______________ con i giorni della settimana

I ______________

articoli

possessivi

riflessivi

unità 11 | in famiglia

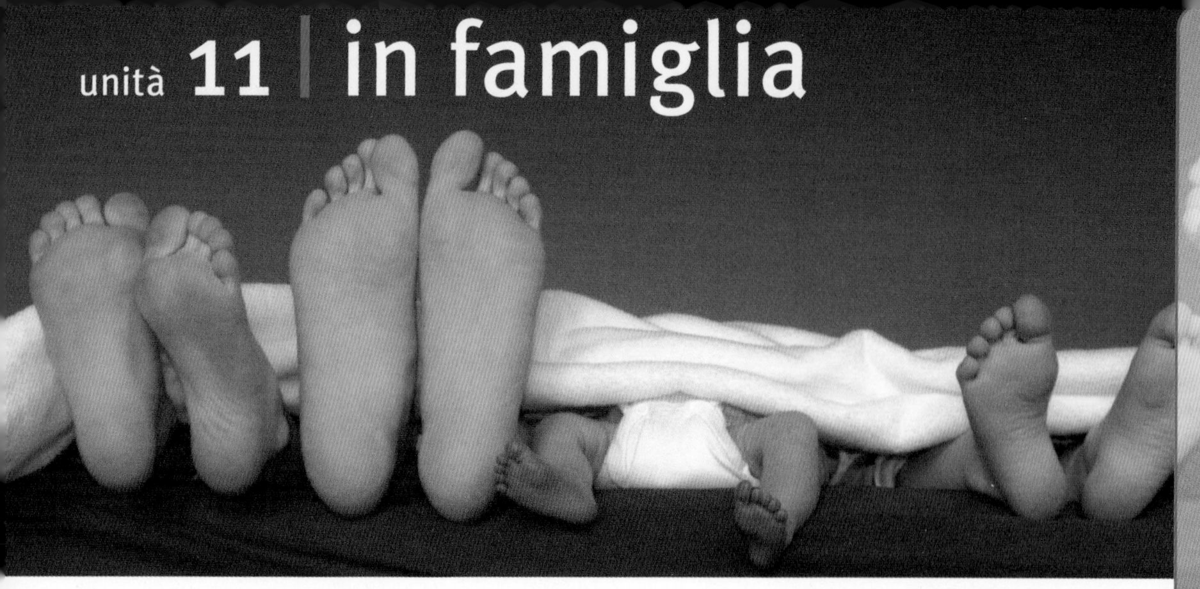

comunicazione

Parlare della propria famiglia ▸ *Abito con mia madre*

Esprimere accordo o disaccordo ▸ *È giusto, Sono d'accordo / Non è giusto, Non sono d'accordo*

Fare una proposta e accettare ▸ *Ti va di...* ▸ *Certo*

Incoraggiare ▸ *Dai!*

Introdurre un nuovo discorso ▸ *Senti*

grammatica

Gli aggettivi possessivi e i nomi di parentela

C'è / Ci sono

I numeri dopo 1.000

1 Introduzione

Cosa ti viene in mente quando pensi alla parola "famiglia"? Parla con un gruppo di compagni riguardo agli aspetti positivi e negativi che associate al concetto di famiglia.

2 Ascoltare | Questo è mio fratello

 35

2a *Ascolta il dialogo e indica chi è Sabrina.*

☐ La madre di Sofia.
☐ La nuova compagna del padre di Sofia.
☐ La nonna di Sofia.

2b *Ascolta ancora il dialogo e scegli quali fotografie guardano Sofia e la sua maestra di musica.*

1. 

2. 

3. 

4. 

5. 

2c *Ascolta il dialogo tutte le volte necessarie e completa l'albero genealogico di Sofia con le informazioni mancanti. Poi indica i personaggi nelle tre foto giuste del punto **2b**.*

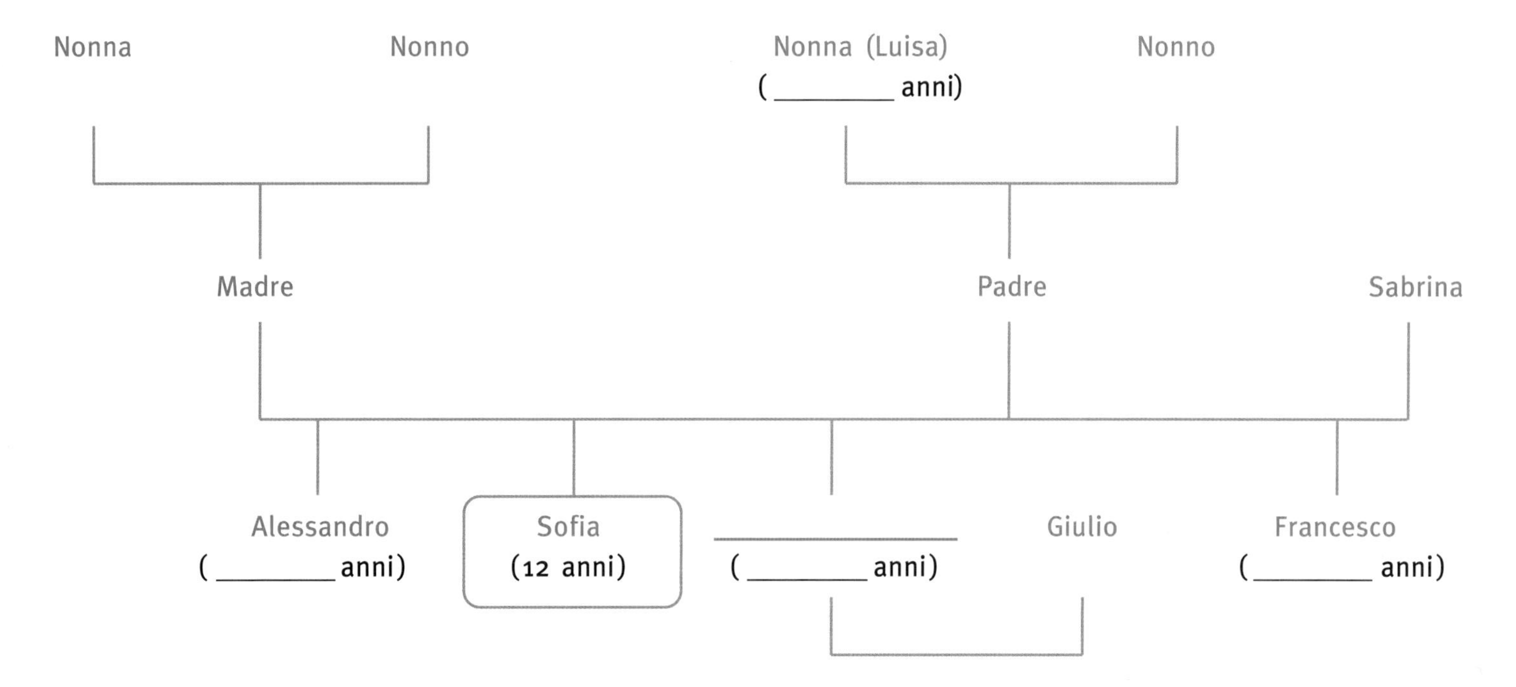

3 **Analisi grammaticale** | I possessivi e i nomi di parentela

3a *Lavora con un compagno. Guardate l'estratto dal dialogo del punto **2** ed elaborate insieme una regola per rispondere alla domanda.*

- ● Questo è mio fratello Alessandro, che però non si riconosce perché qui ha gli occhiali. Questa è Irene e questa è mia madre e questa è mia nonna Luisa.
- ■ E tua nonna quanti anni ha?
- ● Ottantaquattro.
- ■ Sembra molto più giovane! Quindi tu vivi con tua madre?
- ● Sì, abito con mia madre, mia nonna e i miei fratelli, Irene e Alessandro.

▸ Come hai visto nella lezione precedente, di solito gli aggettivi possessivi hanno l'articolo determinativo. Davanti a quali parole non si deve mettere l'articolo?

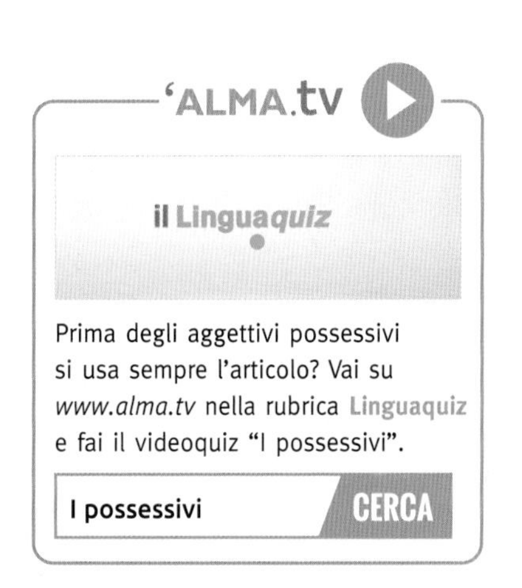

3b *Ora esponete la vostra regola alla classe e discutetene con gli altri studenti e l'insegnante.*

4 Parlare | L'albero genealogico

4a *Ricostruisci il tuo albero genealogico. Puoi scegliere di ricostruire l'albero vero o un albero immaginario. Aggiungi anche tutti i parenti che mancano.*

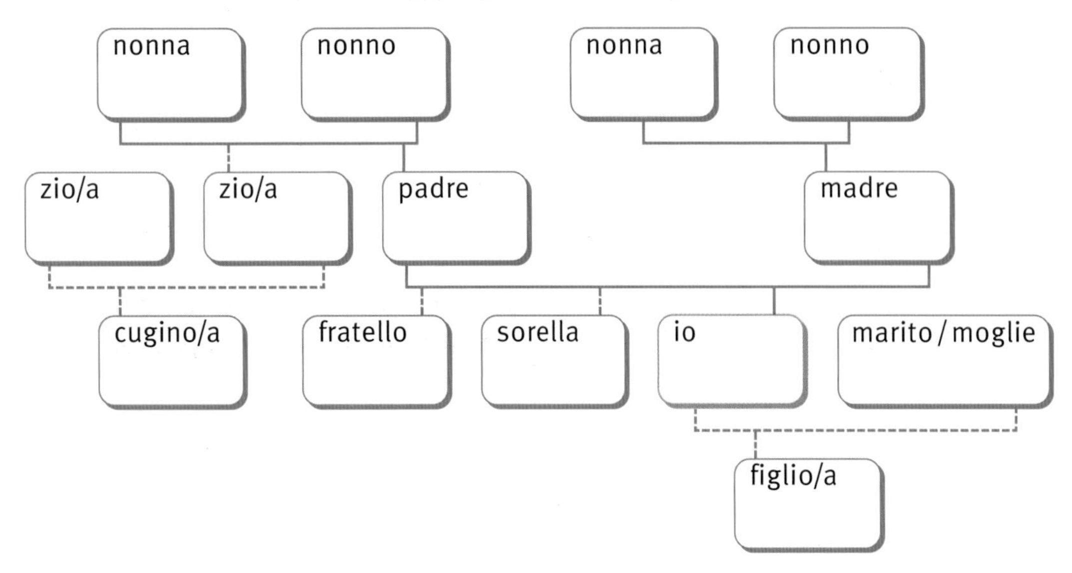

4b *Lavora con un compagno. Intervistalo e ricostruisci il suo albero genealogico, senza guardare il suo libro. Poi indovina se il suo albero è vero o immaginario. Alla fine scambiatevi i ruoli.*

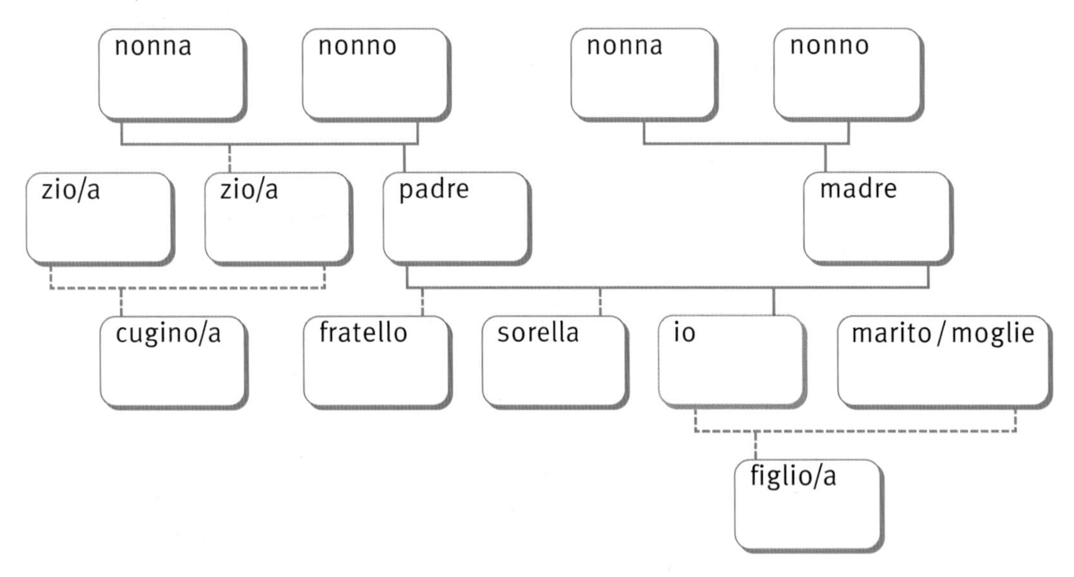

5 Analisi grammaticale | C'è/ci sono

Guarda il dialogo a destra tratto dalla conversazione del punto **2** *e completa la regola con* **c'è** *e* **ci sono** *al posto giusto.*

c'è | ci sono

Per indicare qualcosa che è in un posto, al singolare uso ____________ e al plurale uso ____________.

Maestra di musica
Com'è il mare in Puglia?

Sofia
C'è un mare bellissimo, però fa molto caldo.

Maestra di musica
Ah, ci sono anche molti turisti, vero?

Sofia
Eh già.

6 Gioco | C'è / ci sono

6a *Ogni studente dà all'insegnante uno o più oggetti personali (penna, occhiali, orologio, cellulare, ecc.). Con l'aiuto dell'insegnante, la classe ripete e memorizza i nomi degli oggetti.*

Esempio

- Studente squadra A
  C'è la penna?
- Insegnante
  Sì, tieni. / No, non c'è.
- Studente squadra B
  Ci sono gli occhiali?
- Insegnante
  Sì, tieni. / No, non ci sono.

6b *La classe si divide in due squadre. L'insegnante mette in un sacchetto alcuni degli oggetti degli studenti. A turno uno studente per squadra cerca di indovinare cosa c'è nel sacchetto, facendo una domanda come nell'esempio a sinistra. Se indovina, la sua squadra conquista l'oggetto. Se sbaglia si va avanti. Vince la squadra che conquista più oggetti. In caso di errore grammaticale la squadra che ha sbagliato deve dare un oggetto conquistato agli avversari. Il gioco può continuare con una seconda partita fino ad esaurimento degli oggetti rimanenti.*

7 Leggere | Due lettere

Leggi le due lettere al Direttore e inserisci in ognuna l'espressione giusta.

È giusto! | Non è giusto!

Gentile Direttore,
sono laureato in economia, ho una specializzazione, due master e circa venti pubblicazioni internazionali. Ma invece di lavorare all'Università come professore, faccio il cameriere in un ristorante. Dei 60.251 professori universitari del nostro Paese, 30.000 hanno più di 60 anni e gli altri sono i loro figli, le loro nipoti, i loro amici, le loro amanti e segretarie! E io non sono figlio, nipote, amico di nessun professore. Nelle università italiane circa il 30% dei professori ha il cognome uguale a quello di un altro professore. Solo in Italia, dove la famiglia è sacra e intoccabile, può succedere una cosa come questa. ______________
La ringrazio per l'attenzione.

Giovanni Sarti

Sono d'accordo. | Non sono d'accordo.

Gentile Direttore,
vorrei rispondere alla lettera di Giovanni Sarti. Caro Giovanni, tu dici che in Italia la famiglia ha troppa importanza.
____
Io vivo e lavoro negli USA e quando torno in Italia sono felicissima di rivedere i miei tanti parenti: mia madre, mio padre, i miei fratelli, i nonni, gli zii, i nipoti e i cugini.
A Natale ci ritroviamo tutti nella grande casa di mio nonno a Todi e stiamo tutti insieme.
Il tuo problema, caro Giovanni, non è la famiglia ma la disonestà degli altri.
"Famiglia" invece significa solidarietà, amore e, per me, festa!

Laura Cangiani

E tu con chi sei d'accordo?

☐ Con Giovanni. ☐ Con Laura. ☐ Con nessuno dei due.

8 Analisi grammaticale | I numeri dopo 1000

Guarda questa frase estratta dal testo del punto **7**. *Prova a scrivere a lettere i numeri. Aiutati con il riquadro* I numeri dopo 1000.

Dei 60.251 docenti universitari del nostro Paese, 30.000 hanno più di 60 anni

I numeri dopo 1000

cifra	miliardi	milioni	migliaia	centinaia / decine / unità
1.001			mille	uno
1.005			mille	cinque
1.110			mille	centodieci
2.930			duemila	novecentotrenta
9.000			novemila	
24.312			ventiquattromila	trecentododici
100.000			centomila	
170.000			centosettantamila	
1.000.000		un milione		
6.550.321		sei milioni	cinquecentocinquantamila	trecentoventuno
400.300.000		quattrocento milioni	trecentomila	
1.000.000.000	un miliardo			

9 Gioco | I numeri umani

Dividetevi in squadre composte da tre studenti. Ogni squadra deve scrivere nel più breve tempo possibile e nel giusto ordine le cifre di un numero pronunciato dall'insegnante. All'interno di ogni squadra il primo studente deve scrivere chiaramente su un foglio i milioni, il secondo le migliaia e il terzo le centinaia, le decine e le unità, come nel disegno di esempio. Quando una squadra pensa di aver scritto il numero in modo corretto deve sedersi sulle sedie poste al centro dell'aula. Se il numero è esatto la squadra prende un punto, altrimenti perde un punto. Se il numero non è esatto un'altra squadra può provare a dare la soluzione.

Mamma e papà

I figli chiamano la madre mamma e il padre papà (o babbo in alcune zone dell'Italia centrale, soprattutto in Toscana).

Attenzione:
prima del possessivo + "mamma" o "papà" si deve usare l'articolo
- *la mia mamma*
- *il mio papà*

Dalla parola "mamma" derivano molte espressioni. Per esempio:
- mamma mia! (per indicare sorpresa, paura o reagire a qualcosa di negativo)
- mammone (per indicare un ragazzo che rimane a vivere con i genitori anche da adulto e ha difficoltà a separarsi dalla famiglia)

10 Analisi della conversazione | Dai!

36

10a *Completa il dialogo con le espressioni della lista. Poi ascolta e verifica.*

certo | dai | senti | ti va di

- ● ____________, facciamo una pausa, ____________!
- ■ Ok, ____________ vedere le foto delle mie vacanze?
- ● Sì, ____________, molto volentieri.

10b *Scrivi ognuna delle espressioni del punto* **10a** *negli spazi, accanto alla funzione corrispondente.*

Si usa per:	
accettare con entusiasmo	____________
fare una proposta	____________
introdurre un nuovo discorso	____________
stimolare, incoraggiare	____________

11 Parlare | Mio nonno...

Scegli un personaggio della tua famiglia per te particolarmente importante e parlane ad un compagno.

unità 11 | in famiglia

Collega i due esempi di destra a due contenuti di comunicazione a sinistra. Poi confronta con l'indice a pag. 84.

comunicazione

Parlare della propria famiglia ▸

Esprimere accordo o disaccordo ▸

Fare una proposta e accettare ▸ *Ti va di...* ▸ *Certo*

Incoraggiare ▸ *Dai!*

Introdurre un nuovo discorso ▸ *Senti*

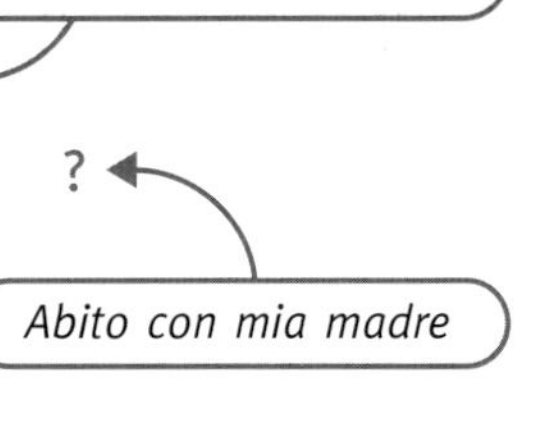

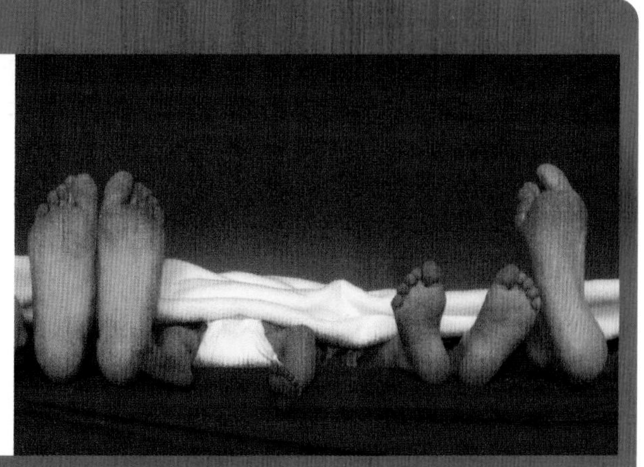

ROMA, PIAZZA DEL POPOLO. ANNA SEGUE IL VECCHIO PER CERCARE LO SPECCHIO DI ROMA. MA QUALCUNO SEGUE ANNA...

PIAZZA DI SPAGNA. A ROMA CONTINUANO DISTRUZIONI E RAPINE.

VECCHIO, MA DOVE ANDIAMO?
LO SPECCHIO... LA SOLUZIONE... LO SPECCHIO... L'ALBERGO...

ALBERGO ROMA
MA CERTO! LO SPECCHIO DELL'ALBERGO ROMA! ORA CAPISCO!

ANDIAMO FIDUS. CORRIAMO!

ECCO LO SPECCHIO
DI ROMA!

E ADESSO? COSA DOBBIAMO FARE? QUI NON SUCCEDE NIENTE!

PROPRIO IN QUEL MOMENTO ARRIVANO I CROCIATI VENEZIANI.
TU! VIENI CON NOI. LO SPECCHIO È NOSTRO!
IO SONO VENEZIANA! COME VOI!

E ALLORA COSA FAI A ROMA? SEI UNA SPIA!
PARLA DONNA! QUAL È LA SOLUZIONE?
NON LO SO! NON LO SO!

NELLO STESSO MOMENTO, A NAPOLI...
OH MIO DIO! IL VULCANO... ANCHE NAPOLI È DISTRUTTA...
Arruolati con noi vieni a Napoli
CONTINUA...

PAGINA DELLA FONETICA

1 I suoni [ʎ] e [ɲ]

1a *Ascolta e segna quale suono senti per ogni parola. Segui gli esempi.* DVD 37

	1.	2.	3.	4.	5.	6.	7.	8.	9.	10.	11.	12.
[ʎ]	☒	☐	☐	☐	☐	☐	☐	☐	☐	☐	☐	☐
[ɲ]	☐	☒	☐	☐	☐	☐	☐	☐	☐	☐	☐	☐

1b *Ascolta e completa le parole con gn, gl, l o n.* DVD 38

1. Allora si___ori, oggi abbiamo ___occhi al pomodoro o spaghetti a___io e o___io.
2. Con questo freddo è consi___iabile mettersi una ma___ia di lana.
3. Giu___iano è un ma___iaco del poker.
4. A___ese non ha sentito la sve___ia e ha fatto tardi a scuola.
5. A___i ultimi mondiali di calcio hanno assistito mi___ioni di persone.
6. Il fiume A___iene ba___a Roma.
7. Vorrei un bi___ietto per Bolo___a.

1c *Ora prova a pronunciare questi scioglilingua. Poi ascolta e verifica. Esercitati tutte le volte che lo ritieni necessario.* DVD 39

1.
Se il coniglio gli agli ti piglia,
togligli gli agli
e tagliagli gli artigli.

2.
Sogno uno gnomo e un ragno
fare il bagno
con un cigno
nello stagno.

2 Le doppie

2a *Ascolta e completa le parole con una o due lettere.* DVD 40

1. Questo ri___otto non è a___astanza sa___orito.
   A mio a___iso bisognere___e a___iungere un po' di za___erano.
2. Ni___olò Amma___iti come scri___ore mi fa impa___ire, sono una sua fe___ele a___iratrice.
3. È un a___ile poli___ico. Con la sua so___ile diale___ica è stato capa___e di sedu___e
   la ma___ioranza della popola___ione.

2b *Ascolta e scrivi il testo del telegramma.* DVD 41

____
____
____
____
____

modulo cinque | geografia

unità 12 in treno o in macchina?

unità 13 c'è anche questo

comunicazione

Chiedere e dare semplici informazioni stradali ▸ *Come ci arrivo?* ▸ *Arrivi alla stazione, Vai sempre dritta*

Chiedere e indicare la durata di un percorso ▸ *Quanto tempo ci vuole?* ▸ *Sono 10 minuti...*

Dare ed eseguire istruzioni ▸ *Prendi il taxi, Non andare dritto*

Chiedere e dire l'indirizzo ▸ *Tu dove abiti?* ▸ *Io abito...*

Esprimere sorpresa ▸ *Caspita!*

Sottolineare una risposta ▸ *Certo che...*

Cambiare discorso ▸ *Piuttosto...*

grammatica

I numeri ordinali

Stare + gerundio

Il pronome di luogo *ci*

Gli avverbi di luogo

L'imperativo informale affermativo e negativo

I pronomi dimostrativi *questo* e *quello*

I pronomi diretti *lo*, *la*, *li*, *le*

unità 12 in treno o in macchina?

comunicazione

Chiedere e dare semplici informazioni stradali ▸ *Come ci arrivo?* ▸ *Arrivi alla stazione, Vai sempre dritta*

Chiedere e indicare la durata di un percorso ▸ *Quanto tempo ci vuole?* ▸ *Sono 10 minuti...*

grammatica

I numeri ordinali

Stare + gerundio

Il pronome di luogo *ci*

Gli avverbi di luogo

1 Introduzione

✶ Studente A (Le istruzioni per lo **Studente B** sono a pag. 143)

Gioca con un compagno. Ognuno di voi due ha una lista con 8 nomi di luoghi italiani: 4 sono isole. Scegli un nome dalla tua lista e fai la domanda come nell'esempio. Se è un'isola guadagni un punto. Poi rispondi alla domanda del compagno guardando sulla tua cartina.
Vince chi indovina per primo i nomi delle 4 isole.

Esempio

Studente A	____________ è un'isola?
Studente B	Sì, è un'isola. / No, non è un'isola.

Studente A

- Capri
- Genova
- L'Aquila
- la Maddalena
- Pantelleria
- Perugia
- la Puglia
- la Sicilia

2 Ascoltare | In treno o in macchina?

2a *Ascolta e scegli il disegno che meglio rappresenta la conversazione.*  42

☐ 1

☐ 2

☐ 3

☐ 4

2b *Ascolta la conversazione e metti in ordine i "mezzi" che Mariana probabilmente utilizzerà per arrivare a Capri, come nell'esempio.*  43

Mariana va:

in aereo ______

in aliscafo ______

in autobus ______

in macchina 1

in metro ______

a piedi ______

in tram ______

in treno ______

I trasporti

L'Italia è il Paese europeo con il più alto numero di automobili a persona: una ogni due abitanti. Per questo la situazione del traffico, soprattutto nelle città, è molto difficile. Nel centro sud sono molto usati scooter e motorini, mentre al nord, e soprattutto nella pianura padana, si usa molto la bicicletta. Solo in alcune città (Roma, Milano, Napoli, Genova, Catania, Torino, Perugia) c'è la metropolitana.

2c *Ascolta ancora il dialogo e segna a chi si riferiscono le informazioni, come nell'esempio.* 43

	Rita	Mariana	Nessuno
1. È in macchina	☐	☒	☐
2. È in treno	☐	☐	☐
3. Sta mangiando	☐	☐	☐
4. Sta parlando al telefono	☐	☐	☐
5. È a Napoli	☐	☐	☐
6. È a Capri	☐	☐	☐
7. È a Perugia	☐	☐	☐
8. Dice che piove	☐	☐	☐
9. Dice che c'è il sole	☐	☐	☐
10. Vuole incontrare l'amica	☐	☐	☐
11. Ha una casa a Capri	☐	☐	☐
12. Non conosce bene Napoli	☐	☐	☐
13. Propone di prendere la metro	☐	☐	☐
14. Non vuole pagare il biglietto dell'aliscafo	☐	☐	☐
15. Propone di andare a Napoli in macchina	☐	☐	☐
16. Non vuole andare a Napoli in macchina	☐	☐	☐
17. Dice che non ama come guidano i napoletani	☐	☐	☐
18. Dice che non ama chi non rispetta le regole	☐	☐	☐
19. Parla con un amico	☐	☐	☐
20. Non rispetta le regole della guida	☐	☐	☐

I numeri ordinali

Osserva:
- *Devi scendere alla seconda (fermata).*

Completa la lista degli ordinali.

1 primo
2 secondo
3 terzo
4 quarto
5 quinto
6 sesto
7 settimo
8 ottavo
9 nono
10 decimo
11 undicesimo
12 dodicesimo
13 tredicesimo
14 quattordic ________
15 quindic ________
16 sedicesimo
17 diciassettesimo
18 diciottesimo
19 diciannovesimo
20 ventesimo
30 ________
100 ________
1000 millesimo

2d *Perché il vigile vuole fare la multa a Mariana? Se necessario riascolta l'ultima parte del dialogo.*  44

Perché

1. ☐ passa col rosso.

2. ☐ va troppo veloce.

3. ☐ non si ferma allo stop.

4. ☐ parla al telefono.

5. ☐ non ha la cintura.

6. ☐ parcheggia in divieto di sosta.

3 Analisi grammaticale | *Stare* + gerundio

3a *Ricomponi le frasi del dialogo, come nell'esempio. Poi ascolta e verifica.*  45

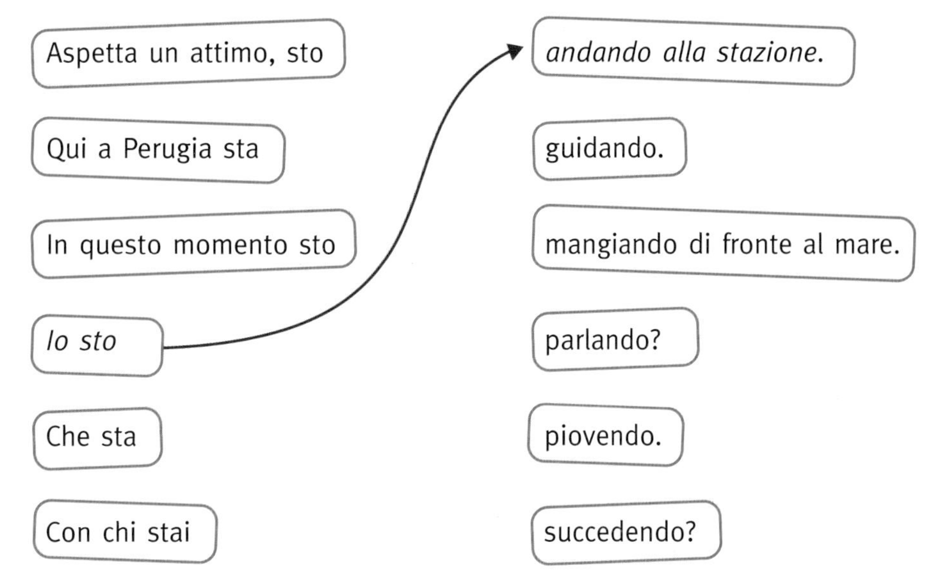

3b *Scegli la risposta giusta.*

Osserva. Nelle frasi del punto **3a** il verbo *stare* è sempre seguito da un altro verbo. Questo secondo verbo è un "gerundio". Qual è il significato della costruzione *stare* + gerundio?

Indica un'azione che accade: ☐ prima ⬅ ☐ ora ⬇ ☐ dopo ➡

3c *Leggi la regola e completa la tabella.*

Per esprimere un'azione che accade "in questo momento" si può usare la costruzione *stare* + gerundio.

✎ Esempi

- ■ Che (tu) stai facendo?
- ■ Che sta facendo
- ■ Che (voi) state facendo?
- ● (io) Sto guardando la tv.
- ● Aldo? Sta lavorando.
- ● (noi) Stiamo andando al cinema.

	stare	gerundio
io	sto	verbi in *-are* studiare ▸ studi_______
tu	stai	
lui/lei	sta	verbi in *-ere* leggere ▸ legg_______
noi	stiamo	
voi	state	verbi in *-ire* dormire ▸ dormendo
loro	stanno	

4 Gioco | Tris

Gioca a tris con un compagno (usate un solo libro). Scegli una casella nello schema dei **verbi**, *poi decidi un* **soggetto** *e un* **oggetto** *e costruisci la frase coniugando il* **verbo** *della casella alla forma progressiva, come nell'esempio. Puoi aggiungere gli elementi che vuoi (preposizioni, articoli, nomi, aggettivi, verbi, ecc). Se la frase è accettata dal tuo compagno occupi la casella. Poi il turno passa al compagno. Vince chi per primo fa tris. Attenzione: i soggetti e gli oggetti scelti per comporre una frase corretta non potranno più essere utilizzati.*

Esempio
Soggetto Marta   Verbo andare   Oggetto scuola
Marta sta andando a scuola
Marta sta andando a prendere i bambini a scuola
Marta sta andando a vedere la sua nuova scuola

Soggetti

Io
Voi
Mio padre
I miei amici
Rita e Mariana
Rita
Tu e le tue amiche
Tu
Io e Paolo

Oggetti

casa
treno
Italia
ristorante
libri
pizza
film
Capri
aereo

Verbi

andare	finire	comprare
vedere	pulire	leggere
mangiare	prendere	salire

5 Parlare | Cartelli stradali

Guarda questi cartelli. Quale ti sembra più strano? Parlane con un compagno.

6 Scrivere | Cartelli stradali

In gruppo, provate a scrivere delle indicazioni per questi cartelli.

7 Ascoltare | Sempre dritta

 46

Ascolta e segna sulla cartina il percorso indicato da Rita.

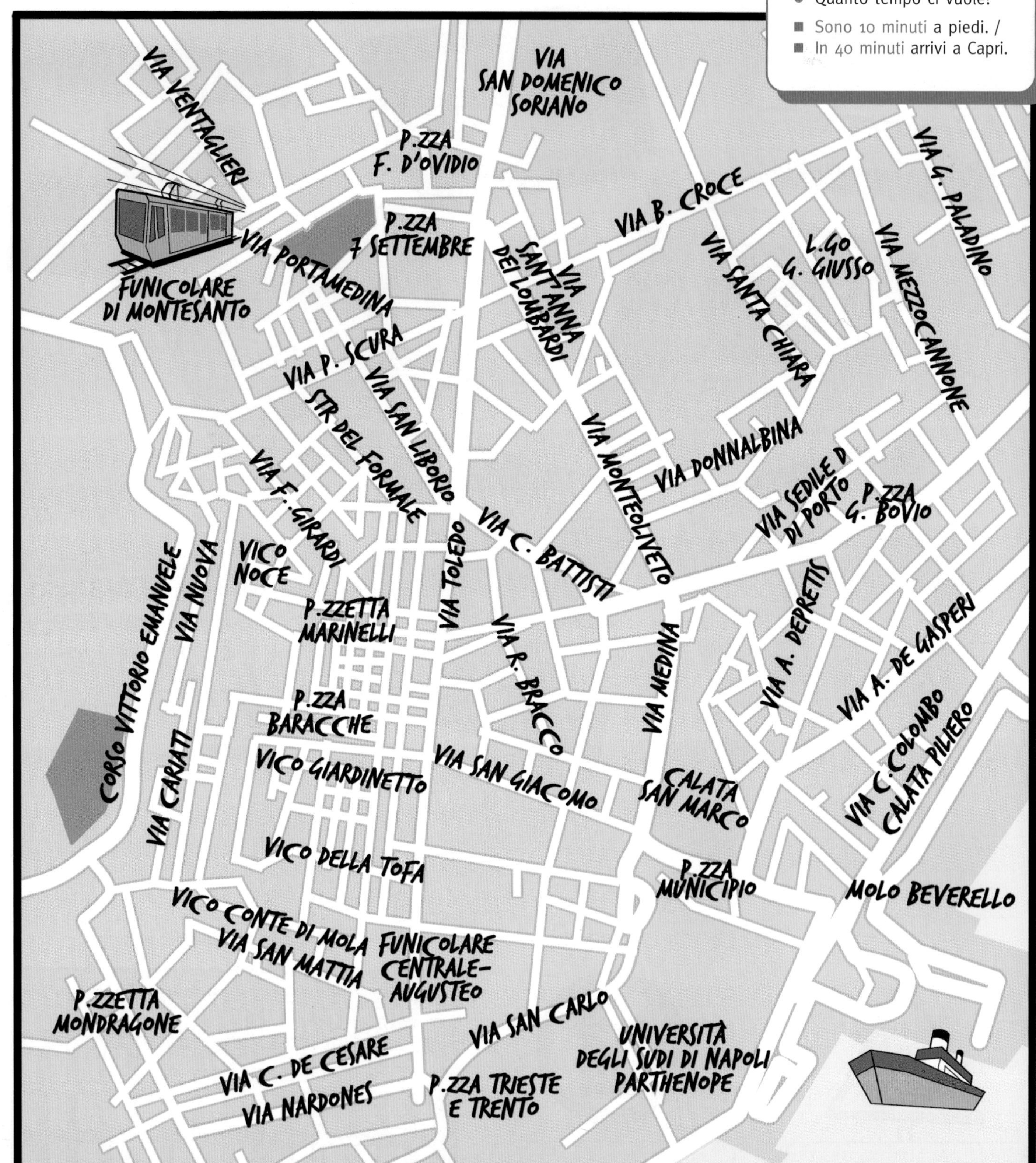

Quanto tempo ci vuole?

Osserva:

- ● Quanto tempo ci vuole?
- ■ Sono 10 minuti a piedi. /
- ■ In 40 minuti arrivi a Capri.

Il pronome di luogo *ci*

Ci è un pronome. Si usa per non ripetere il nome di un luogo detto prima.

Secondo te a cosa si riferisce il pronome ci nella frase (e come ci arrivo?)

a. ☐ alla Stazione Centrale
b. ☐ al Molo Beverello
c. ☐ alla metro

8 Analisi lessicale | Indicazioni stradali

Completa il dialogo con le espressioni della lista, come nell'esempio. Aiutati con i disegni e con la cartina. Poi ascolta e verifica.

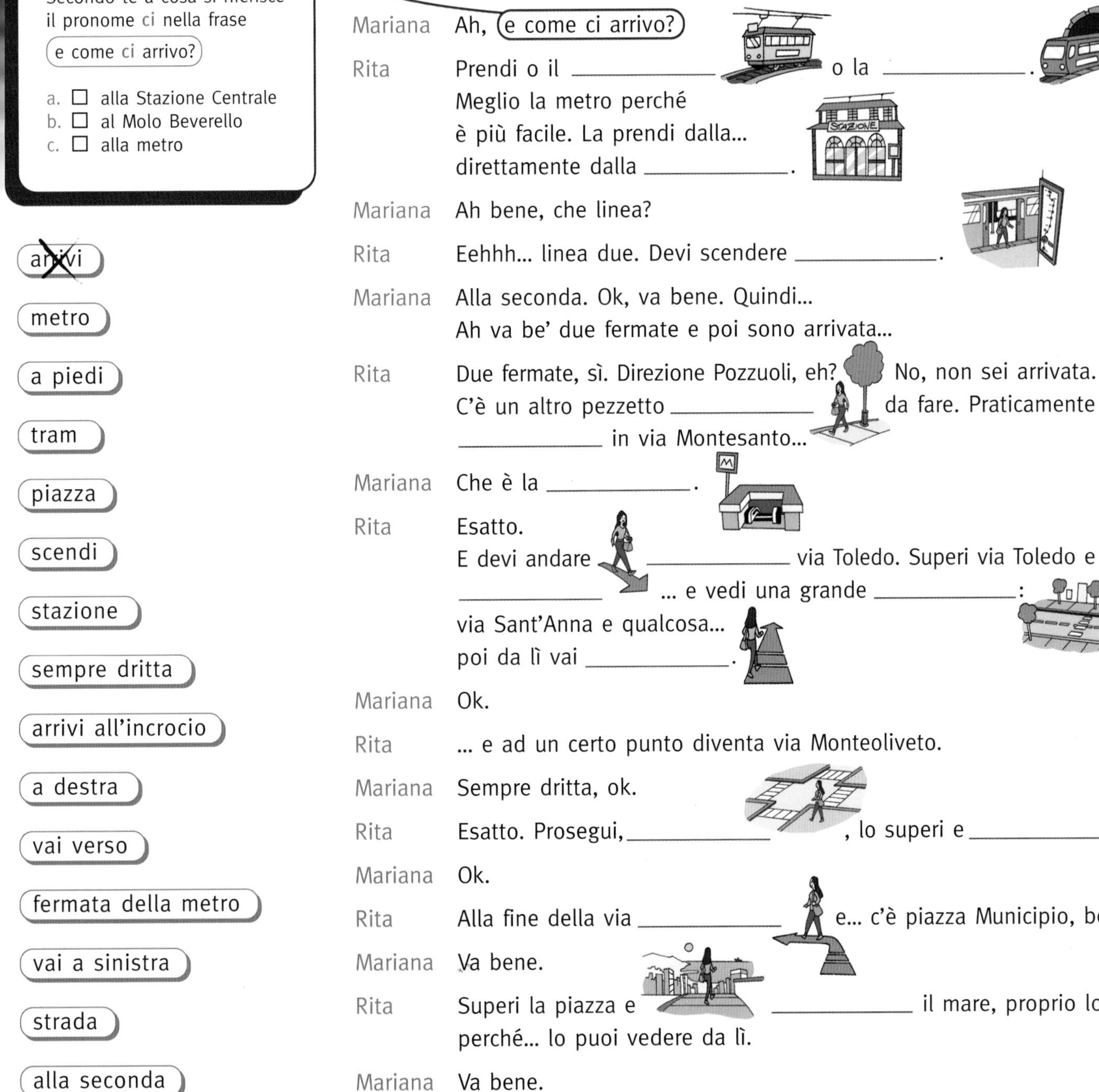

- ~~arrivi~~
- metro
- a piedi
- tram
- piazza
- scendi
- stazione
- sempre dritta
- arrivi all'incrocio
- a destra
- vai verso
- fermata della metro
- vai a sinistra
- strada
- alla seconda
- verso
- continui dritta

Rita: Sì, dunque arrivi ___ alla Stazione Centrale, devi andare al Molo Beverello, a prendere l'aliscafo.

Mariana: Ah, (e come ci arrivo?)

Rita: Prendi o il ___ o la ___.
Meglio la metro perché è più facile. La prendi dalla... direttamente dalla ___.

Mariana: Ah bene, che linea?

Rita: Eehhh... linea due. Devi scendere ___.

Mariana: Alla seconda. Ok, va bene. Quindi...
Ah va be' due fermate e poi sono arrivata...

Rita: Due fermate, sì. Direzione Pozzuoli, eh? No, non sei arrivata. C'è un altro pezzetto ___ da fare. Praticamente tu ___ in via Montesanto...

Mariana: Che è la ___.

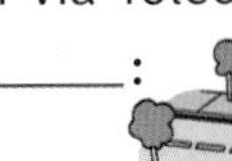

Rita: Esatto.
E devi andare ___ via Toledo. Superi via Toledo e vai ___ ... e vedi una grande ___: via Sant'Anna e qualcosa...
poi da lì vai ___.

Mariana: Ok.

Rita: ... e ad un certo punto diventa via Monteoliveto.

Mariana: Sempre dritta, ok.

Rita: Esatto. Prosegui, ___, lo superi e ___. Ok?

Mariana: Ok.

Rita: Alla fine della via ___ e... c'è piazza Municipio, bene?

Mariana: Va bene.

Rita: Superi la piazza e ___ il mare, proprio lo vedi perché... lo puoi vedere da lì.

Mariana: Va bene.

Rita: Ok. Una volta che sei lì dopo cento metri arrivi ad un'altra ___, dove c'è la biglietteria per l'aliscafo.

Mariana: Oddio, mi sembra complicatissimo!

Rita: Ma no, sono dieci minuti.

9 Esercizio | Gli avverbi di luogo

Dove si trova il bambino rispetto al papà? Inserisci le parole della lista negli spazi, come negli esempi.

~~accanto~~ | davanti | dietro | ~~di fronte~~ | sopra | sotto | vicino

di fronte ________

____

____

____

____

accanto ________

____

10 Gioco | Il prigioniero

Gioca con un compagno, contro altri due studenti. In ogni coppia c'è un prigioniero e un compagno che deve liberarlo. Una coppia indica sulla mappa di pag. 103 al prigioniero dell'altra coppia qual è la sua prigione e al liberatore il suo punto di partenza. Prigioniero e liberatore si mettono faccia a faccia. Il prigioniero deve indicare al liberatore la strada per raggiungere la prigione e per salvarlo seguendo l'esempio. Prigioniero e liberatore possono aiutarsi con le espressioni della lista. Ma attenzione: il prigioniero non può pronunciare nessuno dei nomi dei luoghi indicati sulla mappa (per esempio: farmacia, chiesa, ecc.). La coppia avversaria controlla: ogni volta che il prigioniero pronuncia uno dei nomi dei luoghi segnati sulla mappa, il liberatore deve tornare ad un nuovo punto di partenza, comunicato dalla coppia avversaria. La coppia avversaria inoltre cronometra il tempo del salvataggio. Quando il liberatore dice il nome della prigione si interrompe il tempo e il turno passa all'altra coppia. Vince la coppia che impiega meno tempo.

unità 12 | in treno o in macchina?

Cosa hai studiato di comunicazione in questa unità? Elimina i due contenuti che non hai ancora studiato. Verranno presentati nella prossima unità.

comunicazione

- ☐ Chiedere e dare semplici informazioni stradali ▸ *Come ci arrivo?* ▸ *Arrivi alla stazione, Vai sempre dritta*
- ☐ Chiedere e dire l'indirizzo ▸ *Tu dove abiti?* ▸ *Io abito...*
- ☐ Chiedere e indicare la durata di un percorso ▸ *Quanto tempo ci vuole?* ▸ *Sono 10 minuti...*
- ☐ Dare ed eseguire istruzioni ▸ *Prendi il taxi, Non andare dritto*

> ✎ **Esempio**
> - ● Dove sei?
> - ■ Sono vicino alla farmacia / al museo.
> - ● Quale?
> - ■ Quella / Quello davanti alla banca / al ristorante.
> - ● Allora vai dritto, giri alla seconda a destra...

- dietro
- all'incrocio
- dritto/a
- arrivi
- vai
- superi
- verso
- davanti/di fronte
- strada/via
- a destra
- continui/prosegui
- piazza
- a sinistra
- giri
- scendi
- sopra
- alla prima/alla seconda
- sempre dritto/a
- accanto/vicino
- sotto

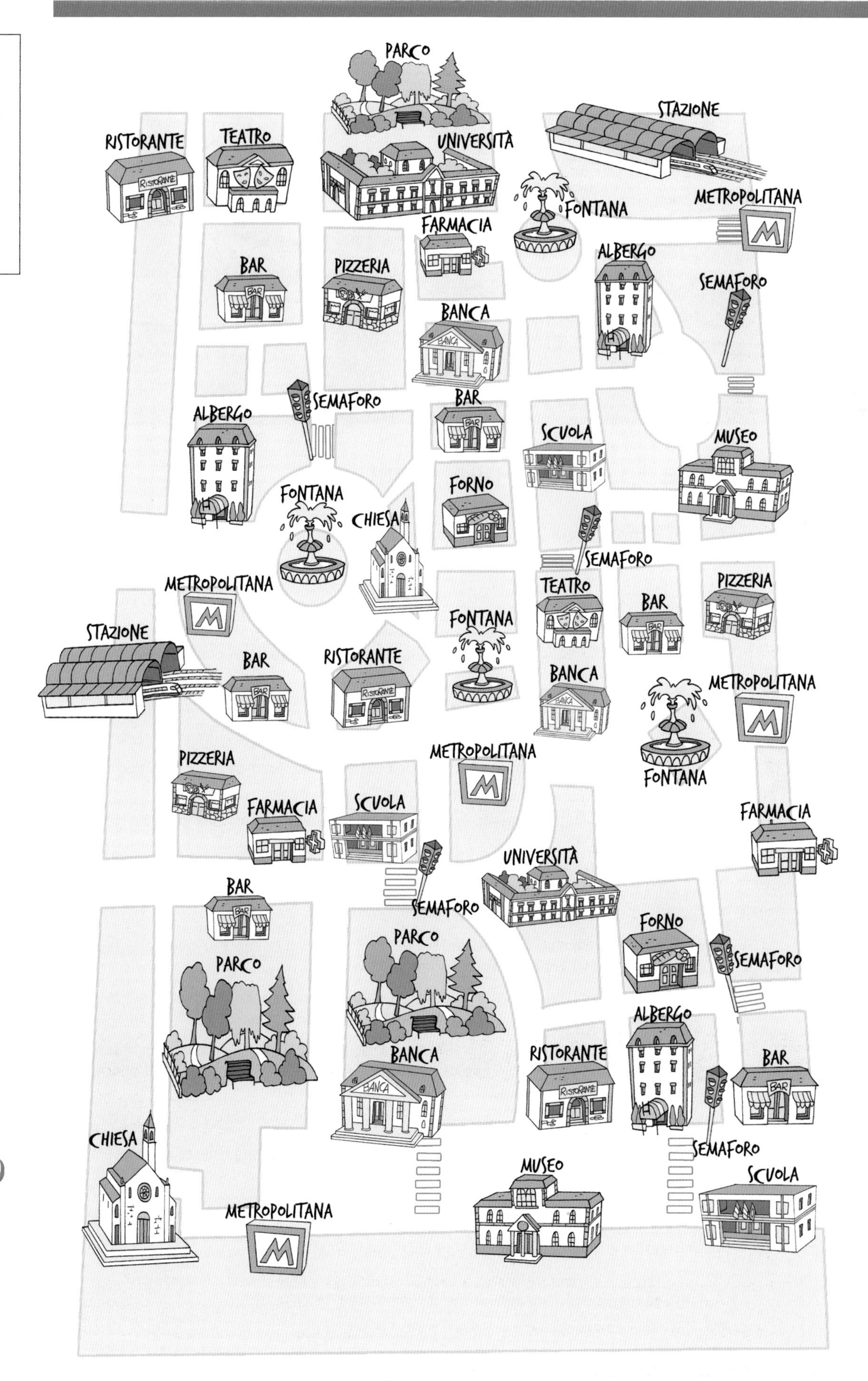

unità 13 | c'è anche questo

comunicazione

Dare ed eseguire istruzioni ▸ *Prendi il taxi, Non andare dritto*

Chiedere e dire l'indirizzo ▸ *Tu dove abiti?* ▸ *Io abito...*

Esprimere sorpresa ▸ *Caspita!*

Sottolineare una risposta ▸ *Certo che...*

Cambiare discorso ▸ *Piuttosto...*

grammatica

L'imperativo informale affermativo e negativo

I pronomi dimostrativi *questo* e *quello*

I pronomi diretti *lo, la, li, le*

1 Leggere | Consigli per turisti

1a *Completa la risposta con i titoli dei paragrafi, come nell'esempio.*

YAHOO! ITALIA ANSWERS

Domanda risolta

Vorrei andare qualche giorno a Firenze ma non mi piace vivere le città in modo troppo turistico. Ci sono fiorentini che mi possono dare qualche consiglio?

Roberto — 6 ore fa

Gino A.

Miglior risposta – Scelta dal Richiedente

Firenze è una città bellissima. Ma è anche una città difficile. Ecco qualche consiglio da un fiorentino DOC!

I fiorentini – A Firenze la gente è simpatica, ma i fiorentini non sono sempre così aperti come si crede.

____________ – È sempre pieno di turisti. Guarda i musei e le piazze famose, ma gira anche per la città e cerca qualche stradina e qualche piazza frequentata solamente da fiorentini...

____________ – Il clima è terribile, sul serio. D'estate è caldissimo e d'inverno si muore di freddo. Parti con i vestiti adatti alla stagione.

____________ – Il costo della vita in centro è altissimo e in periferia è molto più basso. Se vuoi risparmiare, trova un albergo fuori dalla zona del centro.

____________ – Firenze è una città abbastanza sicura, ma naturalmente non mancano i borseggiatori. Porta con te solo i soldi necessari e non mettere il portafogli nei pantaloni, soprattutto se prendi l'autobus.

____________ – Non dimenticare di fare la spesa perché la sera i negozi chiudono alle 8:00.

____________ – Anche se i ristoratori fiorentini generalmente sono onesti, chiedi sempre la ricevuta e controlla il conto. Mi raccomando: ordina il piatto del giorno e non andare nei locali per turisti.

____________ – A Firenze c'è un po' di tutto: discoteche, pub, locali romantici, ristoranti. Vai in internet e cerca il locale migliore su *firenzenotte.it*.

____________ – In caso di furto o rapina, chiama il 113 (polizia) o 112 (carabinieri). A questi numeri puoi richiedere anche un'ambulanza. In caso di incendio telefona al 115.

____________ – Se possibile compra i biglietti on line così non devi fare la fila.

In bocca al lupo.

- ~~I fiorentini~~
- Il clima
- Sicurezza
- Musei e monumenti
- Il centro storico
- Negozi
- Dove mangiare
- Prezzi
- Numeri utili
- La sera

1b *Quali consigli ti sembrano più interessanti e perché?*
C'è qualcosa che ti sorprende? Parlane con un compagno.

2 Analisi grammaticale | L'imperativo

2a *Sottolinea nel testo del punto **1** i consigli di Roberto e scrivi nella tabella i verbi usati per consigliare, come nell'esempio.*

sì	no
guarda	non mettere

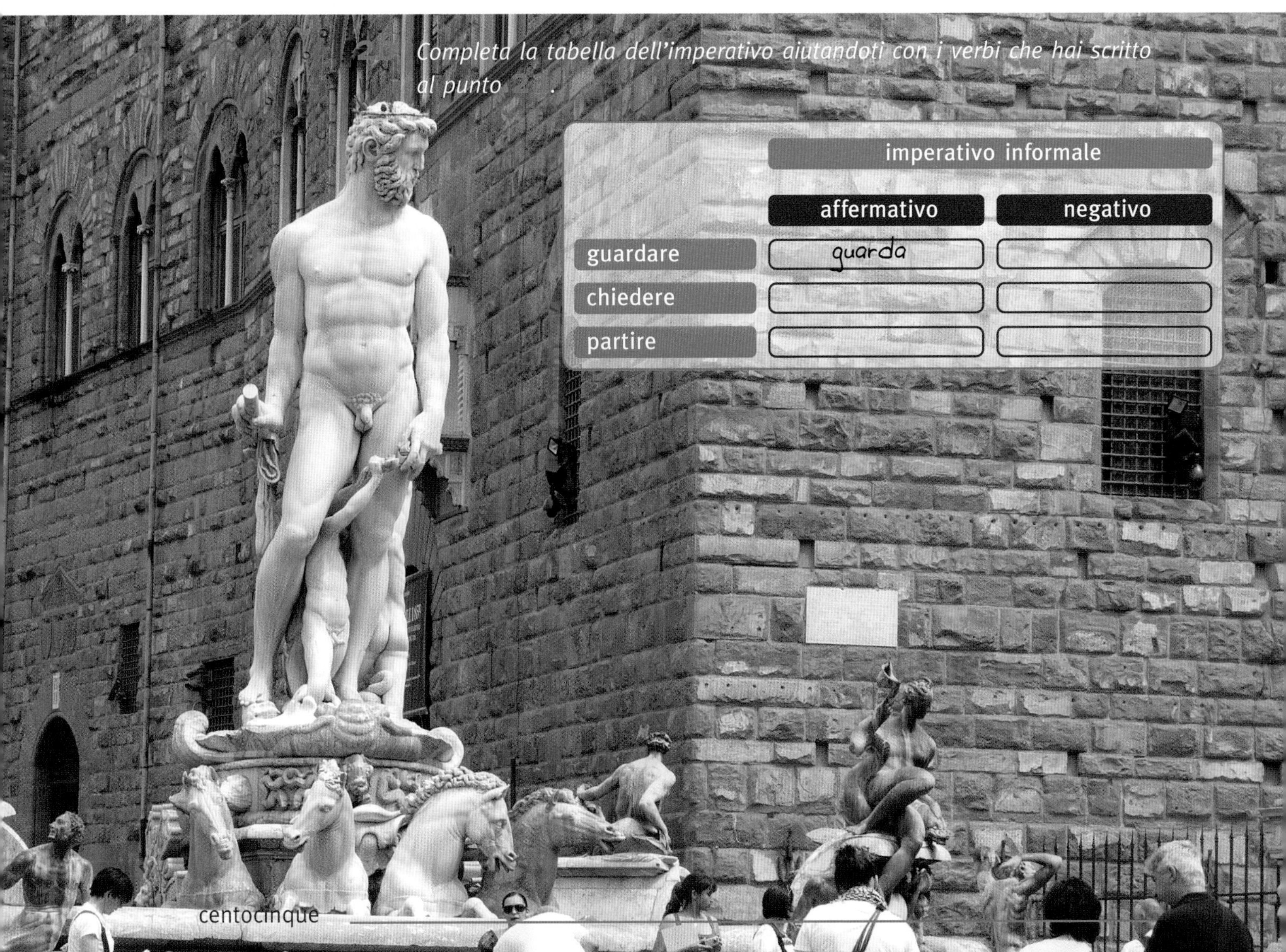

2b *Completa la tabella dell'imperativo aiutandoti con i verbi che hai scritto al punto 2a.*

	imperativo informale	
	affermativo	**negativo**
guardare	guarda	
chiedere		
partire		

3 Gioco | Il ballo dell'imperativo

48

cantare | saltare | battere le mani | volare | ballare | scendere | aprire la finestra | alzare le braccia | chiudere gli occhi | correre | pulire | cucinare | ridere | dormire | salire | mangiare la mela | nuotare | scrivere | piangere | salutare

3a *Lavora con un compagno. Guardate la lista dei verbi a destra e coniugateli oralmente all'imperativo affermativo e negativo. Per ogni verbo pensate anche ad un modo per mimarlo.*

3b *Mima con tutta la classe i verbi all'imperativo che pronuncia l'insegnante. Cerca di seguire il tempo musicale!*

3c *Formate due squadre. Con in sottofondo la base musicale, a turno uno studente per squadra sceglie un verbo della lista, va al centro e lo coniuga prima all'imperativo affermativo e poi al negativo, mimando l'azione. Tutta la classe ripete l'azione, seguendo il comando del compagno. Lo studente successivo dell'altra squadra deve ripetere ogni volta tutte le frasi dette dal compagno precedente e mimare tutte le azioni, dando gli ordini alla classe, come nell'esempio. Quando lo studente di una squadra sbaglia la coniugazione di un verbo, o ripete in modo scorretto la lista delle azioni precedenti, l'altra squadra guadagna un punto. Vince la squadra che alla fine della musica ha realizzato più punti. Attenzione: i verbi della lista usati in modo corretto non possono essere scelti più di una volta.*

Esempi

1. Primo studente / squadra A <u>leggere</u>

Leggi! (mima l'azione di leggere)
Non leggere (interrompe l'azione di leggere)

2. Primo studente / squadra B <u>telefonare</u>

Leggi! (mima l'azione di leggere)
Non leggere (interrompe l'azione di leggere)

Telefona! (mima l'azione di telefonare)
Non telefonare (interrompe l'azione di telefonare)

3. Secondo studente / squadra A <u>disegnare</u>

Leggi! (mima l'azione di leggere)
Non leggere (interrompe l'azione di leggere)

Telefona! (mima l'azione di telefonare)
Non telefonare (interrompe l'azione di telefonare)

Disegna! (mima l'azione di disegnare)
Non disegnare (interrompe l'azione di disegnare)

...

4 Scrivere | Domande e risposte

4a *Lavora con un compagno. Cosa vorresti sapere dell'Italia? Prendi un foglio e scrivi una domanda da mandare a* Yahoo! Answers.

4b *Prendi una domanda a caso tra quelle dei tuoi compagni e scrivi una risposta. Se non la conosci usa la fantasia.*

5 Leggere | Tre percorsi

Leggi i tre SMS a sinistra, guarda la mappa e segna i tre percorsi per arrivare a via del Palazzo Bruciato 8.

1

Io abito in via del Palazzo Bruciato 8. Dalla stazione prendi il taxi! A quell'ora la strada migliore è via Valfonda, girare a destra per viale Strozzi e dritto in via dello Statuto.
Dopo la ferrovia girare a sinistra verso via Milanesi. All'incrocio con via Neri c'è un semaforo: io sto 50 metri dopo sulla destra. Il frigorifero è pieno, mangia, bevi e prendi tutto quello che vuoi. Chiamami quando arrivi. Baci.

2

Io abito in via del Palazzo Bruciato 8. Dalla stazione prendi il taxi! A quell'ora c'è molto traffico, devi dire al tassista che da viale Strozzi non deve andare dritto in via dello Statuto ma subito dopo deve prendere a sinistra per via Spadolini e poi tornare a destra in via del Romito. Poi sempre dritto fino a via Neri. Il frigorifero è pieno, mangia, bevi e prendi tutto quello che vuoi. Chiamami quando arrivi. Baci.

3

Io abito in via del Palazzo Bruciato 8. Dalla stazione prendi il taxi! Se c'è traffico la strada migliore è: prendere viale Strozzi, andare a sinistra per via Spadolini e poi via del Romito. Da lì girare a destra e prendere via dello Statuto. È molto facile.
Il frigorifero è pieno, mangia, bevi e prendi tutto quello che vuoi. Chiamami quando arrivi. Baci.

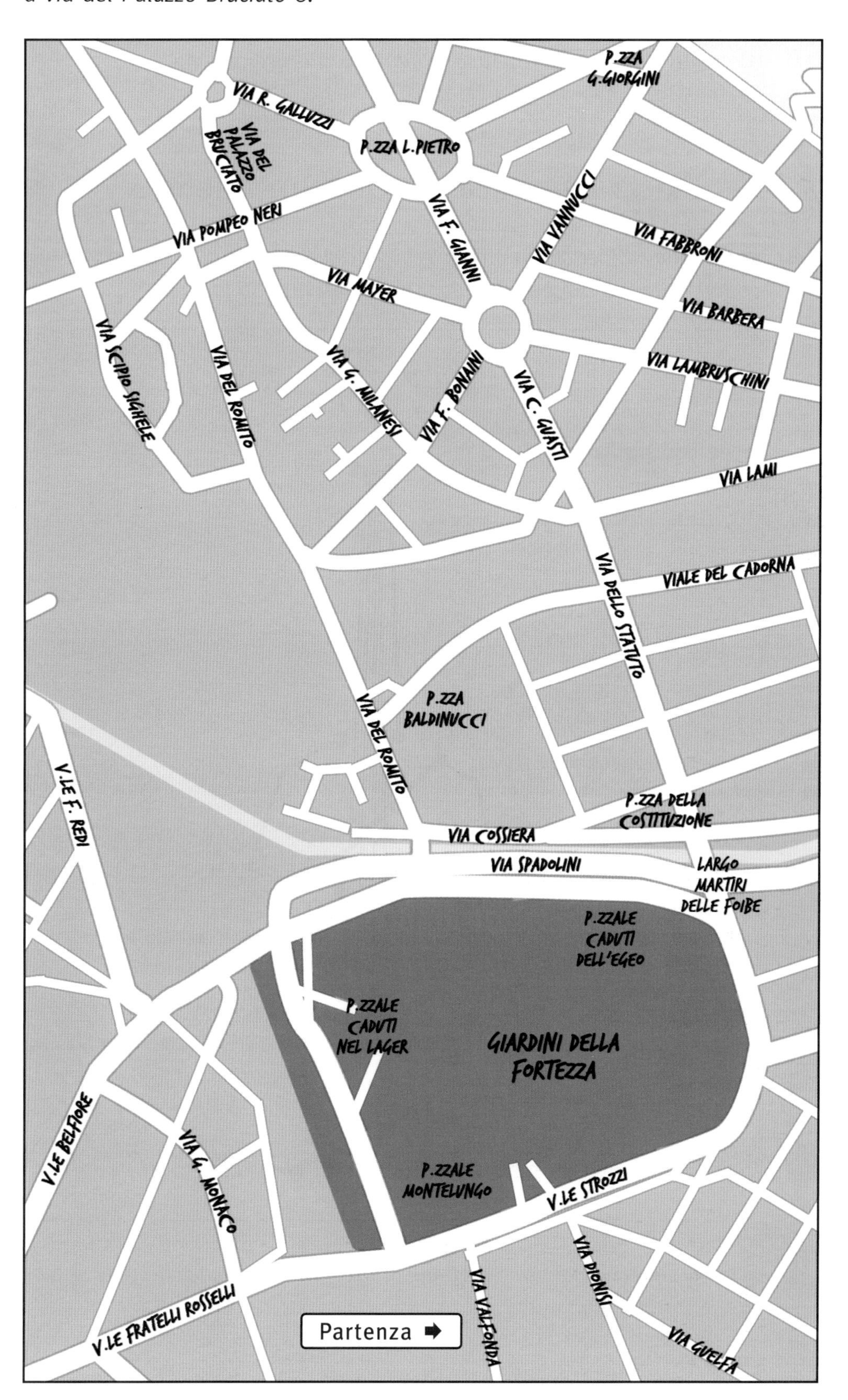

6 Ascoltare | C'è anche questo

49

6a *Ascolta il dialogo. Quale dei tre* SMS *del punto* **5** *ha ricevuto Stefano?*

6b *Cosa porta secondo te Stefano? Parlane con un compagno.*
Se necessario riascolta il dialogo.

7 Analisi grammaticale | Questo, quello

50

7a *Ascolta e metti nel giusto ordine le battute del dialogo unendo progressivamente i punti. Otterrai il disegno dell'oggetto che porta Stefano.*

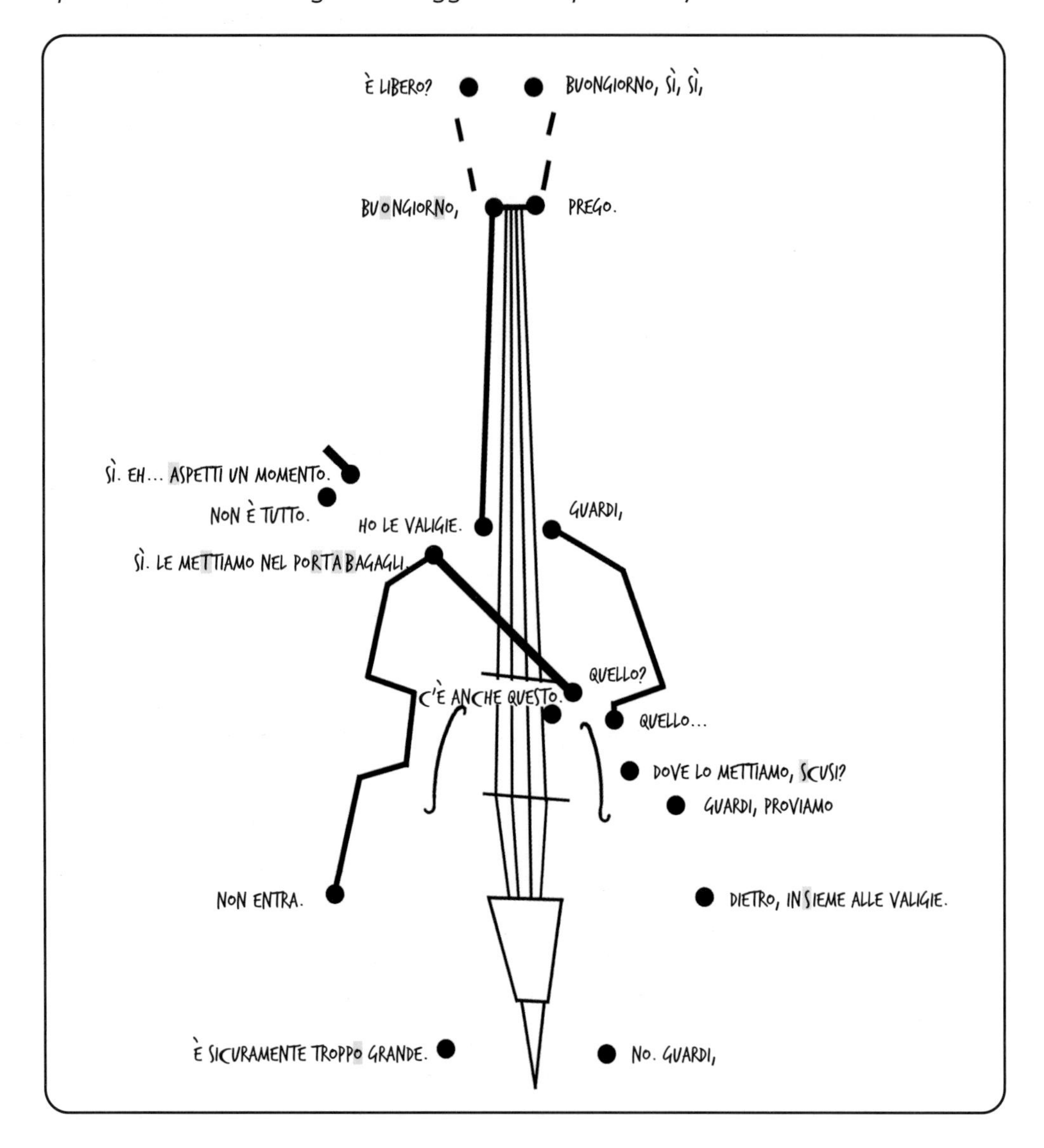

7b *Scrivi le lettere evidenziate nel giusto ordine e ricostruisci il nome dell'oggetto che porta Stefano.*

[C] [ ] [ ] [ ] [ ] [ ] [B] [ ] [ ] [ ] [ ] [ ]

via, viale, piazza...

In Italia le strade hanno molti nomi. Il più usato è via (via del Palazzo bruciato), ma una strada grande può essere un viale e una molto stretta può essere un vicolo. In alcune città poi le strade hanno nomi caratteristici. A Venezia la via si chiama calle mentre la piazza si chiama campo.

Chiedere e dire l'indirizzo

Per chiedere l'indirizzo si usa la formula ▸ *Tu dove abiti?*

Per dire l'indirizzo di solito si usa il nome della strada (o piazza) seguito dal numero civico ▸ *Io abito in via del Palazzo Bruciato 8.*

Gira per la classe e chiedi agli altri studenti dove abitano.

7c *Stefano e il tassista parlano del contrabbasso usando i pronomi dimostrativi* **questo** *e* **quello**. *Scegli il disegno con la posizione giusta del contrabbasso. Se necessario ascolta ancora il brano audio.*

1

2

3

pronomi dimostrativi

questo

	singolare	plurale
maschile	questo	questi
femminile	questa	queste

quello

	singolare	plurale
maschile	quello	quelli
femminile	quella	quelle

7d *Completa la regola d'uso dei pronomi dimostrativi inserendo le parole* questo *e* quello.

Il pronome dimostrativo ________________
si usa quando l'oggetto è vicino alla persona che parla.

Il pronome dimostrativo ________________
si usa quando l'oggetto è lontano dalla persona che parla.

8 Analisi grammaticale | I pronomi diretti

8a *Guarda la trascrizione. Le parole* **evidenziate** *sono pronomi e servono per non ripetere una parola detta in precedenza. Indica a cosa si riferiscono, come nell'esempio.*

Stefano Buongiorno, è libero?
Tassista Buongiorno, sì sì, prego.
Stefano Guardi, ho le valigie.
Tassista Sì. **Le** mettiamo nel portabagagli.
Stefano Sì. Eh... aspetti un momento. Non è tutto. C'è anche questo.
Tassista Quello? Quello... dove **lo** mettiamo, scusi?
Stefano Guardi, proviamo dietro, insieme alle valigie.
Tassista No. Guardi, è sicuramente troppo grande. Non entra.
...
Stefano Guardi, l'indirizzo è: via del Palazzo Bruciato 8. **La** conosce?
Tassista Certo che **la** conosco! Senta, conviene che andiamo di qua, facciamo prima.

pronomi diretti

	singolare	plurale
maschile	______	li
femminile	______	______

8b *I pronomi* **evidenziati** *sono* **pronomi diretti**. *Inseriscili nello schema a sinistra.*

9 Gioco | Gli oggetti animati

Dividetevi in due squadre. Ogni studente sceglie all'interno della lista un oggetto e lo scrive in STAMPATELLO *su un foglio, senza mostrarlo alla squadra avversaria. Due studenti della prima squadra vanno davanti alla classe per recitare il dialogo qui accanto. Uno studente della seconda squadra, mostrando il foglio con la scritta dell'oggetto scelto, si posiziona vicino ad uno dei due personaggi o lontano da entrambi. A quel punto la coppia deve recitare il dialogo modificando tutti gli elementi necessari, come nell'esempio. Ad ogni errore la squadra perde un punto. Vince la squadra che alla fine del gioco ha commesso meno errori.*

Esempio

Dialogo originale:

Il contrabbasso (vicino a Stefano)

Stefano: Aspetti un momento. Non è tutto. **C'è** anche **questo**.

Tassista: **Quello**? **Quello**... dove **lo** mettiamo, scusi?

Stefano: Guardi, proviamo dietro, insieme alle valigie.

Tassista: No. Guardi, **è** sicuramente troppo **grande**. Non **entra**.

Testo modificato:

Le racchette da tennis (vicino al tassista)

Stefano: Aspetti un momento. Non è tutto. **Ci sono** anche **quelle**.

Tassista: **Queste**? **Queste**... dove **le** mettiamo, scusi?

Stefano: Guardi, proviamo dietro, insieme alle valigie.

Tassista: No. Guardi, **sono** sicuramente troppo **grandi**. Non **entrano**.

i sacchi

il computer

la televisione

i libri

il quadro

lo scatolone

la sedia

il tavolo

la statua

le borse

l'albero di Natale

lo specchio

la chitarra

i giocattoli

la bicicletta

i vasi

i quadri

le sedie

le scatole

i tamburi

la gabbia

le piante

le lampade

il ventilatore

gli sci

10 Analisi della conversazione | Caspita!

51

10a *Completa il dialogo con le espressioni della lista. Poi ascolta e verifica.*

certo che | caspita! | guardi | senta | piuttosto

Tassista ________________, lo sa che c'è la tariffa extra per il bagaglio?
Stefano Ah sì? E quant'è?
Tassista Eh... dieci euro.
Stefano ________________ Dieci euro.
Tassista Senta, ________________, dov'è che La porto?
Stefano ________________, l'indirizzo è: via del Palazzo Bruciato 8. La conosce?
Tassista ________________ la conosco!

'ALMA.tv

Vai a quel PAESE
come parlano veramente gli italiani

Conosci altre espressioni in italiano? Sai cosa significa *Boh?* Vai su *www.alma.tv*, cerca "Boh! – Mah..." nella rubrica Vai a quel paese e guarda la divertente spiegazione di Federico Idiomatico.

Boh! – Mah... CERCA

10b *Scrivi le espressioni del punto* **10a**, *accanto alla funzione corrispondente. Attenzione: una delle funzioni corrisponde a due espressioni.*

Si usa per:
esprimere sorpresa ________________
sottolineare una risposta ________________
richiedere attenzione ________________
cambiare discorso ________________

11 Parlare | L'ospite

Lavora con un compagno e dividetevi i ruoli.

Padrone di casa Lasci la tua casa a un amico per qualche giorno. Il tuo amico non conosce la città. Chiedigli se viene in treno, in macchina o in aereo e spiegagli come deve fare per arrivare a casa tua. Dagli tutte le informazioni su come deve comportarsi quando sarà da solo (cibo, pulizie, piante, ecc.).

Ospite Un amico ti lascia la sua casa per qualche giorno. Tu non conosci la città. Decidi se vai in treno, in macchina o in aereo e chiedigli come devi fare per arrivare a casa sua. Chiedigli tutte le informazioni su come devi comportarti quando sarai da solo (cibo, pulizie, piante, ecc.).

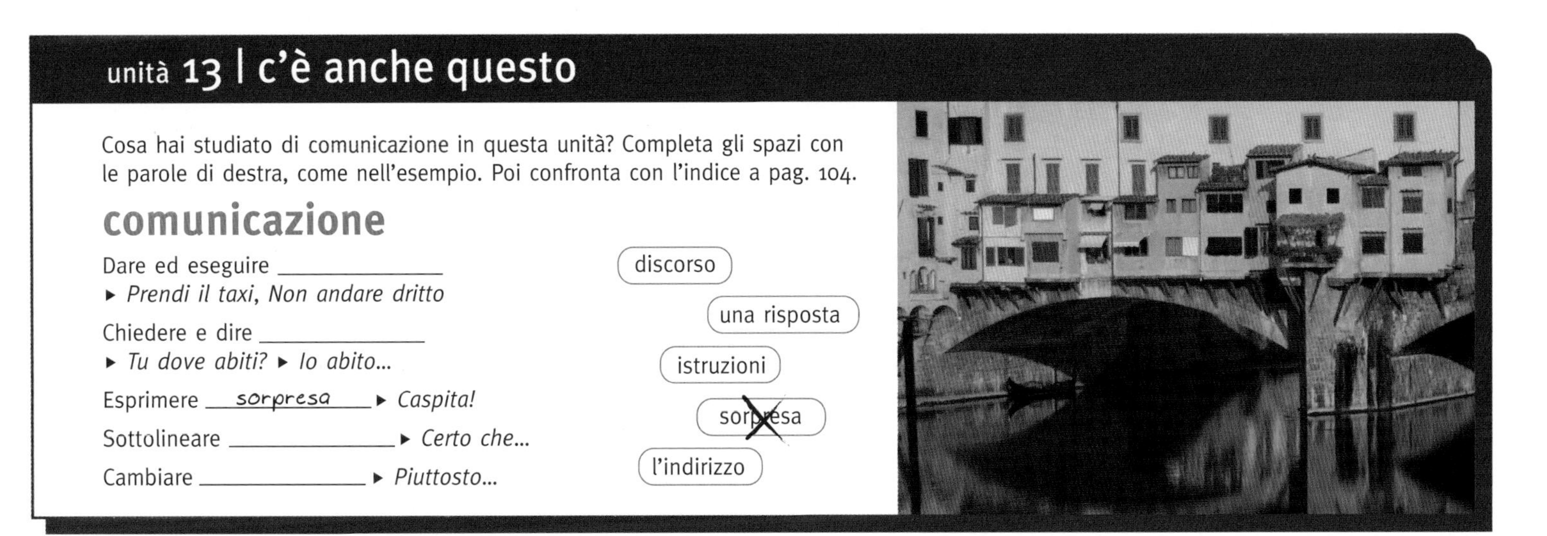

unità 13 | c'è anche questo

Cosa hai studiato di comunicazione in questa unità? Completa gli spazi con le parole di destra, come nell'esempio. Poi confronta con l'indice a pag. 104.

comunicazione

Dare ed eseguire ________________
▸ *Prendi il taxi, Non andare dritto*
Chiedere e dire ________________
▸ *Tu dove abiti?* ▸ *Io abito...*
Esprimere *sorpresa* ▸ *Caspita!*
Sottolineare ________________ ▸ *Certo che...*
Cambiare ________________ ▸ *Piuttosto...*

discorso | una risposta | istruzioni | ~~sorpresa~~ | l'indirizzo

BRUNO È A NAPOLI...
AHI! NON È GIUSTO!
GOAL!

VUOI GIOCARE CON NOI? LORO SONO TROPPO GRANDI. STIAMO PERDENDO.
VA BENE.

BRUNO GIOCA CON I RAGAZZI...

MA...
MA CHI È? DA DOVE VIENE?
GOAL!
BRAVO!

...I GRANDI NON SONO CONTENTI!
ADESSO BASTA!

CIAO CIAO. CONTINUATE A GIOCARE, MA SENZA DI ME! IO SONO TROPPO FORTE PER VOI.

AAHH...!!

MA CERTO, LO SPECCHIO... ORA CAPISCO! DEVO TORNARE SUBITO DA ANNA!

NOOO! NON MI LASCIARE ADESSO!
ROMA, TRE ORE DOPO...

FIDUS! COSA FAI QUI? E ANNA?
DUE ORE DOPO, A PIAZZA NAVONA, BRUNO INCONTRA FIDUS.

ROMA, CIRCO MASSIMO. VENTI MINUTI DOPO.
I VENEZIANI HANNO LO SPECCHIO E ANNA È PRIGIONIERA.
BRAVO FIDUS!

MA ANCHE I ROMANI VOGLIONO LO SPECCHIO...
PRENDETE LO SPECCHIO!

ADESSO QUESTA È MIA!

SALTA SU, SVELTA!

GRAZIE. ORA SIAMO PARI. MA TU COSA FAI QUI? NON SEI ANDATO A NAPOLI?
SÌ, A NAPOLI HO CAPITO TUTTO. E ORA HO LA SOLUZIONE!
CONTINUA...

PAGINA DELLA FONETICA

1 I suoni [v] e [b], [p] e [b], [v] e [f], [t] e [d]

1a *Ascolta e segna quale suono senti per ogni parola.* DVD 52

[v] o [b] ?

	1.	2.	3.	4.	5.	6.
[v]	☐	☐	☐	☐	☐	☐
[b]	☐	☐	☐	☐	☐	☐

[p] o [b] ?

	1.	2.	3.	4.	5.	6.
[p]	☐	☐	☐	☐	☐	☐
[b]	☐	☐	☐	☐	☐	☐

[v] o [f] ?

	1.	2.	3.	4.	5.	6.
[v]	☐	☐	☐	☐	☐	☐
[f]	☐	☐	☐	☐	☐	☐

[t] o [d] ?

	1.	2.	3.	4.	5.	6.
[t]	☐	☐	☐	☐	☐	☐
[d]	☐	☐	☐	☐	☐	☐

1b *Ascolta e scegli la parola giusta.* DVD 53

1. La (vedera/federa) è nella (cassapanca/cassabanca) vicino al letto.
2. Da piccolo in giardino (avevo/abevo) un bellissimo (abete/avete).
3. Da vicino non ci (vedo/fedo) bene, sono (presbite/presbide).
4. L'aereo è il mezzo più (rapido/rapito) per raggiungere (Lampedusa/Lambedusa).

1c *Ascolta e completa le frasi con le seguenti lettere:* v, b, p, f, d, t. DVD 54

1. Ad un ___ratto vi___i un ___elo di tristezza cadere sul suo bel ___iso.
2. Quan___o arriva Umber___o s___appiamo un'altra bottiglia.
3. Al___ina è troppo ___istratta per essere affida___ile.
4. Sera___ino è stato la___idario come al solito.

1d *Ascolta e completa il cruciverba.*

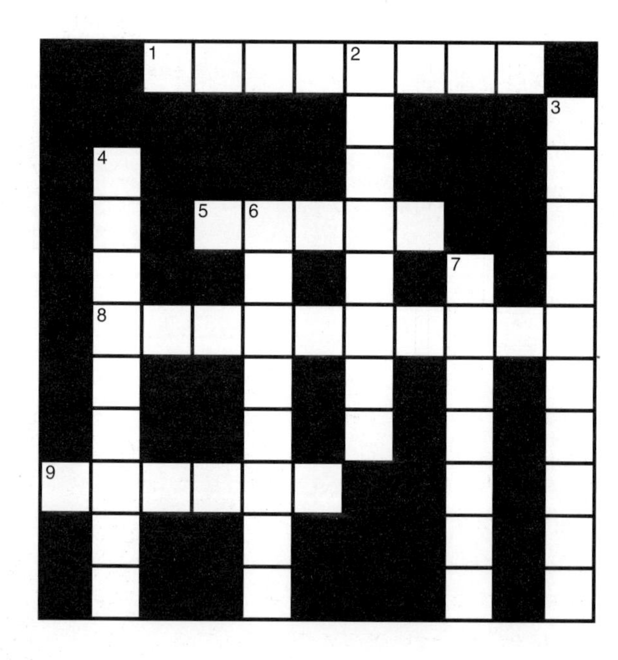

Orizzontali ➡ DVD 55

Verticali ⬇ DVD 56

unità 14 **mi piace moltissimo!**

unità 15 **il concerto è andato bene!**

unità 16 **ieri sera**

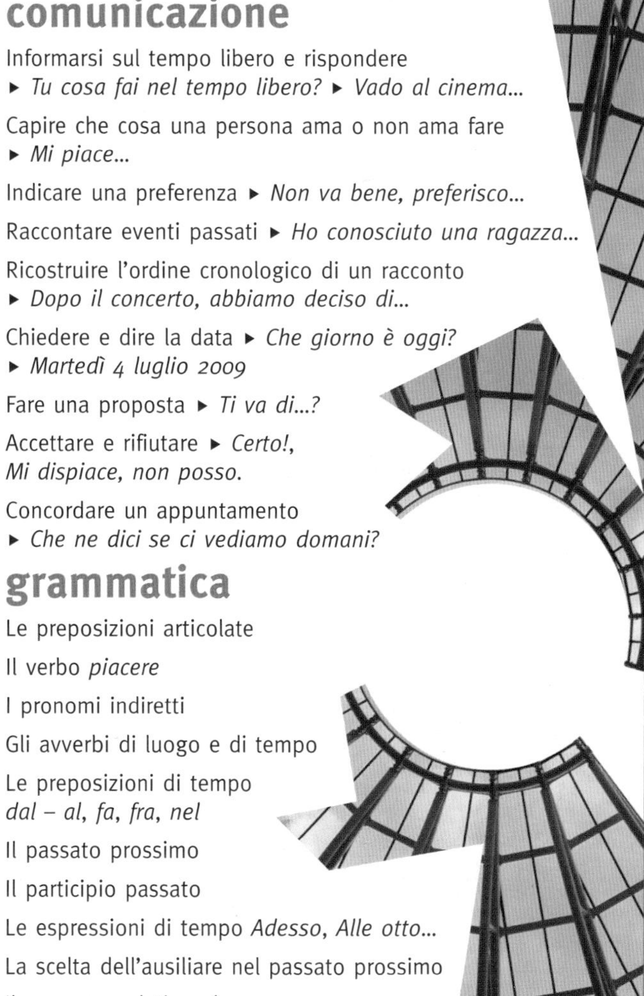

comunicazione

Informarsi sul tempo libero e rispondere
▸ *Tu cosa fai nel tempo libero?* ▸ *Vado al cinema...*

Capire che cosa una persona ama o non ama fare
▸ *Mi piace...*

Indicare una preferenza ▸ *Non va bene, preferisco...*

Raccontare eventi passati ▸ *Ho conosciuto una ragazza...*

Ricostruire l'ordine cronologico di un racconto
▸ *Dopo il concerto, abbiamo deciso di...*

Chiedere e dire la data ▸ *Che giorno è oggi?*
▸ *Martedì 4 luglio 2009*

Fare una proposta ▸ *Ti va di...?*

Accettare e rifiutare ▸ *Certo!*,
Mi dispiace, non posso.

Concordare un appuntamento
▸ *Che ne dici se ci vediamo domani?*

grammatica

Le preposizioni articolate

Il verbo *piacere*

I pronomi indiretti

Gli avverbi di luogo e di tempo

Le preposizioni di tempo
dal – al, fa, fra, nel

Il passato prossimo

Il participio passato

Le espressioni di tempo *Adesso, Alle otto...*

La scelta dell'ausiliare nel passato prossimo

Il pronome relativo *che*

unità 14 | mi piace moltissimo!

comunicazione

Informarsi sul tempo libero e rispondere ▸ *Tu cosa fai nel tempo libero?* ▸ *Vado al cinema...*

Capire che cosa una persona ama o non ama fare ▸ *Mi piace...*

Indicare una preferenza ▸ *Non va bene, preferisco...*

grammatica

Le preposizioni articolate

Il verbo *piacere*

I pronomi indiretti

1 Introduzione

1a *Indica quale biglietto, tra quelli della lista, hanno in mano le persone rappresentate nei disegni.*

Concetta n° ______

Antonio n° ______

Aurora n° ______

Maria n° ______

1

2

Dicembre a tutto ritmo allo SPAZIO DANZASSASSINA

Sabato 3 | ore 23
Serata Disco anni '70 con dj Santarita

Sabato 10 | ore 22
Serata Salsa con Los Cubanos

Per informazioni scrivi a danzassassina@spazio.it o vai sul sito www.danzassassina.it

3

4

Antonio Vivaldi
Le quattro stagioni

Orchestra dell'Accademia di Santa Cecilia
DIRETTORE Antonio Pappano

martedì 9 marzo 2010 • ore 21.00

Auditorium Parco della musica
Viale De Coubertin

Con il patrocinio di
Accademia di Santa Cecilia
Musicaincontro • Lottomatica • BNL

info@parcodellamusica.it

ingresso Platea
09/03/2010
ore 21.00
L. o L. o P.
euro 0,00 euro P.
Fila 15 n. C
N. 27/3 OMAGGIO
A–158901

Accademia Nazionale di Santa Cecilia

1b *E tu cosa fai nel tempo libero? Parlane con alcuni compagni.*

2 Ascoltare | Una canzone

2a *Ascolta. Secondo te di cosa si tratta? Quale, tra i quattro eventi del punto* **1a** *è il più simile?*

57

2b *Ascolta la canzone. Secondo te qual è il titolo? Parlane con un compagno e scrivete il vostro titolo qui sotto.*

58

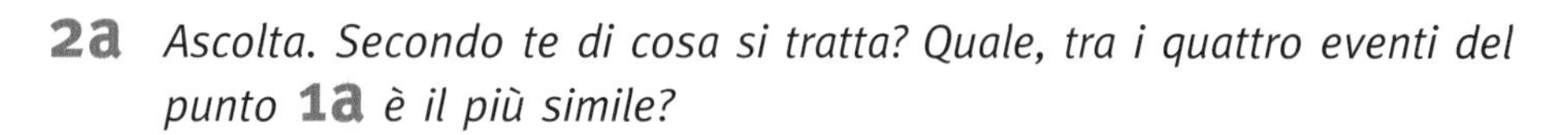

2c *Qui sotto hai 4 frasi della canzone con le parole in disordine. Rimettile in ordine, poi confrontati con un compagno.*

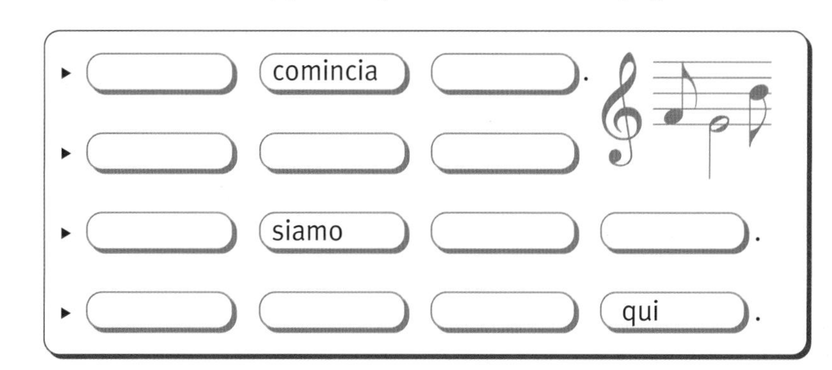

2d *Ora ascolta ancora tutta la canzone e inserisci nel testo le frasi riordinate al punto* **2c**.

Tra le nuvole e i sassi
passano i sogni di tutti
passa il sole ogni giorno
senza mai tardare.

____

Dove sarò?

Tra le nuvole e il mare
c'è una stazione di posta
uno straccio di stella
messa lì a consolare
sul sentiero infinito
del maestrale.

Ma domani domani, domani lo so
lo so che si passa il confine,
e di nuovo la vita
sembra fatta per te

____

____

E la vita la vita si fa grande così

____

Tra le nuvole e il mare
si può fare e rifare
con un po' di fortuna
si può dimenticare.

____

Dove sarò?
Oh oh oh...

Tra le nuvole e il mare
si può andare e andare
sulla scia delle navi
di là dal temporale
e qualche volta si vede
domani
una luce di prua
qualcuno grida: domani.

____

(ripete molte volte)

Tra le nuvole e il mare
si può andare, andare
sulla scia delle navi
di là dal temporale
E qualche volta si vede
una luce di prua
e qualcuno grida, domani

____

(ripete molte volte)

____

Domani

©2003 Mauro Pagani

3 Analisi grammaticale | Le preposizioni articolate

3a *Evidenzia nei testi del punto* **1a** *tutte le preposizioni che contengono un articolo, come negli esempi. Poi scrivi qui sotto quante sono in ogni testo e fai il totale. Quando hai finito confronta i tuoi risultati con quelli di un compagno. Se avete numeri diversi verificate tornando sui testi.*

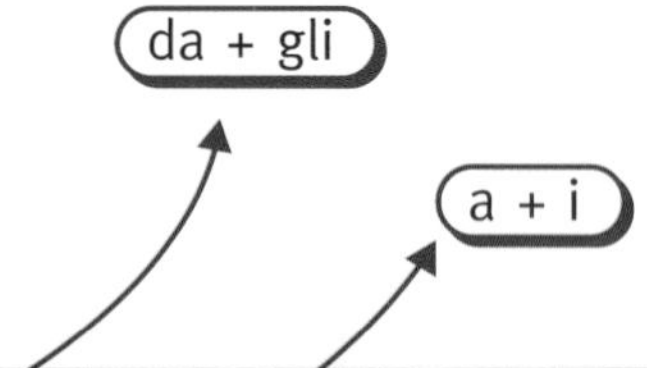

- testo 1 ci sono ____ preposizioni con articolo.
- testo 2 ci sono ____ preposizioni con articolo.
- testo 3 ci sono ____ preposizioni con articolo.
- testo 4 ci sono ____ preposizioni con articolo.

⊙ totale __________

3b *Scrivi al posto giusto nella tabella le preposizioni che hai trovato, come nell'esempio.*

preposizioni articolate

	il	lo	l'	la	i	gli	le
di							
a					ai		
da						dagli	
in							
su							

3c *Prova a completare lo schema con le preposizioni articolate mancanti. Poi confronta, prima con un compagno, poi con tutta la classe.*

4 Ascoltare | Mi piace moltissimo!

4a *Ascolta il dialogo e rispondi alla domanda.*

Chi parla?

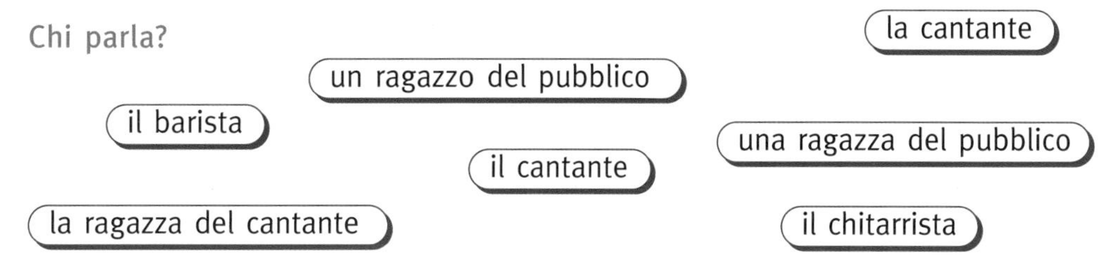

4b *Chi parla con chi? Riascolta il dialogo e collega con una freccia i personaggi che parlano tra di loro.*

4c *Completa la tabella, come nell'esempio. Se necessario riascolta il dialogo.*

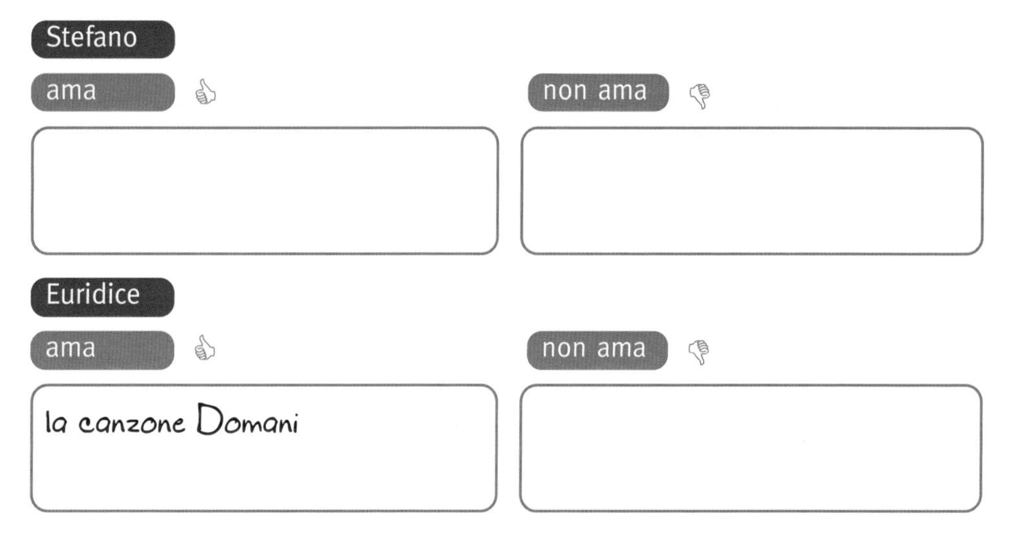

5 Analisi grammaticale | I pronomi indiretti

5a *Leggi le frasi estratte dal dialogo del punto* **4** *e indica a chi si riferiscono i pronomi indiretti* **evidenziati**, *come nell'esempio.*

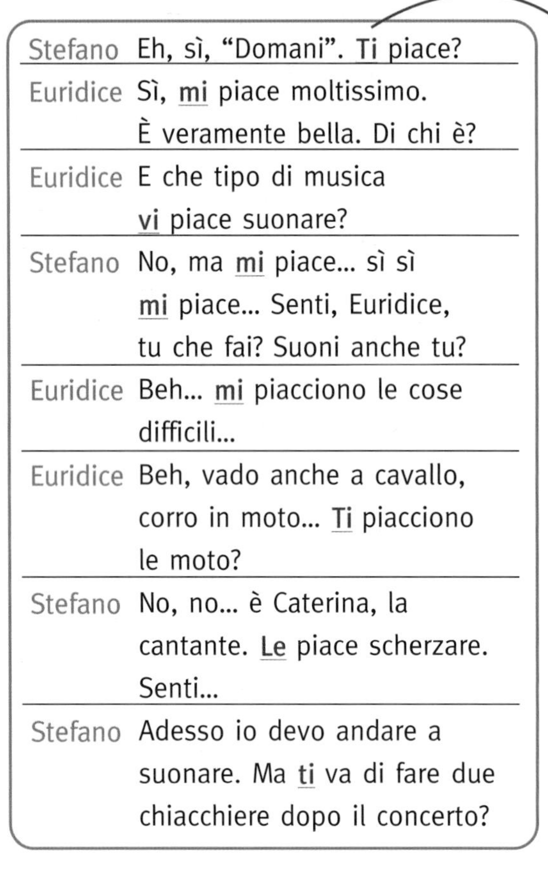

Stefano	Eh, sì, "Domani". Ti piace?
Euridice	Sì, mi piace moltissimo. È veramente bella. Di chi è?
Euridice	E che tipo di musica vi piace suonare?
Stefano	No, ma mi piace... sì sì mi piace... Senti, Euridice, tu che fai? Suoni anche tu?
Euridice	Beh... mi piacciono le cose difficili...
Euridice	Beh, vado anche a cavallo, corro in moto... Ti piacciono le moto?
Stefano	No, no... è Caterina, la cantante. Le piace scherzare. Senti...
Stefano	Adesso io devo andare a suonare. Ma ti va di fare due chiacchiere dopo il concerto?

a Euridice

a Stefano

a Stefano e ai suoi compagni

a Caterina

5b *Completa la tabella con i pronomi indiretti* **evidenziati** *nelle frasi del punto* **5a**.

pronomi indiretti

io	______	(a me)	noi	ci	(a noi)
tu	______	(a te)	voi	______	(a voi)
lui	gli	(a lui)	loro	gli	(a loro)
lei	______	(a lei)		______	

Il verbo *piacere*

gelato ▸ singolare

A Marco **piace** il gelato.

(gli **piace** il gelato)

biscotti ▸ plurale

A Valerio **piacciono** i biscotti.

(gli **piacciono** i biscotti)

6 Esercizio | Nooo!

 60

Ascolta molte volte il brano audio e trascrivilo, inserendo una parola in ogni spazio. Quando non riesci più ad andare avanti lavora con un compagno. Poi ascolta ancora.

E. Beh, vado anche a cavallo, corro in moto...
Ti __________ __________ moto?

S. Nooo! __________ troppo __________ per __________ __________
__________... E __________ ho __________ __________, la moto
__________ __________ __________. Preferisco __________ __________.

7 Gioco | Ti piacciono le moto?

*Gioca in gruppi di quattro, due contro due. A turno una coppia sceglie una casella e recita il dialogo dell'esercizio **6**, modificando gli elementi sottolineati, come nell'esempio. Attenzione alla casella verde: la risposta deve essere positiva. Se l'altra coppia ritiene che il dialogo sia corretto la coppia conquista la casella. Vince la prima coppia che riempie 4 caselle in orizzontale o in verticale.*

Esempio

● Euridice
Ti piacciono le moto?

■ Stefano
Nooo, sono troppo pericolose per i miei gusti...
E poi ho il contrabbasso, la moto non va bene.
Preferisco la macchina.

Euridice parla di:
la sorella di Stefano
Il mezzo è:
il tandem

● Euridice
Le piace il tandem?

■ Stefano
Nooo, è troppo pericoloso per i suoi gusti...
E poi ha il contrabbasso, il tandem non va bene.
Preferisce la macchina.

➡ Sì! Le piace!

Euridice parla di: la sorella di Stefano *Il mezzo è:* la mountain bike 	*Euridice parla di:* Stefano e Rita *Il mezzo è:* i pattini 	*Euridice parla di:* gli amici di Stefano *Il mezzo è:* lo skateboard 	*Euridice parla di:* Stefano *Il mezzo è:* la Vespa 
Euridice parla di: Stefano e Rita *Il mezzo è:* il sidecar 	*Euridice parla di:* gli amici di Stefano *Il mezzo è:* la bicicletta 	*Euridice parla di:* Stefano *Il mezzo è:* i trampoli 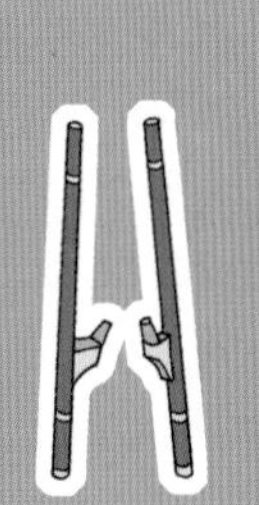	*Euridice parla di:* il fratello di Stefano *Il mezzo è:* lo scooter 
Euridice parla di: gli amici di Stefano *Il mezzo è:* i pattini 	*Euridice parla di:* Stefano *Il mezzo è:* il monopattino 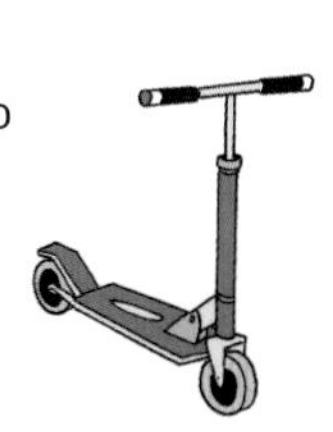	*Euridice parla di:* il fratello di Stefano *Il mezzo è:* la mountain bike 	*Euridice parla di:* Stefano e Rita *Il mezzo è:* il motorino 
Euridice parla di: Stefano *Il mezzo è:* lo scooter 	*Euridice parla di:* la sorella di Stefano *Il mezzo è:* la Vespa 	*Euridice parla di:* Rita *Il mezzo è:* il sidecar 	*Euridice parla di:* gli amici di Stefano *Il mezzo è:* i trampoli 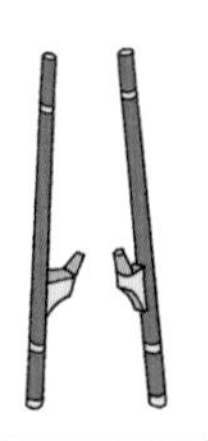

8 Parlare | Mi piace

8a *Pensa a 5 cose che ti piacciono e a 5 cose che non ti piacciono. Scrivile e dille ad un compagno.*

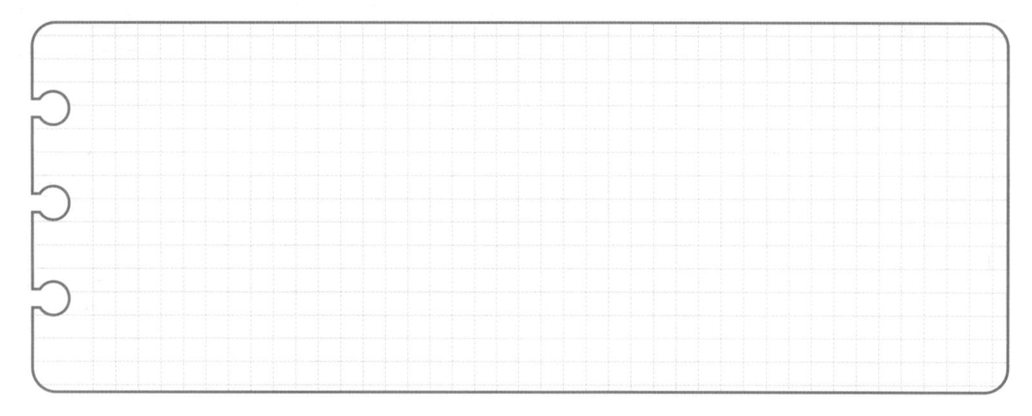

'ALMA.tv

il Linguaquiz

Vai su *www.alma.tv* nella rubrica Linguaquiz e fai il videoquiz "I pronomi indiretti".

I pronomi indiretti CERCA

8b *Tra le cose che hai scritto, qual è quella che ti piace di più e quella che ti piace di meno? Perché? Parlane con lo stesso compagno del punto* **8a**.

8c *Lavora con un altro compagno e raccontagli cosa piace e non piace al compagno di prima.*

9 Cantare | Domani

58

Gioca a squadre. A turno, ogni squadra canta la canzone "Domani" mentre ascolta il CD. A un certo punto l'insegnante abbassa il volume per poi rialzarlo qualche battuta dopo. Gli studenti devono continuare a cantare. Vince la squadra che riesce a tenere meglio il tempo.

unità 14 | mi piace moltissimo!

Cosa hai studiato di grammatica in questa unità?
Collega i contenuti di sinistra con gli esempi di destra.

grammatica

Le preposizioni articolate

Il verbo *piacere*

I pronomi indiretti

Ti va di fare due chiacchiere?

Nel nome del padre

Ti piacciono le moto?

comunicazione

Raccontare eventi passati
▸ *Ho conosciuto una ragazza...*

Ricostruire l'ordine cronologico di un racconto
▸ *Dopo il concerto, abbiamo deciso di...*

grammatica

Gli avverbi di luogo e di tempo

Le preposizioni di tempo *dal – al, fa, fra, nel*

Il passato prossimo

Il participio passato

unità 15 | il concerto è andato bene!

1 Leggere | In chat

1a *Ricordi Stefano e Rita? Ora parlano in chat. Leggi l'inizio della conversazione e indica dove cominciano le battute di Rita e di Stefano, come negli esempi.*

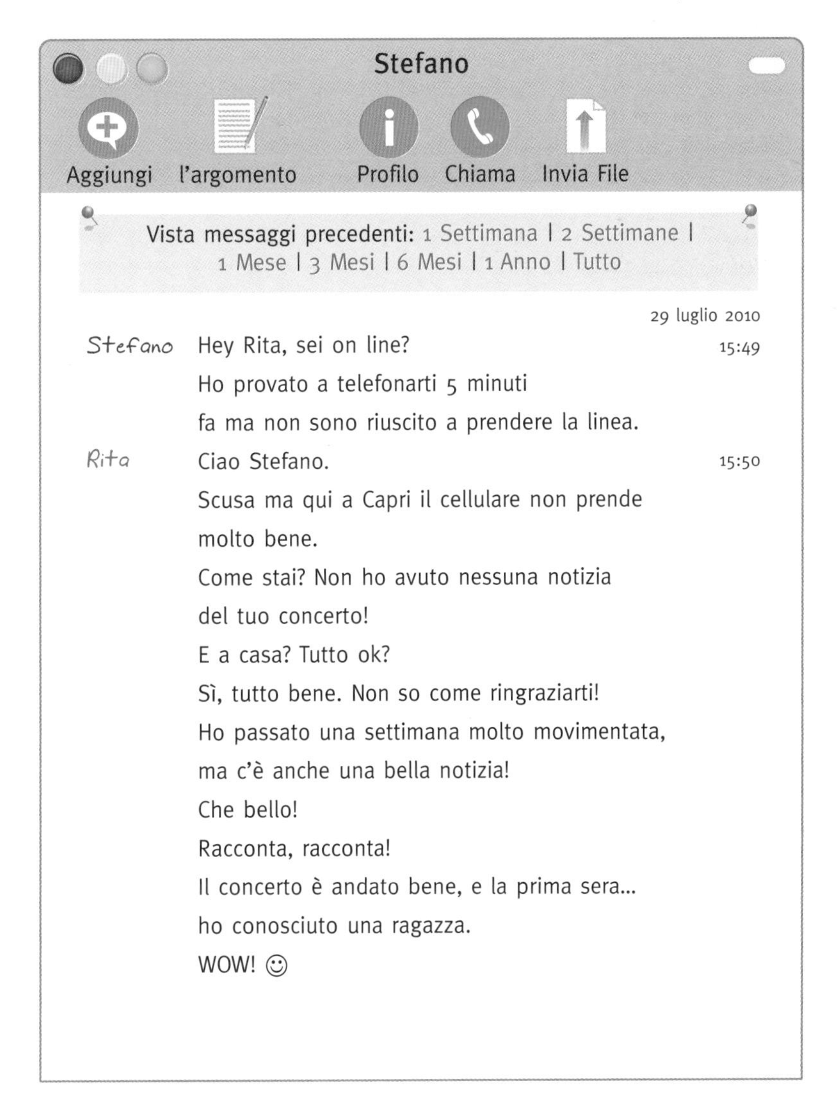

Stefano

Aggiungi | l'argomento | Profilo | Chiama | Invia File

Vista messaggi precedenti: 1 Settimana | 2 Settimane | 1 Mese | 3 Mesi | 6 Mesi | 1 Anno | Tutto

29 luglio 2010

Stefano — Hey Rita, sei on line? — 15:49
Ho provato a telefonarti 5 minuti
fa ma non sono riuscito a prendere la linea.
Rita — Ciao Stefano. — 15:50
Scusa ma qui a Capri il cellulare non prende
molto bene.
Come stai? Non ho avuto nessuna notizia
del tuo concerto!
E a casa? Tutto ok?
Sì, tutto bene. Non so come ringraziarti!
Ho passato una settimana molto movimentata,
ma c'è anche una bella notizia!
Che bello!
Racconta, racconta!
Il concerto è andato bene, e la prima sera...
ho conosciuto una ragazza.
WOW! ☺

1b *Continua la lettura della discussione e scegli il finale giusto tra le proposte a destra. Poi confrontati con un compagno.*

Stefano	Una tipa moooolto particolare. Neanche il nome ha normale: si chiama Euridice! Pensa che va a cavallo, in moto... e vuole lavorare in un circo come trapezista.	15:55
Rita	Trapezista?	15:55
Stefano	Sì sì. Ma questo è niente! L'ultima sera, dopo il concerto, abbiamo deciso di andare a mangiare qualcosa insieme. In moto.	15:56
Rita	In moto? In due... con il contrabbasso???	15:57
Stefano	Esatto. E infatti dopo cento metri siamo caduti! Io ho ancora una mano che mi fa male. Per questo non sono andato a suonare a Perugia.	15:57
Rita	Ah, mi dispiace. E cosa avete fatto dopo l'incidente?	15:59
Stefano	Siamo andati a casa sua.	15:59
Rita	Ah, bravi!	16:00
Stefano	Sì ma non è come pensi. Prima ho dovuto fare sette piani di scale con il piede gonfio! Poi, appena entrati abbiamo trovato tutta la casa in disordine. Piatti da lavare, vestiti sul divano... e lei: "Scusa ma Giacomo, che vive qui con me, è un po' disordinato. La casa è sua. Se mi aiuti a lavare i piatti io cucino qualcosa per tutti e tre".	16:00
Rita	Tu, lei e... Giacomo??	16:01
Stefano	Esatto. Così ho lavato i piatti, con il polso che mi faceva ancora male. E poi è arrivato Giacomo...	16:03
Rita	... il suo ragazzo.	16:04
Stefano	Ahahahah, no no. Giacomo è un signore sui 60 anni. Simpatico. Ma non è tutto... Non puoi immaginare che lavoro fa.	16:05
Rita	Cosa?	16:05
Stefano	È un agente discografico. La mia musica gli è piaciuta e mi ha offerto un contratto per pubblicare un CD! Così dal 20 al 27 ottobre sarò in sala d'incisione!	16:06
Rita	Ma dai! È incredibile!	16:07
Stefano	Infatti.	16:07
Rita	E la ragazza?	16:07

Finale n° ____________________

Stefano
Euridice? Non voglio più vederla. È così noiosa!
Rita
Eh, certo! E poi non ama nemmeno la musica!
Stefano
Infatti! Ma ci sono tante donne al mondo! Ora ti saluto. Ci sentiamo presto.
Rita
Ciao Stefano.

Stefano
Euridice? È completamente pazza, ma mi piace un sacco!
Rita
Voglio sapere tutto! Fra un paio di settimane vengo lì a trovarti e mi racconti bene, ok? Ora devo andare.
Stefano
Va bene. Ti abbraccio forte. Ci vediamo presto!

Stefano
Euridice? Non so. È molto carina ma non sono sicuro.
Rita
Perché?
Stefano
È viziata! Non ha iniziativa, devo sempre pensare e fare tutto io!
Rita
Davvero?? Allora no!!!
Stefano
Infatti! Senti ora ti saluto! A presto.
Rita
Ciao Stefano. Ci sentiamo.

Preposizioni per indicare il tempo

Adesso

5 minuti fa

Dal 20 al 27 ottobre

Fra un paio di settimane

2 Analisi lessicale | Avverbi di tempo

*Tutti gli avverbi della lista sono stati usati nella chat. Inseriscili nel giusto gruppo come negli esempi. Se necessario rileggi il testo del punto **1**.*

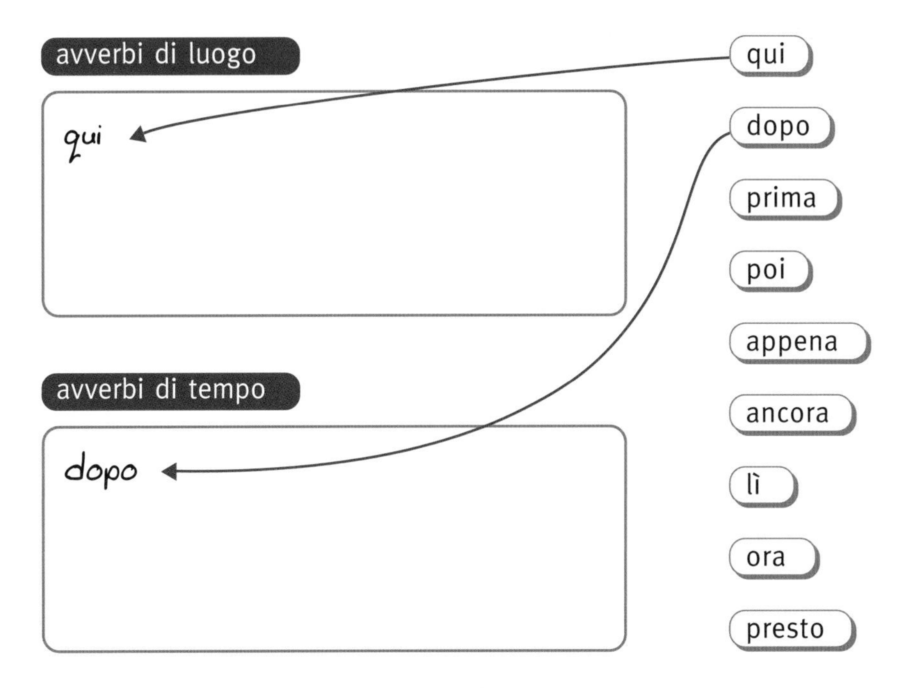

3 Gioco | Il giusto ordine

*Dividetevi in squadre. Rileggete tutta la chat del punto **1** e mettete in ordine cronologico gli eventi accaduti prima della chat e quelli previsti dopo la chat. Quando il vostro gruppo ha finito chiamate l'insegnante. Se la sequenza è giusta avete vinto, altrimenti il gioco continua.*

1. Giacomo offre un contratto a Stefano.
2. Stefano lava i piatti.
3. Euridice e Stefano trovano la casa in disordine.
4. Rita va a trovare Stefano.
5. Euridice e Stefano vanno in moto.
6. Euridice e Stefano cadono dalla moto.
7. Euridice e Stefano si conoscono.
8. Stefano sale le scale.
9. Stefano prova a telefonare a Rita.
10. Euridice e Stefano decidono di andare a mangiare insieme.
11. Stefano va in sala d'incisione.
12. Euridice e Stefano entrano nella casa di Euridice.

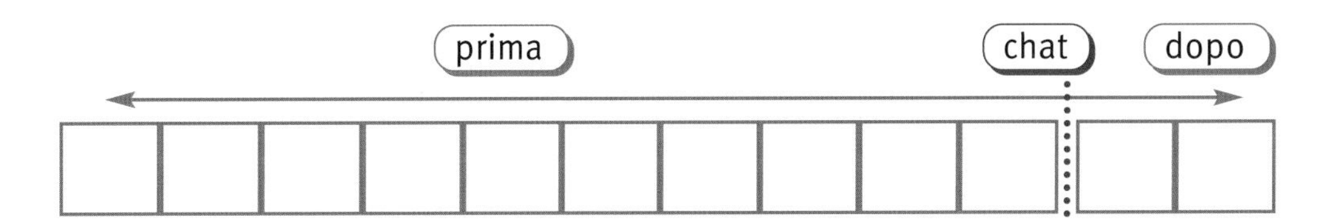

4 Analisi grammaticale | Il passato prossimo

4a *Rileggi la prima parte della chat al punto* **1a** *e copia accanto ad ogni infinito i verbi usati per parlare di fatti passati, come negli esempi.*

1. provare ho provato
2. riuscire sono riuscito
3. avere ______
4. passare ______
5. andare ______
6. conoscere ______

4b *Lavora con un compagno. Guardate i verbi del punto* **4a** *e completate la regola sul passato prossimo.*

Il passato prossimo è formato dal verbo ______ o ______ + il participio passato.

4c *Guarda i verbi del punto* **4a** *e completa la regola della formazione del participio passato regolare.*

I *-are*	II *-ere*	III *-ire*
provare ▸ prov ______	avere ▸ av ______	riuscire ▸ riusc ______

4d *Ora trova in tutta la chat gli altri verbi al passato prossimo e inseriscili nello schema.*

essere

sono riuscito ______
è andato ______
______ ______
______

avere

ho provato ______ ______
ho avuto ______ ______
ho passato ______
ho conosciuto ______

4e *Lavora con un compagno. Guardate i verbi nel primo schema e scegliete la regola giusta che riguarda il passato prossimo con il verbo* **essere**. *Poi confrontatevi con il resto della classe.*

Quando il passato prossimo si forma con il verbo essere:
☐ il verbo essere è sempre singolare.
☐ il participio deve essere accordato con il soggetto.
☐ il participio è sempre maschile.

Il passato prossimo di alcuni verbi irregolari

- avere ▸ ho avuto
- dire ▸ ho detto
- essere ▸ sono stato
- fare ▸ ho fatto
- leggere ▸ ho letto
- piacere ▸ è piaciuto
- prendere ▸ ho preso
- scrivere ▸ ho scritto
- venire ▸ sono venuto

5 Gioco | L'oca del passato prossimo

Gioca in un gruppo di 3 – 4 persone con 1 dado e pedine. A turno i giocatori lanciano un dado e avanzano con la pedina di tante caselle quanti sono i punti indicati dal dado. Arrivati sulla casella devono formare una frase usando gli elementi indicati: soggetto, verbo e oggetto, coniugando il verbo al passato prossimo, come negli esempi. Gli altri studenti controllano: se la frase non è corretta la pedina non può avanzare e torna indietro. Se la pedina capita sulla casella STOP, deve rimanere ferma un turno.

Carlo ballare il tango	lo studente deve formare una frase utilizzando l'ausiliare *avere* Esempio ▸ Carlo ha ballato il tango
Susanna venire da casa	lo studente deve formare una frase utilizzando l'ausiliare *essere* Esempio ▸ Susanna è venuta da casa
il gelato piacere Marco	lo studente deve formare una frase facendo il passato prossimo del verbo *piacere* Esempio ▸ Il gelato è piaciuto a Marco

partenza

- io portare il libro
- Luisa e Antonio fare la spesa
- il film piacere a Maria
- mio padre lavare la macchina
- io andare al mare
- voi trovare il libro
- Alessandro arrivare a casa
- io avere un premio
- STOP
- tu prendere il giornale
- Maria e Rita andare al cinema
- le studentesse finire i compiti
- io ascoltare la musica
- Chiara uscire con Luigi
- io e Marta suonare il pianoforte
- voi ricevere un regalo
- Carla cadere dalle scale
- tu imparare il passato prossimo
- STOP
- Carlo e Katia entrare a casa
- Costanza cantare una canzone
- io e Andrea sentire un concerto
- Valerio uscire dal cinema
- tu capire la regola
- mio fratello pulire il tavolo
- i fiori piacere a Francesca
- Lara venire in classe
- le mie amiche guardare lo spettacolo
- voi fare l'esercizio
- Giovanna arrivare a scuola
- Piero finire la pasta
- le feste piacere a Carlo
- noi prendere le penne
- STOP
- la lezione piacere a Marco e Silvia
- STOP
- Daniela e Milena arrivare al negozio
- la pasta piacere a Ernesto
- Stefania suonare il contrabbasso

arrivo

unità 15 | il concerto è andato bene!

Cosa hai studiato di comunicazione in questa unità? Elimina il contenuto che non hai ancora studiato. Verrà presentato nella prossima unità.

comunicazione

- ☐ Raccontare eventi passati ▸ *Ho conosciuto una ragazza...*
- ☐ Chiedere e dire la data ▸ *Che giorno è oggi?* ▸ *Martedì 4 luglio 2009*
- ☐ Ricostruire l'ordine cronologico di un racconto ▸ *Dopo il concerto, abbiamo deciso di...*

unità 16 | ieri sera

comunicazione

Chiedere e dire la data
▸ *Che giorno è oggi?*
▸ *Martedì 4 luglio 2009*

Fare una proposta
▸ *Ti va di...?*

Accettare e rifiutare ▸ *Certo!, Mi dispiace, non posso.*

Concordare un appuntamento
▸ *Che ne dici se ci vediamo domani?*

grammatica

Le espressioni di tempo
Adesso, Alle otto...

La scelta dell'ausiliare nel passato prossimo

Il pronome relativo *che*

1 Leggere | Benigni legge Dante

1a *Leggi l'articolo e completa il testo con l'espressione giusta.*

moderato successo | grande successo | grande insuccesso | inaspettato insuccesso

Roberto Benigni legge Dante

Roberto Benigni ha spiegato e ha recitato il quinto canto dell'Inferno della Divina Commedia.

Siena, 16 luglio 2009 – La città di Siena, due sere fa, ha vissuto un piccolo miracolo. Verso le 20 i negozi hanno chiuso, le strade del centro hanno acceso le luci della sera e tutti i senesi sono accorsi in Piazza del Campo per assistere a un evento eccezionale. Una partita di calcio? Un concerto di una star del rock? No, niente di tutto questo. L'altra sera tutta Siena è uscita in strada per ascoltare Roberto Benigni leggere la Divina Commedia di Dante. In una Piazza del Campo affollatissima (si calcolano tra le 25 mila e le 30 mila persone), Roberto Benigni ha spiegato e ha recitato il quinto canto dell'Inferno.

Prima di recitare Dante, l'artista toscano ha aperto lo spettacolo con un breve monologo, che ha riguardato soprattutto i temi dell'attualità. Moltissime sono state le battute sulla politica, che hanno provocato le risate del pubblico. Poi Benigni ha iniziato la lettura del quinto canto. Come tutti sanno, è il canto dell'amore tra Paolo e Francesca.

L'attore toscano ha spiegato con grande semplicità e chiarezza il significato del canto e poi ha recitato il testo. Quando è arrivato a pronunciare i famosi versi "Amor, ch'a nullo amato amar perdona..." tutta la piazza è rimasta in un silenzio magico, completamente rapita dalla bravura dell'attore.

Alla fine, il pubblico ha applaudito per molti minuti e Benigni ha regalato vari bis.

Lo spettacolo di Benigni, dal titolo TuttoDante, ha debuttato in piazza Santa Croce a Firenze esattamente 3 anni fa ed è stato subito un ____________.
Poi Benigni è partito per un tour mondiale, che ha toccato prima l'Europa e successivamente gli Stati Uniti. Ora lo spettacolo ha ricominciato a girare per le piazze italiane.

1b *Rileggi l'articolo e completa la tabella con le informazioni mancanti.*

	città	luogo della città	data
primo spettacolo di Benigni su Dante ▸			
ultimo spettacolo di Benigni su Dante ▸			

La Divina Commedia

È l'opera più importante della letteratura italiana. Scritta da Dante Alighieri nel 1300, racconta il viaggio fantastico del grande poeta attraverso i tre regni dell'Inferno, del Purgatorio e del Paradiso.
Ognuna di queste 3 parti è composta da 33 canti.

1c *Completa le frasi con le espressioni equivalenti a quelle del testo, come nell'esempio.*

1. ______________ lo spettacolo di Benigni ha debuttato in piazza Santa Croce a Firenze.
2. ______________ Benigni è partito per un tour mondiale.
3. ______________ la città di Siena ha vissuto un piccolo miracolo.
4. ______________ i negozi hanno chiuso, le strade del centro hanno acceso le luci della sera e tutti i senesi sono accorsi in Piazza del Campo.
5. ______________ Benigni ha aperto lo spettacolo con un breve monologo.
6. ______________ ha iniziato la lettura del quinto canto.
7. ______________ tutta la piazza è rimasta in un silenzio magico.
8. ______________ il pubblico ha applaudito per molti minuti e Benigni ha regalato vari bis.
9. ___Adesso___ lo spettacolo ha ricominciato a girare per le piazze italiane.

- *Adesso*
- Al termine dello spettacolo
- Alle 8 di sera
- Dopo il debutto a Firenze
- Dopo il monologo
- Il 14 luglio 2009
- Nel 2006
- Prima della lettura del quinto canto
- Quando ha recitato i famosi versi

2 Analisi grammaticale | Essere o avere

2a *Guarda il testo e scegli la regola giusta.*

☐ La maggior parte dei verbi ha ausiliare **avere**.
☐ La maggior parte dei verbi ha ausiliare **essere**.

2b *Guarda i verbi con ausiliare* **essere**. *Cosa hanno in comune?*

Indicano:
☐ un passato più lontano.
☐ uno spostamento o stato nello spazio.
☐ un sentimento, un'emozione.

3 Esercizio | Passato prossimo

Completa la chat tra Stefano e Rita con i verbi al passato prossimo.

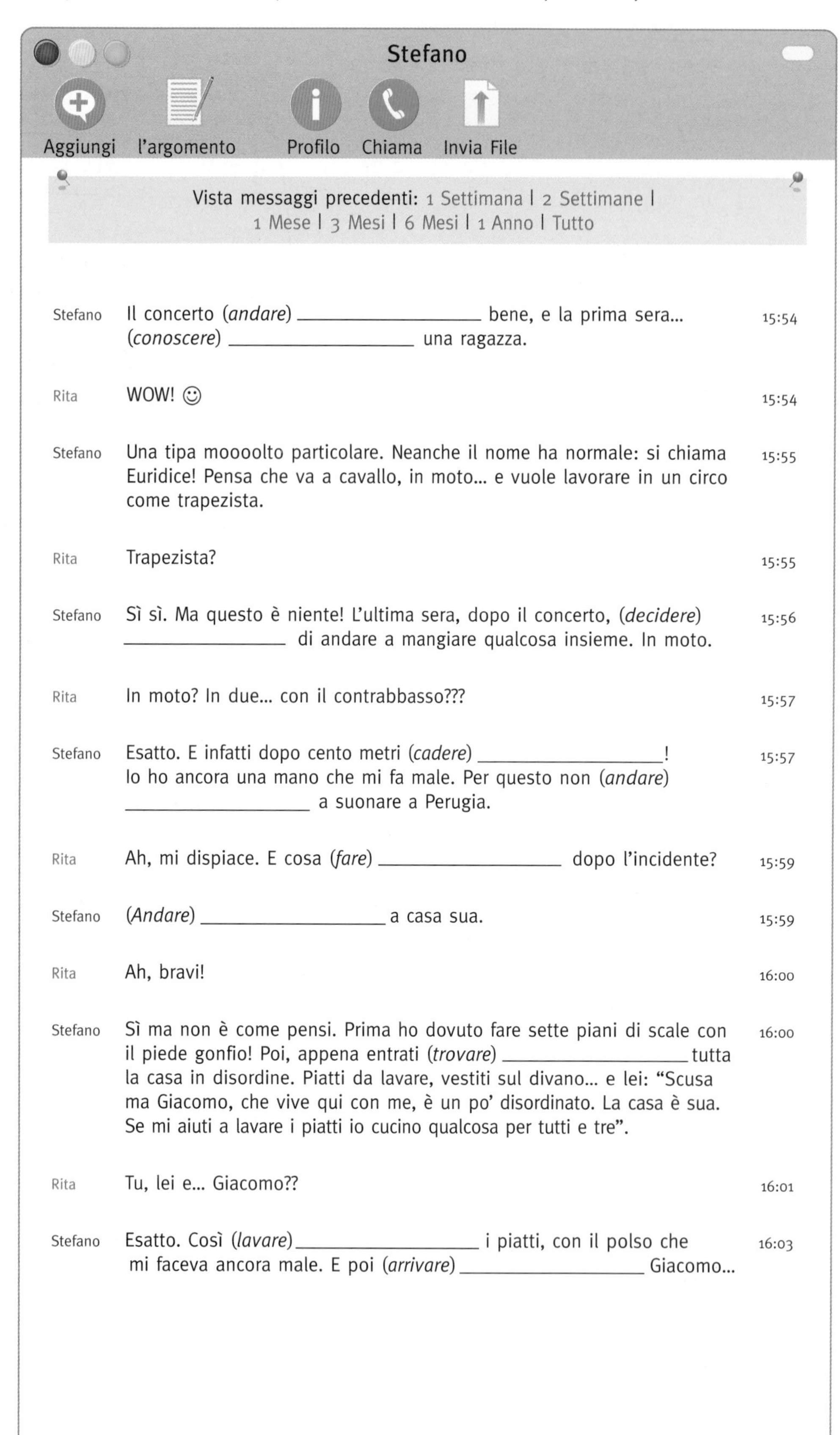

Stefano

Aggiungi | l'argomento | Profilo | Chiama | Invia File

Vista messaggi precedenti: 1 Settimana | 2 Settimane | 1 Mese | 3 Mesi | 6 Mesi | 1 Anno | Tutto

Stefano	Il concerto (*andare*) ________________ bene, e la prima sera... (*conoscere*) ________________ una ragazza.	15:54
Rita	WOW! ☺	15:54
Stefano	Una tipa moooolto particolare. Neanche il nome ha normale: si chiama Euridice! Pensa che va a cavallo, in moto... e vuole lavorare in un circo come trapezista.	15:55
Rita	Trapezista?	15:55
Stefano	Sì sì. Ma questo è niente! L'ultima sera, dopo il concerto, (*decidere*) ________________ di andare a mangiare qualcosa insieme. In moto.	15:56
Rita	In moto? In due... con il contrabbasso???	15:57
Stefano	Esatto. E infatti dopo cento metri (*cadere*) ________________! Io ho ancora una mano che mi fa male. Per questo non (*andare*) ________________ a suonare a Perugia.	15:57
Rita	Ah, mi dispiace. E cosa (*fare*) ________________ dopo l'incidente?	15:59
Stefano	(*Andare*) ________________ a casa sua.	15:59
Rita	Ah, bravi!	16:00
Stefano	Sì ma non è come pensi. Prima ho dovuto fare sette piani di scale con il piede gonfio! Poi, appena entrati (*trovare*) ________________ tutta la casa in disordine. Piatti da lavare, vestiti sul divano... e lei: "Scusa ma Giacomo, che vive qui con me, è un po' disordinato. La casa è sua. Se mi aiuti a lavare i piatti io cucino qualcosa per tutti e tre".	16:00
Rita	Tu, lei e... Giacomo??	16:01
Stefano	Esatto. Così (*lavare*) ________________ i piatti, con il polso che mi faceva ancora male. E poi (*arrivare*) ________________ Giacomo...	16:03

La data

Nelle lettere o all'inizio di un testo la data si scrive così:

- *Roma, 6 agosto 2010*
- *Roma, 6/8/2010*
- *martedì 6 agosto 2010*

Negli altri casi si usa l'articolo, eccetto quando c'è il giorno della settimana:

- *Sono nato il 16 luglio 1992.*
- *Oggi è il 10 settembre.*
- *Parto mercoledì 10 settembre.*

Quale ausiliare usare?
Essere o avere? Vai su *www.alma.tv*, cerca il video "Essere o non essere" nella rubrica Grammatica caffè e guarda la spiegazione di Roberto Tartaglione.

Essere o non essere | CERCA

4 Analisi grammaticale | Il pronome relativo *che*

4a *Unisci le frasi giuste con il pronome relativo* che.

1. L'artista toscano ha aperto lo spettacolo con un breve monologo		hanno provocato le risate del pubblico.
2. Moltissime sono state le battute sulla politica	che	ha riguardato soprattutto i temi dell'attualità.
3. Poi Benigni è partito per un tour mondiale		ha toccato prima l'Europa e successivamente gli Stati Uniti.

4b *Il pronome relativo* che *sostituisce un elemento in ogni frase della prima colonna. Quale? Segui l'esempio.*

1. un breve monologo 2. ______ 3. ______

5 Analisi della conversazione | Certo!

5a *Le 4 parti* evidenziate *sono state scambiate. Rimettile nella giusta posizione. Poi ascolta e verifica.* 61

Stefano	Adesso io devo andare a suonare. **Che ne dici se ci vediamo** fare due chiacchiere dopo il concerto?
Euridice	**Certo! Perfetto,** tra un po' io devo tornare a casa. [...]
Stefano	Beh, ma allora se non puoi stasera...
Euridice	Facciamo un'altra volta. Ti do il mio numero così mi chiami. Voi siete qui tutte le sere?
Stefano	No, domani sera abbiamo l'ultimo concerto. Poi partiamo.
Euridice	Allora...Va be'... **Ma ti va di** ... DOMANI?
Stefano	Domani? **Mi dispiace, non posso.** Anzi, sai che ti dico? Domani è già qui!

5b *Scrivi ognuna delle espressioni del punto* **5a** *negli spazi, accanto alla funzione corrispondente, come nell'esempio.*

concordare un appuntamento	Che ne dici se ci vediamo
fare una proposta	
accettare	
rifiutare	

6 Gioco | Il pronome relativo *che*

✶ **Studente A** (Le istruzioni per lo **Studente B** sono a pag. 144)

A turno uno studente legge una domanda dalla lista "domande e risposte". L'altro studente ascolta la domanda e sceglie la risposta nella lista "risposte", unendo le due frasi con il pronome relativo *che*, come nell'esempio. Chi ha fatto la domanda verifica, sempre nella lista "domande e risposte", se la risposta è quella giusta e se è corretta grammaticalmente. Se è tutto giusto lo studente che ha risposto prende un punto. Vince chi per primo dà tutte le risposte corrette.

Esempio

▸ Cosa hai comprato ieri?

■ Ho comprato un libro.
■ Il libro parla di fantascienza.

➡ Ho comprato un libro che parla di fantascienza.

domande e risposte

▸ Come apre i suoi spettacoli Benigni?

■ Inizia sempre con un monologo che parla di politica.

▸ Chi è Antonio Vivaldi?

■ Vivaldi è il compositore che ha scritto *Le 4 Stagioni*.

▸ Cos'è il quinto canto dell'Inferno?

■ È il canto della Divina Commedia che racconta l'amore tra Paolo e Francesca.

▸ Chi va al locale Danzassassina?

■ Ci vanno le persone che vogliono ballare tutta la notte.

▸ Perché moltissimi senesi sono andati in Piazza del Campo?

■ Per vedere Roberto Benigni che recita la Divina Commedia.

risposte

È l'opera più famosa di Dante Alighieri.

L'opera più famosa di Dante Alighieri racconta il viaggio del poeta attraverso l'Inferno, il Purgatorio e il Paradiso.

È il musicista.

Il musicista suona lo strumento chiamato contrabbasso.

Ci vanno le persone.

Le persone vogliono imparare a cucinare.

Sta facendo un tour mondiale.

Il tour mondiale dura da tre anni.

Benigni ha fatto uno spettacolo in piazza.

Lo spettacolo in piazza ha avuto un enorme successo.

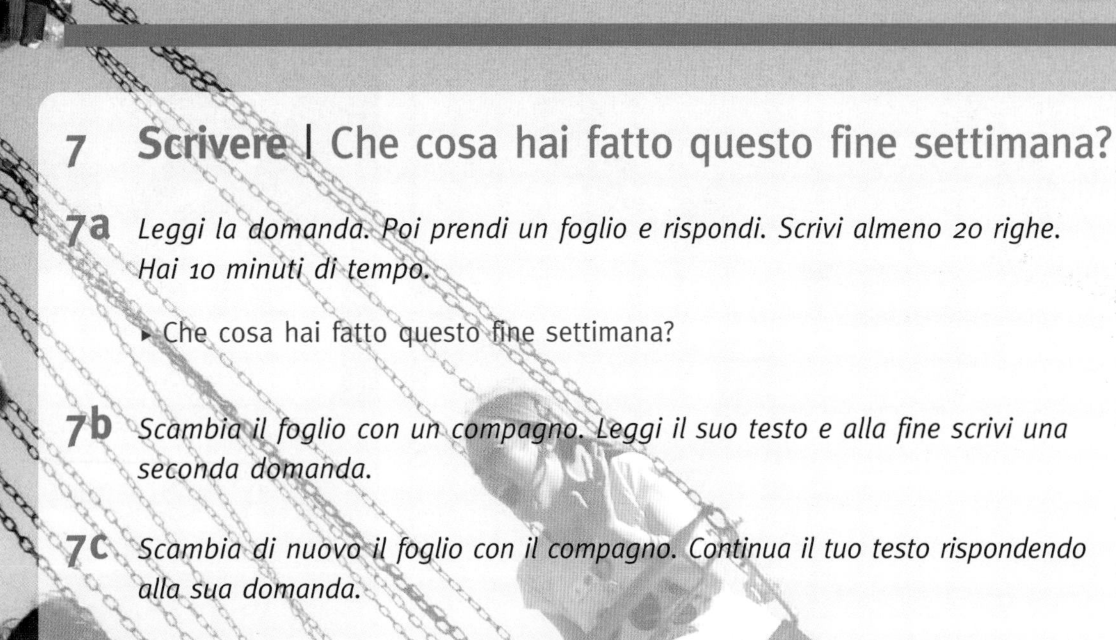

7 Scrivere | Che cosa hai fatto questo fine settimana?

7a *Leggi la domanda. Poi prendi un foglio e rispondi. Scrivi almeno 20 righe. Hai 10 minuti di tempo.*

▸ Che cosa hai fatto questo fine settimana?

7b *Scambia il foglio con un compagno. Leggi il suo testo e alla fine scrivi una seconda domanda.*

7c *Scambia di nuovo il foglio con il compagno. Continua il tuo testo rispondendo alla sua domanda.*

7d *Scambia un'ultima volta il foglio con un compagno e leggi la sua risposta.*

unità 16 | ieri sera

Cosa hai studiato in questa unità? Completa gli spazi con le parole di destra, come nell'esempio. Poi confronta con l'indice a pag. 128.

comunicazione

Chiedere e dire ______________
▸ *Che giorno è oggi?* ▸ *Martedì 4 luglio 2009*

Fare una proposta ▸ *Ti va di...?*

Accettare e rifiutare ▸ *Certo!, Mi dispiace, non posso.*

Concordare ______________
▸ *Che ne dici se ci vediamo domani?*

grammatica

Le espressioni ______________ *Adesso, Alle otto...*

La scelta dell'ausiliare nel passato ______________

Il pronome relativo *che*

un appuntamento

relativo

la data

di tempo

prossimo

... ED ORA TUTTI VOGLIONO LO SPECCHIO, MA LO SPECCHIO NON È LA SOLUZIONE!
NON POSSIAMO FARE NIENTE... STA ARRIVANDO LA FINE DEL MONDO!
ROMA, LA PIRAMIDE. È MATTINA...

NO! MI DEVI ASCOLTARE! A NAPOLI SONO CADUTO... E MI SONO GUARDATO NEL MARE. LÌ HO CAPITO! HO VISTO LA SOLUZIONE!
TU COSA LEGGI QUI?
CHE DOMANDA! DIECI!

GIUSTO! MA NELLO SPECCHIO D'ACQUA IL NUMERO SULLA MIA MAGLIETTA NON È 10, È 01.
E ALLORA? CHE SIGNIFICA?

RICORDI LA STORIA DELLO SPECCHIO? LA SOLUZIONE NON È LO SPECCHIO, È UN NOME AL CONTRARIO!
MA SÌ! GIUSTO!

ORA HO CAPITO! DOBBIAMO ANDARE ALL'ALBERGO!
ALL'ALBERGO? E PERCHÉ?
VIENI CON ME.

ALBERGO
ROMA
FONTANA DI TREVI. VENTI MINUTI DOPO. ANNA E BRUNO TORNANO ALL'ALBERGO ROMA.

ALLA FONTANA DI TREVI IL SOLE SI RIFLETTE SULLA SCRITTA DELL'ALBERGO ROMA...
ALBERGO ROMA
VIENI DENTRO L'ACQUA!
PERCHÉ? NON CAPISCO.

CHE SI RIFLETTE NELL'ACQUA DELLA FONTANA.
AMOR! ECCO LA RISPOSTA A TUTTO!
ORA SI! È TUTTO CHIARO!
10

AMORE... ECCO LA SOLUZIONE. FINE DELLA GUERRA, FINE DELLA DISTRUZIONE.

DA QUESTO MOMENTO TUTTO CAMBIA, TUTTO RICOMINCIA, TUTTO RINASCE.

INIZIA UN NUOVO MONDO. IL MONDO DI DOMANI.
VENEZIA, 2060
ROMA, 2055
AMOR
NAPOLI, 2056
FINE

PAGINA DELLA FONETICA

1 L'accento della frase

1a *In questo dialogo sono stati eliminati i segni di punteggiatura interni alle frasi. Leggi il dialogo e inserisci il simbolo | dove potrebbe andare una pausa breve e il simbolo || dove potrebbe andare una pausa lunga, come negli esempi.*

Euridice Complimenti || siete bravissimi.
Stefano Grazie.
Euridice Senti ma | questa canzone | quella che fa | "Domani è già qui" || come si chiama?
Stefano Eh sì "Domani" ti piace?
Euridice Sì mi piace moltissimo è veramente bella di chi è?
Stefano Beh è mia l'ho scritta io.
Euridice Davvero?
Stefano Eh sì.
Euridice Così tu canti suoni il contrabbasso e scrivi canzoni...
Stefano Esatto.
Euridice WOW!

1b *Ora ascolta il dialogo e verifica.*  62

1c *Ascolta ancora molte volte e sottolinea, in ogni frase della trascrizione del punto* **1a**, *la sillaba con l'accento più forte, come negli esempi.* DVD 62

Euridice Complimenti || siete bravissimi.
Stefano Grazie.
Euridice Senti ma | questa canzone | quella che fa | "Domani è già qui" || come si chiama?

1d *Lavora con un compagno. Recitate il dialogo rispettando le pause e gli accenti delle frasi.*

2 La frase dichiarativa, interrogativa ed esclamativa

Lavora con un compagno. Le istruzioni per lo **Studente B** *sono a pag. 145.* DVD 63

✶ **Studente A** Dovete recitare un dialogo tra Euridice e Stefano. Tu sei Stefano. Nella trascrizione sono stati eliminati alcuni segni di punteggiatura. Comincia dicendo la prima battuta, poi ascolta la risposta (chiedi di ripetere se non capisci bene). Continua il dialogo con la battuta successiva e dai l'intonazione adeguata.
Se vuoi scrivi i segni di punteggiatura, quando sei sicuro. Continuate così fino alla fine.
Recitate il dialogo finché non siete sicuri e senza mai guardare le battute dell'altro.
Alla fine ascoltate il dialogo con tutta la classe.

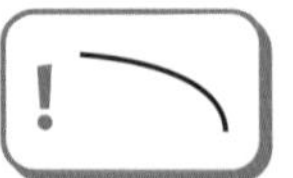

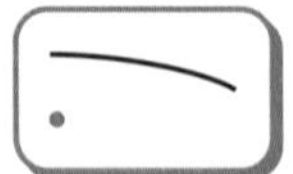

1. Stefano Adesso io devo andare a suonare. Ma ti va di fare due chiacchiere dopo il concerto?
2. Stefano Tai chi ☐
3. Stefano No no ☐ Per carità...
4. Stefano Beh, ma allora se non puoi stasera...
5. Stefano No ☐ Domani sera abbiamo l'ultimo concerto. Poi partiamo.
6. Stefano Domani ☐ Certo! Perfetto ☐ Anzi, sai che ti dico ☐ Domani è già qui ☐

I numeri da 1 a 30

1 uno
2 due
3 tre
4 quattro
5 cinque
6 sei
7 sette
8 otto
9 nove
10 dieci
11 undici
12 dodici
13 tredici
14 quattordici
15 quindici
16 sedici
17 diciassette
18 diciotto
19 diciannove
20 venti
21 ventuno
22 ventidue
23 ventitré
24 ventiquattro
25 venticinque
26 ventisei
27 ventisette
28 ventotto
29 ventinove
30 trenta

5 Gioco | Operazioni

✶ Studente B
Chiedi il risultato delle tue operazioni e controlla che la risposta sia corretta, seguendo l'esempio. Poi rispondi alle domande dello **Studente A**. Aiutati con la lista dei numeri da 1 a 30.

Esempio
Studente B Ventinove meno sette? **Studente A** Dodici! Studente B Sì.

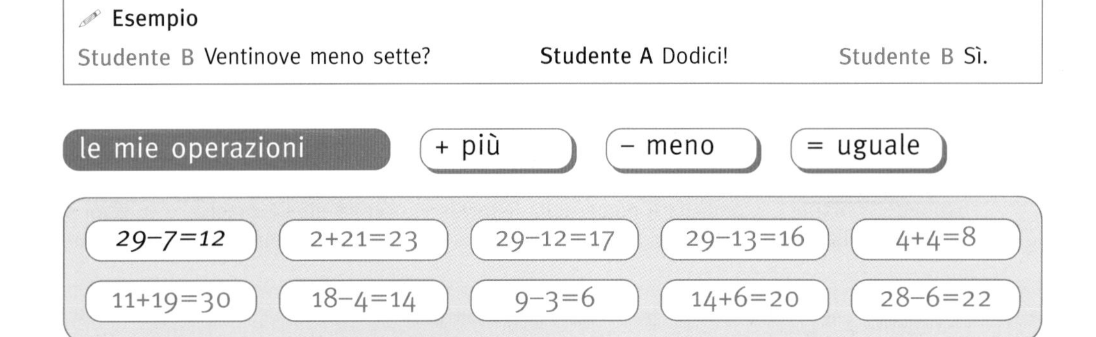

7 Parlare | Come ti chiami?

3 Analisi grammaticale | I verbi regolari in *-are*, *-ere*, *-ire*

3b ✶ Studente A

A turno, uno dei due studenti prova a indovinare una delle forme mancanti nella sua tabella e l'altro verifica nella sua tabella se è giusto, come nell'esempio. In caso di risposta giusta, lo studente che ha indovinato scrive il verbo nella casella. Vince chi completa per primo la sua tabella.

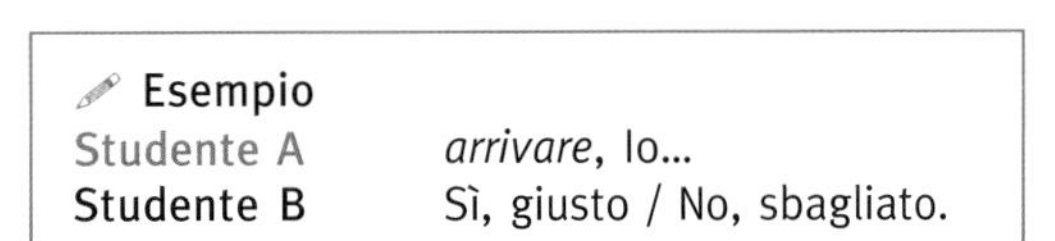
Esempio
Studente A *arrivare*, Io...
Studente B Sì, giusto / No, sbagliato.

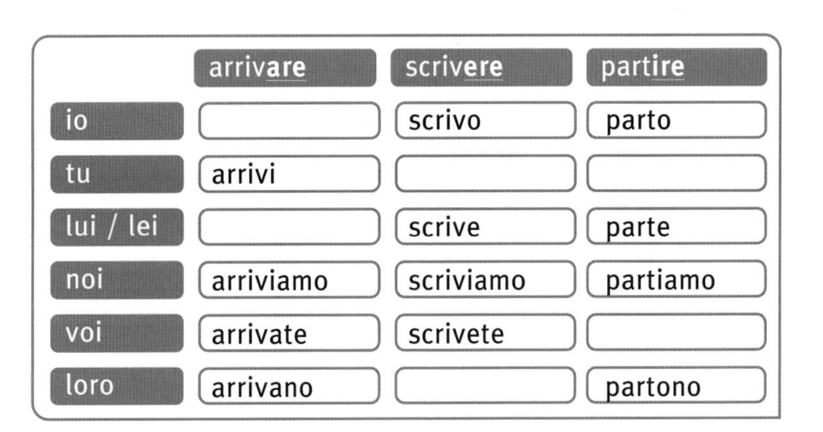

	arrivare	scrivere	partire
io		scrivo	parto
tu	arrivi		
lui / lei		scrive	parte
noi	arriviamo	scriviamo	partiamo
voi	arrivate	scrivete	
loro	arrivano		partono

6 Gioco | Battaglia navale

6a *Ascolta l'alfabeto e ripeti insieme ai compagni.*  3

6b *Lavora con un compagno. Ripetete insieme l'alfabeto. Se avete difficoltà chiamate l'insegnante.*

6c ✶ Studente B

Gioca a battaglia navale seguendo l'esempio. Cerca le parole nella tabella dello **Studente A** e scegli una casella. Se la casella è vuota, lo **Studente A** risponde "Acqua!". Se invece è piena, risponde "Colpito!", pronuncia il nome della lettera che occupa quella casella, e tu puoi scrivere la lettera nella tabella di destra. Vince chi ricostruisce per primo le cinque parole dell'altro.

Esempio
Studente A D4.
Studente B Acqua!
Studente B B3.
Studente A Colpito! C.

✶ Tabella **Studente B**

	1	2	3	4	5	6	7	8	9	10
A										
B					L	I	B	R	O	
C		A								
D		R								
E		R								
F		I								
G		V								
H		E								
I		D								
L		E								
M		R								
N		C								
O		I		P	E	N	N	A		
P	F									
Q	I									
R	R							P		
S	E							I		
T	N							Z		
U	Z							Z		
V	E							A		
Z										

✶ Tabella **Studente A**

	1	2	3	4	5	6	7	8	9	10
A										
B			C	A						
C										
D										
E										
F										
G						E				
H										
I										
L										
M										
N							O			
O										
P										
Q										
R			I							
S										
T										
U										
V										
Z								O		

L'alfabeto italiano

 3

A	a
B	bi
C	ci
D	di
E	e
F	effe
G	gi
H	acca
I	i
L	elle
M	emme
N	enne
O	o
P	pi
Q	cu
R	erre
S	esse
T	ti
U	u
V	vu
Z	zeta

altre lettere

J	i lunga
K	kappa
W	doppia vu
X	ics
Y	ipsilon

3 Analisi grammaticale | I verbi regolari in *-are*, *-ere*, *-ire*

3b * Studente B

A turno, uno dei due studenti prova a indovinare una delle forme mancanti nella sua tabella e l'altro verifica nella sua tabella se è giusto, come nell'esempio. In caso di risposta giusta, lo studente che ha indovinato scrive il verbo nella casella. Vince chi completa per primo la sua tabella.

Esempio
Studente A — *arrivare*, lo...
Studente B — Sì, giusto / No, sbagliato.

	arrivare	scrivere	partire
io	arrivo	scrivo	
tu		scrivi	parti
lui / lei	arriva	scrive	parte
noi	arriviamo		partiamo
voi			partite
loro	arrivano	scrivono	

3 Gioco | Il mimo dei verbi riflessivi

Gioca con un compagno, contro un'altra coppia (coppia A e coppia B). Ogni coppia ha 10 frasi. La prima coppia sceglie una frase e la consegna segretamente ad uno dei due studenti dell'altra coppia. Lo studente deve mimare il contenuto della frase e il suo compagno di coppia deve indovinare e dire l'infinito del verbo dell'azione (ha 30 secondi per indovinare e può provare tutte le volte che vuole). Se lo indovina la coppia guadagna un punto. Poi tocca all'altra squadra.

Frasi coppia B

Io mi trucco	Io mi lavo le mani
Io lavo la finestra	Io mi faccio la barba
Io mi sveglio	Io bevo un caffè
Io alzo la sedia	Io mi alzo
Io chiudo la porta	Io leggo

6 Gioco | A che ora?

✶ Studente B

Segui l'esempio. Ascolta la domanda dello **Studente A** e verifica nella prima colonna se è corretta. Poi rispondi guardando l'orario nella seconda colonna (Esempio 1). Quindi fai la domanda, ascolta la risposta dello **Studente A** e verifica nella seconda colonna se è corretta (Esempio 2). Per ogni frase corretta si guadagna un punto. Vince lo studente che alla fine ha totalizzato più punti.

Esempio 1

Studente A domanda
▸ A che ora apre il museo?

Studente B risposta
9.15
▸ *Alle nove e un quarto / Alle nove e quindici.*

Esempio 2

Studente B domanda
andare in palestra / tu
▸ *A che ora vai in palestra?*

Studente A risposta
▸ Dalle sette e mezza alle nove. / Dalle sette e trenta alle nove.

	domanda	risposta
1	*A che ora apre il museo?*	*9.15*
2	*andare in palestra / tu*	*Dalle sette e mezza alle nove.* *Dalle sette e trenta alle nove.*
3	A che ora sono i corsi di italiano?	9.00 – 14.35
4	cominciare / la cena	Alle sette. Alle diciannove.
5	A che ora arrivano in ufficio Marta e Maria?	8.30
6	partire / l'autobus per Roma	Alle sette e quarantadue. Alle diciannove e quarantadue.
7	A che ora è la cena?	19.00 – 22.00
8	essere / le lezioni	Dalle sette e dieci alle nove e venticinque. Dalle diciannove e dieci alle ventuno e venticinque.
9	A che ora partite tu e Franco?	8.50
10	arrivare / i bambini	Alle nove meno un quarto. Alle otto e quarantacinque.
11	A che ora vai in piscina?	17.00 – 18.00
12	essere / il pranzo	Dalle undici e trentacinque alle due. Dalle undici e trentacinque alle quattordici.

8 Parlare | Telefonata al museo

Galleria degli Uffizi
orario apertura: 9.30/18.45
▸ prezzo: euro 10

Visita guidata alla mostra di Caravaggio (in italiano)
orario: mattina 10.15/pomeriggio 14.00, 16.30
▸ prezzo: euro 8

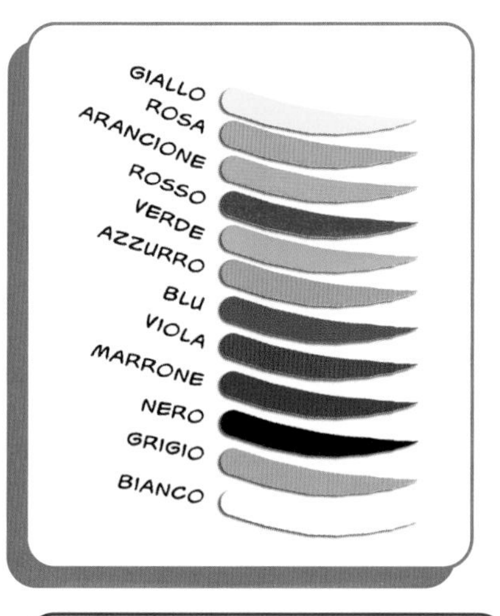

4 Gioco | Di che colore è?

✶ Studente B

Ascolta la domanda dello **Studente A**, guarda i quadri grandi e prova a indovinare il colore mancante, come nell'Esempio 1. Se la risposta è giusta puoi colorare il quadro. Quindi guarda i quadri nella colonna a sinistra e fai una domanda allo **Studente A** (Esempio 2). Vince chi colora per primo tutti i quadri.

Esempio 1

Studente A	Nel quadro di de Chirico, di che colore è la palla?
Studente B	È ...
Studente A	Sì./No.

Esempio 2

Studente B	Nel quadro di **Modigliani**, di che colore è il cuscino?
Studente A	È ...
Studente B	Sì./No.

Pietro Longhi
i cappelli

Francesco Hayez
la giacca

Piero della Francesca il cappello

Andrea Mantegna la nuvola

Felice Casorati le mele

Amedeo Modigliani il cuscino

Giorgione
la mantella

Lorenzo Lotto
i pantaloni

Giorgio de Chirico
la palla

Carlo Carrà
il triangolo

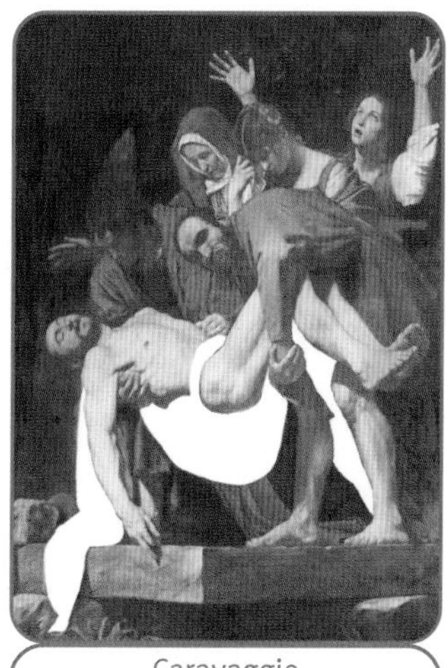
Caravaggio
la tunica

Raffaello
le maniche

6 Parlare | Il giro dei bar

1 Introduzione

✶ Studente B

Gioca con un compagno. Ognuno di voi due ha una lista con 8 nomi di luoghi italiani: 4 sono isole. Scegli un nome dalla tua lista e fai la domanda come nell'esempio. Se è un'isola guadagni un punto. Poi rispondi alla domanda del compagno guardando sulla tua cartina.
Vince chi indovina per primo i nomi delle 4 isole.

> ✎ Esempio
> Studente A ____________ è un'isola?
> Studente B Sì, è un'isola. / No, non è un'isola.

Studente B

- Bari
- Napoli
- Ischia
- Favignana
- la Calabria
- la Sardegna
- l'Elba
- Aosta

modulo tre | **bilancio**

Cosa faccio... | fare un'ordinazione al bar

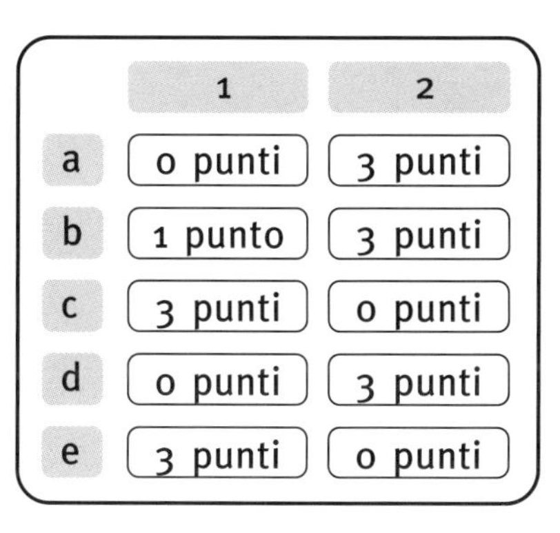

	1	2
a	0 punti	3 punti
b	1 punto	3 punti
c	3 punti	0 punti
d	0 punti	3 punti
e	3 punti	0 punti

Da 0 a 3 punti – Secondo te imparare una lingua è un'esperienza diversa dal vivere una cultura. Si può vivere una cultura solo quando si conosce molto bene la lingua e a questo livello è ancora troppo presto.
Da 4 a 9 punti – Secondo te imparare una lingua significa anche entrare in contatto con una cultura, però a volte è difficile e ti nascondi dietro la scusa che sei straniero/a.
Da 10 a 15 punti – Per te la lingua non è fatta solo di parole, ma anche di gesti, sguardi, formule per entrare in contatto. Per questo gli aspetti culturali sono importanti, anche più importanti delle parole che usi.

6 Gioco | Il pronome relativo *che*

★ **Studente B** A turno uno studente legge una domanda dalla lista "domande e risposte". L'altro studente ascolta la domanda e sceglie la risposta nella lista "risposte", unendo le due frasi con il pronome relativo *che*, come nell'esempio. Chi ha fatto la domanda verifica, sempre nella lista "domande e risposte", se la risposta è quella giusta e se è corretta grammaticalmente. Se è tutto giusto lo studente che ha risposto prende un punto. Vince chi per primo dà tutte le risposte corrette.

Esempio

▸ Cosa hai comprato ieri?

■ Ho comprato un libro.
■ Il libro parla di fantascienza.

➡ Ho comprato un libro che parla di fantascienza.

domande e risposte

▸ Cosa è successo a Siena il 14 luglio 2009?

■ Benigni ha fatto uno spettacolo in piazza che ha avuto un enorme successo.

▸ Cos'è un contrabbassista?

■ È il musicista che suona lo strumento chiamato contrabbasso.

▸ Da quanto tempo Benigni è in tournée?

■ Sta facendo un tour mondiale che dura da tre anni.

▸ Chi va all'accademia di gastronomia?

■ Ci vanno le persone che vogliono imparare a cucinare.

▸ Cos'è la Divina Commedia?

■ È l'opera più famosa di Dante Alighieri che racconta il viaggio del poeta attraverso l'Inferno, il Purgatorio e il Paradiso.

risposte

Vivaldi è il compositore.

Il compositore ha scritto *Le 4 Stagioni*.

Per vedere Roberto Benigni.

Roberto Benigni recita la Divina Commedia.

È il canto della Divina Commedia.

Il canto della Divina Commedia racconta l'amore tra Paolo e Francesca.

Ci vanno le persone.

Le persone vogliono ballare tutta la notte.

Inizia sempre con un monologo.

Il monologo parla di politica.

unità 3 | appendice

5 Gioco | Sì o no?

Soluzione: l'insegnante risponde sì *quando entrambi i luoghi scelti dallo studente sono femminili (esempio: alla stazione + a via Regina Elena). In tutti gli altri casi risponde* no.

2 L'accento di parola | modulo due

PAGINA DELLA FONETICA

2e *Gioca con un compagno.*

✶ Studente B

Scegli una parola nella tua lista e pronunciala sottolineando la vocale accentata. Lo **Studente A** controlla se è giusto.
In caso di pronuncia corretta, prendi i punti indicati qui sotto.
Poi il turno passa al tuo compagno.
Lui sceglie una parola dalla sua lista e la pronuncia.
Tu controlli nella lista dello **Studente A** se la pronuncia è corretta.
Alternatevi in questo modo fino a pronunciare tutte le parole.
Vince chi realizza più punti.

- parola accentata sulla terz'ultima vocale = 3 punti
- parola accentata sulla penultima vocale = 2 punti
- parola accentata sull'ultima vocale = 1 punti

	Studente A	Studente B
1.	familiare	ventuno
2.	scrivere	storico
3.	musica	libero
4.	insegnante	quarantatre
5.	partono	universita
6.	numero	colore
7.	liberta	matrimoniale
8.	turista	stazione
9.	pulito	telefono
10.	nazionalita	prendere

2 La frase dichiarativa, interrogativa ed esclamativa | modulo sei

Lavora con un compagno. DVD 63

✶ **Studente B** Dovete recitare un dialogo tra Euridice e Stefano. Tu sei Euridice. Nella trascrizione sono stati eliminati alcuni segni di punteggiatura. Comincia dicendo la prima battuta, poi ascolta la risposta (chiedi di ripetere se non capisci bene).
Continua il dialogo con la battuta successiva e dai l'intonazione adeguata.
Se vuoi scrivi i segni di punteggiatura, quando sei sicuro. Continuate così fino alla fine.
Recitate il dialogo finché non siete sicuri e senza mai guardare le battute dell'altro.
Alla fine ascoltate il dialogo con tutta la classe.

? ! .

1. Euridice Mi dispiace, non posso, tra un po' io devo tornare a casa ☐
   Domani mattina... insomma... devo alzarmi presto. Ho una lezione di Tai chi ☐
2. Euridice Sì, è un'arte marziale cinese... Che la vuoi vedere ☐
3. Euridice Tranquillo ☐ Stavo scherzando.
4. Euridice Facciamo un'altra volta ☐ Ti do il mio numero così mi chiami. Voi siete qui tutte le sere ☐
5. Euridice Allora... Va be'... Che ne dici se ci vediamo... domani ☐

1 *Il titolo del cortometraggio è "Petali". Secondo te cosa significa? Indica in quale foto sono rappresentati i petali.*

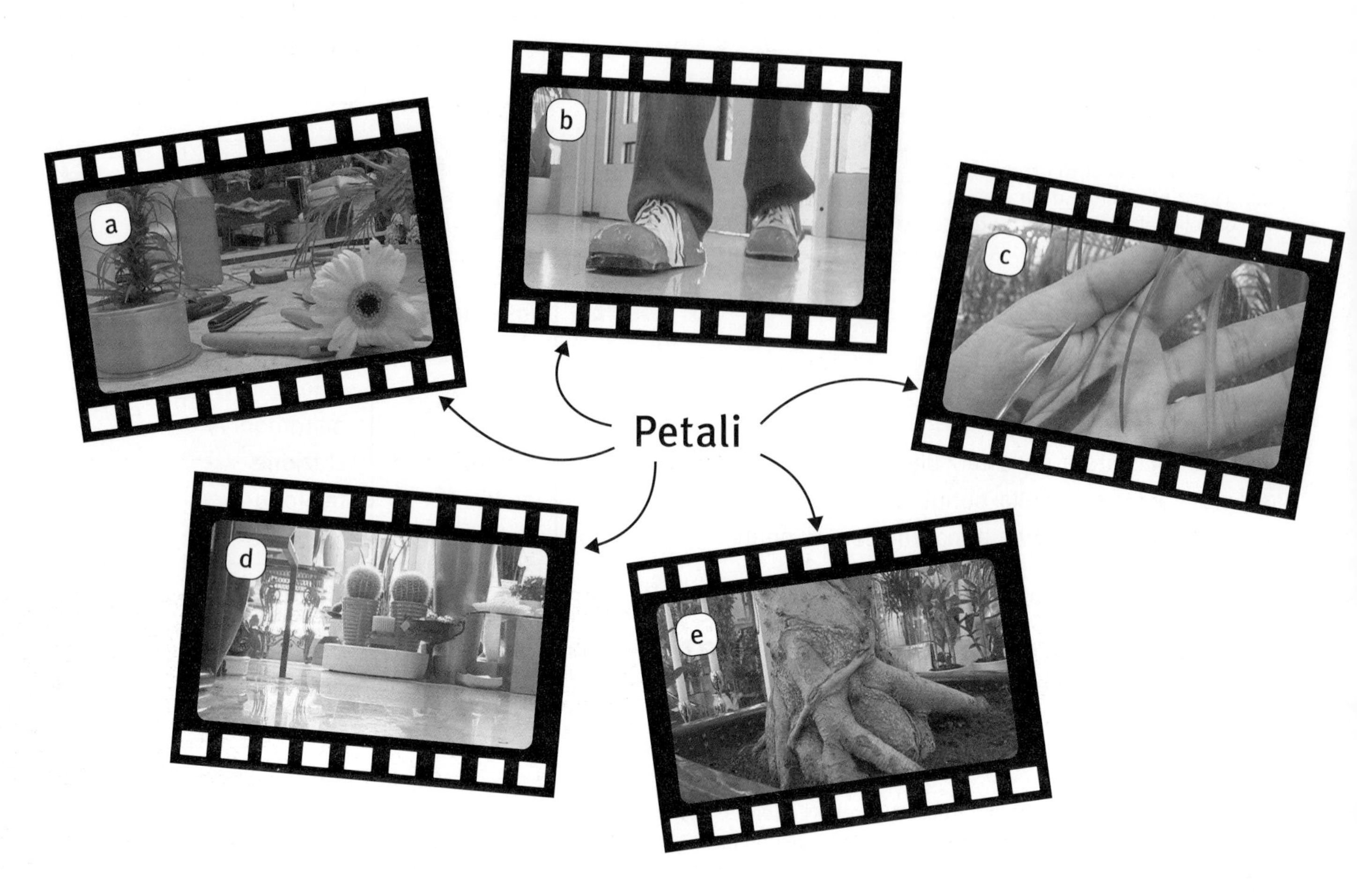

2 *Collega le scritte ai luoghi dove si possono trovare. Attenzione: uno dei luoghi non deve essere collegato.*

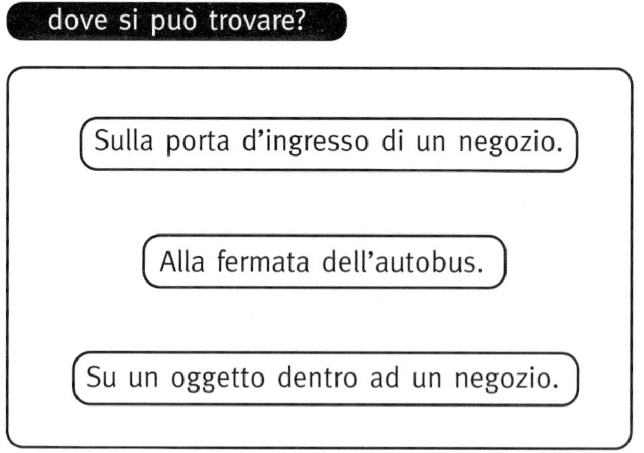

3 *Guarda questa scena del film e poi parla con un compagno.*
Provate ad immaginare chi sono i due personaggi usando la fantasia. DVD scena 1

4 *Guarda l'inizio del film e verifica le tue ipotesi.* DVD scena 2

5 *Qui sotto hai il dialogo della scena successiva. Metti in ordine le battute, come nell'esempio.*

Ragazza	Ciao.
Fioraio	Buongiorno.
Ragazza	_____
Fioraio	1
Ragazza	_____
Fioraio	_____
Ragazza	_____
Fioraio	Venti.
Ragazza	_____
Fioraio	È un regalo.
Ragazza	_____

1. *Da ieri. Beh, da ieri in proprio. Però ho già esperienza con i fiori.*
2. Da ieri in proprio, però ho già esperienza...
3. Grazie.
4. Vorrei un mazzo di fiori da mettere sul tavolo in salotto. Lo voglio semplice ma bello. Ma è da tanto che fai questo lavoro?
5. Io intendevo i soldi.
6. Quant'è?
7. Scusa, e questo?

6 *Ora guarda il film fino a poco prima della fine: verifica il punto* **5** *e poi rispondi alle due domande.*

DVD scena 3

▸ **Cosa ha fatto il ragazzo con i fiori?**

☐ 1. Li ha puliti.
☐ 2. Ha fatto il test "m'ama, non m'ama".
☐ 3. Ha messo un profumo sopra ogni fiore.

▸ **Cosa c'è scritto nel biglietto? Riordina la frase.**

_____ _____ tutti i

"_____ _____ _____"

ama | ho | ~~i~~ | m' | non | tolto* | ~~tutti~~

* tolto: participio passato di togliere = levare, eliminare

7 *Guarda il finale del film.*

DVD scena 4

8 *Leggi la storia del film e rimetti al posto giusto le informazioni mancanti, come nell'esempio. Se necessario guarda ancora il film.*

DVD petali

1. capisce che il mazzo di fiori ha gli stessi colori del suo vestito	3. dà il mazzo di margherite	6. scappa
2. *compra un mazzo di girasoli*	4. capisce che il vaso di fiori è uguale al quadro dei girasoli	7. scende dalla macchina
	5. sale in macchina	8. torna al negozio
		9. va a casa

Una ragazza entra in un negozio di fiori. 2 , _____ e li mette in un vaso. La ragazza guarda i fiori, apre un libro di quadri di Vincent Van Gogh e _____. La ragazza esce subito e _____ per comprare un altro mazzo di fiori. La ragazza prende i fiori, _____ e _____. Allora _____ e torna al negozio ma il fioraio è al cimitero, così va a cercarlo. Quando vede la ragazza, il fioraio _____ e comincia a rubare delle margherite dalle tombe. Poi si ferma e toglie i petali dai fiori. Quando la ragazza lo trova, lui le _____ e un foglietto dove c'è scritto "ho tolto tutti i non m'ama". Il fioraio e la ragazza si abbracciano.

9 *Completa il dialogo nella prima colonna con i verbi della lista. Poi indica nella seconda e nella terza colonna quale equivoco nasce dalla frase* **evidenziata**.

ho | ho | fai | è

Dialogo	La ragazza vuole	Secondo lui, lei
Ragazza: Ma _________ da tanto che _________ questo lavoro?	☐ chiedere da quanto tempo fa il fioraio.	☐ gli chiede da quanto tempo fa il fioraio.
Fioraio: Da ieri. Beh, da ieri in proprio. Però _________ già esperienza con i fiori.	☐ chiedere il prezzo del mazzo di fiori.	☐ gli chiede il prezzo del mazzo di fiori.
Ragazza: **Quant'è?**		
Fioraio: Da ieri in proprio, però _________ già esperienza...	☐ chiedere se il mazzo di fiori è pronto.	☐ gli chiede se il mazzo di fiori è pronto.
Ragazza: Io intendevo i soldi.		
Fioraio: Venti.		

10 *Completa il dialogo nella prima colonna con il verbo* **conoscere** *al presente e i tre pronomi della lista. Poi indica nella seconda e nella terza colonna quale equivoco nasce dalla frase* **evidenziata**.

lo | mi | lo

Dialogo	La ragazza vuole	Secondo lui, lei
Ragazza: **Ma allora _________ Vincent!**	☐ chiedere se lui conosce il pittore Van Gogh.	☐ gli chiede se conosce il pittore Van Gogh.
Fioraio: Eh... qualche... qualche cliente _________ _________ di vista però... non è che... _________ tutti i loro... i loro nomi.	☐ dire che lei conosce il pittore Van Gogh.	☐ gli dice che lei conosce il pittore Van Gogh.
Ragazza: Veramente... intendevo Van Gogh. Va beh, non _________ _________, però hai capito cosa _________ piace. Mi fai un altro mazzo?	☐ chiedere se lui conosce un cliente che si chiama Vincent.	☐ gli chiede se conosce un cliente che si chiama Vincent.

11 *In italiano generalmente il pronome soggetto* **io** *non si usa. Guarda ancora la scritta qui sotto. Perché il fioraio l'ha usato? Scegli la risposta corretta.*

SONO IN CIMITERO, MA IO TORNO!

☐ 1. Perché ha fretta di tornare e vuole informare che torna molto presto.
☐ 2. Per sottolineare ironicamente la differenza tra lui e gli altri che non tornano (i morti).
☐ 3. Perché sta accompagnando altre persone e vuole informare che solo lui torna al negozio.

12 *Gioca a squadre. Riguarda il film e prendi appunti scrivendo su un foglio i nomi e i colori degli oggetti (mobili, fiori, piante, palazzi, ecc.) che vedi. Se non conosci qualche nome, scrivilo nella tua lingua madre. Lavora con il tuo gruppo e preparate le domande per chiedere i colori degli oggetti all'altra squadra, come negli esempi. Attenzione: dovete sapere la risposta. Quando siete pronti iniziate la sfida. Se la grammatica della domanda è sbagliata la squadra che ha fatto la domanda perde un punto. Se la risposta è corretta la squadra che ha risposto guadagna un punto.*

DVD petali

Esempi
- ▸ Di che colore sono i girasoli? ■ Sono gialli.
- ▸ Di che colore è la zucca? ■ È arancione.

esercizi ▶ test ▶ bilanci

1 *Completa le vignette con i saluti della lista, come nell'esempio.*

- arrivederci
- buonasera
- buongiorno
- ~~arrivederci~~

2 *Inserisci i saluti al posto giusto nella tabella.*

	☀	☾
arrivo	______	______
	______	______
partenza	______	______
	______	______
	______	______

- buongiorno
- buonasera
- arrivederci
- ciao

3 *Trova 8 numeri nel puzzle e scrivili negli spazi dal più piccolo al più grande, come nell'esempio.*

1 R	2 H	3 U	4 N	5 D	6 V	7 O	8 S	9 S	10 A
11 L	O	S	T	R	E	N	T	A	A
12 Q	U	I	L	I	N	C	I	A	L
13 U	N	V	E	N	T	O	T	T	O
14 I	M	E	C	H	I	M	A	R	U
15 N	O	N	Q	U	N	O	S	E	N
16 D	E	T	R	I	O	L	E	D	D
17 I	Q	U	A	T	V	S	I	I	I
18 C	I	N	Q	U	E	D	I	C	I
19 I	D	O	T	T	E	S	A	I	U

1. uno
2. ______
3. ______
4. ______
5. ______
6. ______
7. ______
8. ______

4 *Ascolta e fai le operazioni, come negli esempi.* DVD esercizi 1

a. 10 + 4 = 14 b. 15 – 2 = 13
c. ____ + ____ = ____ d. ____ + ____ = ____
e. ____ – ____ = ____ f. ____ + ____ = ____
g. ____ – ____ = ____ h. ____ – ____ = ____
i. ____ + ____ = ____ l. ____ + ____ = ____

5 *Ascolta, scrivi le lettere e ricostruisci le parole. Le lettere* **evidenziate** *daranno un saluto in italiano.*

esercizi 2

1. _ _ ■ _ _
2. _ _ ■ _ _ _ _ _ _ _ _
3. _ ■ _ _ ■ _
4. ■ _ _ _ _
5. _ _ ■ _ _ _ _
6. _ _ _ ■ _ _ _ _ _ _
7. _ ■ _ _ _ _
8. _ _ _ _ _ _ _ _ ■ ■

Il saluto è: _ _ _ _ _ _ _ _ _ _

6 *Scrivi le lettere. Poi ricostruisci la frase.*

a.
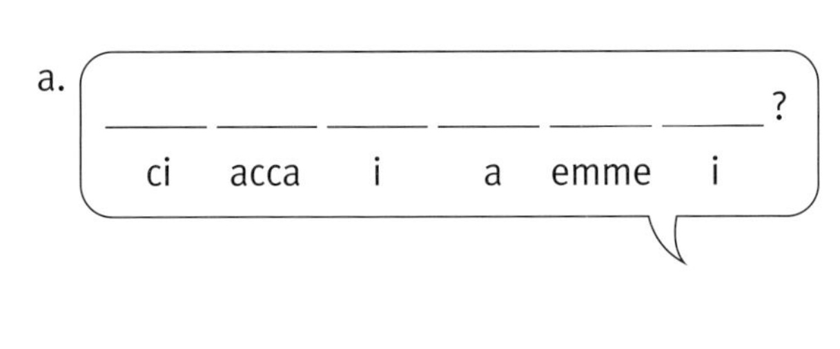

c.
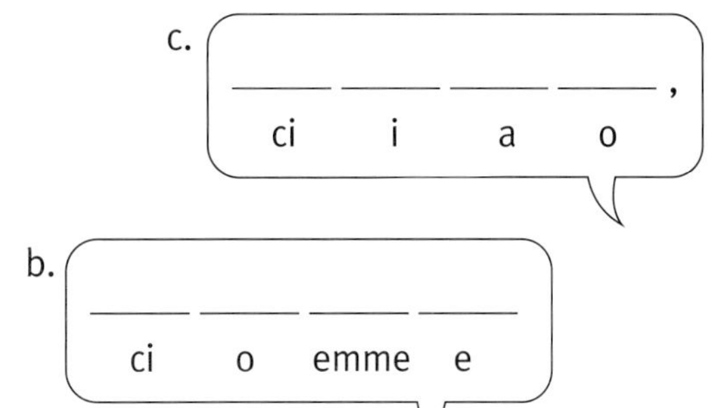

b.

d.
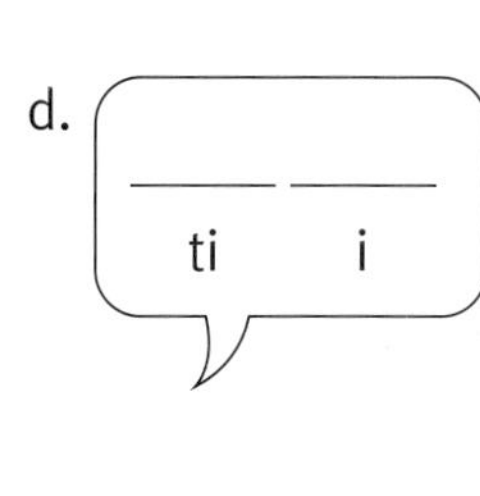

1. ____ ▸ 2. ____ ▸ 3. ____ ▸ 4. ____

7 *Unisci le frasi di sinistra (in ordine) con quelle di destra e ricostruisci il dialogo, come nell'esempio.*

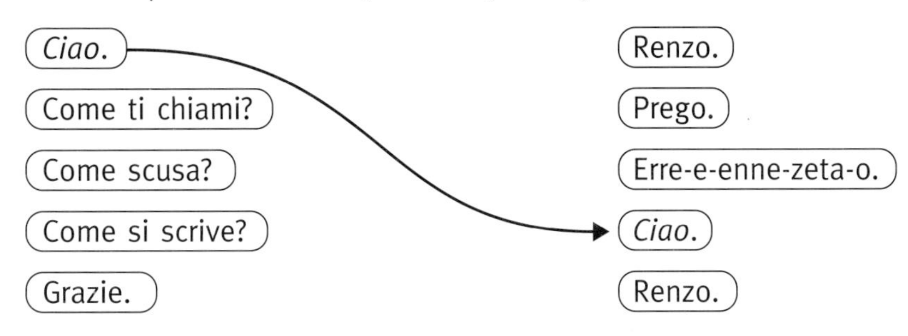

Vai su www.almaedizioni.it/domani e mettiti alla prova con gli esercizi on line dell'unità o.

8 *Completa con il verbo* **chiamarsi.**

1. • Come ti ______________? ■ Paolo
2. • Mi ______________ Antonio. E tu? ■ Concetta.
3. • Come si ______________ l'insegnante di italiano? ■ Antonietta.

1 *Collega ogni parola alla foto giusta.*

in aereo | in treno | in stazione | in aeroporto

a b c d

2 *Ascolta. Dove puoi sentire questo annuncio?* DVD esercizi 3

3 *Ascolta di nuovo. Numera e scrivi i nomi delle città al posto giusto nella cartina e ricostruisci il percorso del treno, come nell'esempio.* DVD esercizi 3

Bologna | Milano | ~~Firenze~~ | Napoli | Roma

3. FIRENZE

4 *Unisci le domande alle risposte.*

Come ti chiami?	A Milano.
Di dove sei?	Antonio.
Dove vai?	28.
Quanti anni hai?	Di Venezia.

5 *Completa il dialogo con il presente dei verbi* **essere** *e* **andare**.

- Scusa! ________________ libero questo posto?
- Sì, prego.
- Grazie. Dove ________________?
- Io?
- Sì.
- ________________ a Roma.
- Anch'io ________________ a Roma.
- Ah.
- Però non ________________ di Roma. ________________ di Napoli.

6 *Completa il testo con le parole della lista.*

a | anche | di | è | è | studentessa | va

Paolo ________________ un insegnante. È ________________ Napoli e ha 30 anni.
Paolo va ________________ Roma per la manifestazione contro l'inquinamento.
________________ Pilar va a Roma. ________________ spagnola ma vive in Italia da dieci anni.
Pilar ha 25 anni ed è una ________________. ________________ a Roma perché ha un esame all'università.

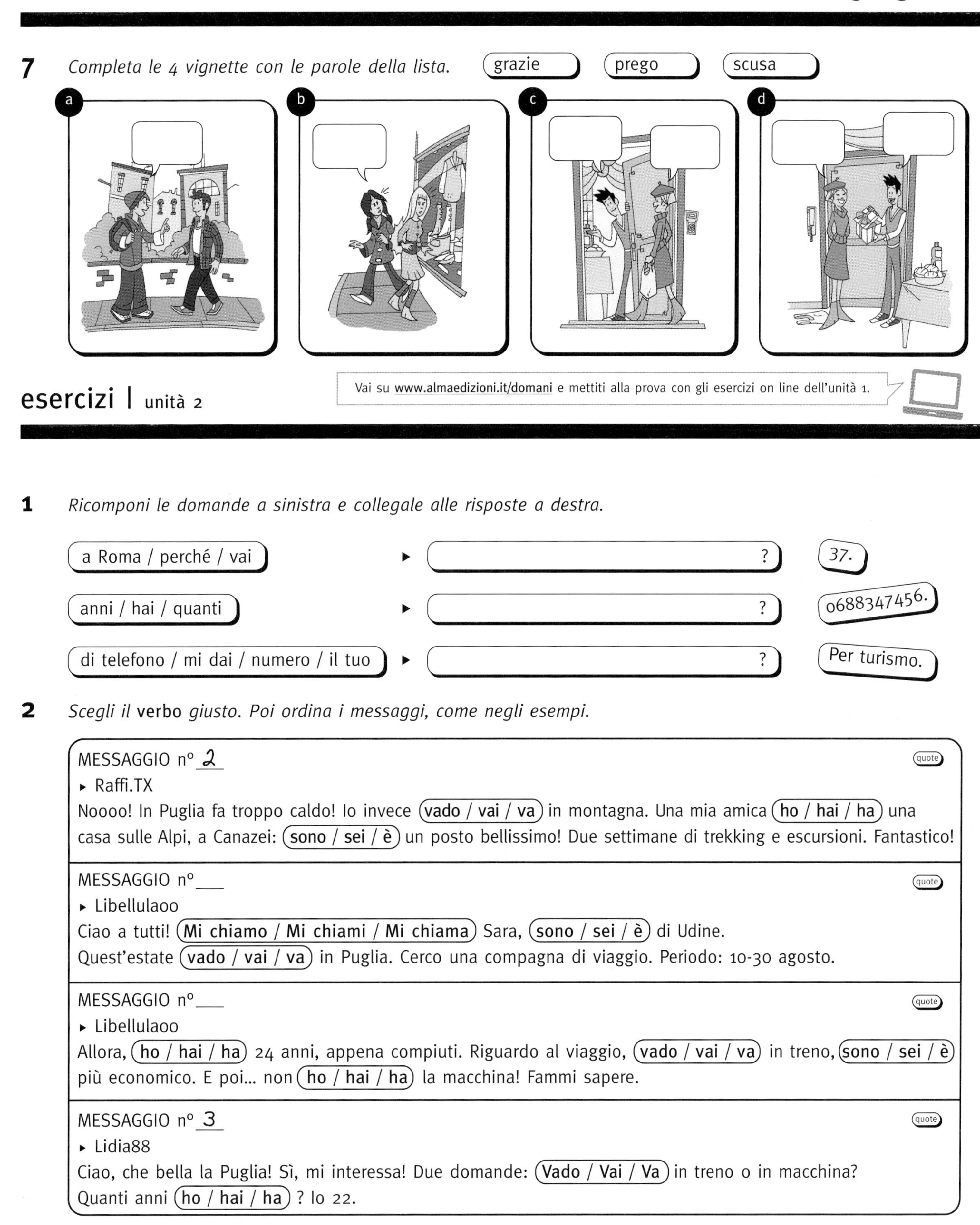

7 *Completa le 4 vignette con le parole della lista.* grazie prego scusa

a b c d

esercizi | unità 2

Vai su www.almaedizioni.it/domani e mettiti alla prova con gli esercizi on line dell'unità 1.

1 *Ricomponi le domande a sinistra e collegale alle risposte a destra.*

a Roma / perché / vai	▸	?	37.
anni / hai / quanti	▸	?	0688347456.
di telefono / mi dai / numero / il tuo	▸	?	Per turismo.

2 *Scegli il* **verbo** *giusto. Poi ordina i messaggi, come negli esempi.*

MESSAGGIO n° 2 quote
▸ Raffi.TX
Noooo! In Puglia fa troppo caldo! Io invece (vado / vai / va) in montagna. Una mia amica (ho / hai / ha) una casa sulle Alpi, a Canazei: (sono / sei / è) un posto bellissimo! Due settimane di trekking e escursioni. Fantastico!

MESSAGGIO n° ___ quote
▸ Libellulaoo
Ciao a tutti! (Mi chiamo / Mi chiami / Mi chiama) Sara, (sono / sei / è) di Udine.
Quest'estate (vado / vai / va) in Puglia. Cerco una compagna di viaggio. Periodo: 10-30 agosto.

MESSAGGIO n° ___ quote
▸ Libellulaoo
Allora, (ho / hai / ha) 24 anni, appena compiuti. Riguardo al viaggio, (vado / vai / va) in treno, (sono / sei / è) più economico. E poi... non (ho / hai / ha) la macchina! Fammi sapere.

MESSAGGIO n° 3 quote
▸ Lidia88
Ciao, che bella la Puglia! Sì, mi interessa! Due domande: (Vado / Vai / Va) in treno o in macchina?
Quanti anni (ho / hai / ha) ? Io 22.

3 *Completa il cruciverba con i numeri, come nell'esempio.*

Orizzontali ➡

1. 11
3. 100
8. 90
9. 50
10. 82
11. 38
12. 0
13. 10

Verticali ⬇

2. 19
4. 99
5. 61
6. 40
7. 33

4 *Ascolta i messaggi e completa, dove possibile, le schede delle 3 persone, come nell'esempio.* DVD esercizi 4

	①	②	③
Nome e cognome	Aurora Ricci	Calenda	Rubino
Città			
Professione			
Anni			
Telefono			

Vai su www.almaedizioni.it/domani e mettiti alla prova con gli esercizi on line dell'unità 2.

esercizi | unità 3

1 *Tre parole* evidenziate *nel primo testo sono state scambiate con tre parole* evidenziate *nel secondo testo. Rimettile in ordine, come nell'esempio.*

Palermo
Una **Casa** contro l'inquinamento
ore 9.00 ▸ Lungomare

Appuntamento al **piazza**: pizza e **bambini** per tutti con l'Associazione "Buongiorno natura".

Firenze
Giornata in **mare**
ore 14.00 ▸ Piazza Dallapiccola

Spettacoli e arte per grandi e **vino**: una giornata di appuntamenti contro l'inquinamento a cura della **pizza** dello Studente.

2 *Scrivi al posto giusto, nelle tabelle sotto, i nomi* **evidenziati**, *come negli esempi.*

L'Italia non è solo Roma, Firenze e Venezia. Moltissime sono le ***città*** da visitare, ricche di ***arte*** e ***cultura***, con chiese, musei e **palazzi** antichi.

NORD
MANTOVA: è la **città** dei laghi e del famoso **Palazzo** Ducale dalle stanze meravigliosamente affrescate.
PARMA: è la **capitale** della **musica** e del cibo.
TRIESTE: è una città cosmopolita, luogo d'incontro di tante **nazionalità**, collocata tra il **mare** e la **montagna**, al confine tra l'Italia e la Slovenia.
RAVENNA: è famosa per i **mosaici** delle sue **chiese** di epoca romanica.

CENTRO
SIENA: è la città del palio, la gara con i **cavalli** famosa in tutto il **mondo**.
PISA: è la città della **torre** pendente.
ASSISI: qui è nato San Francesco, il **santo** patrono d'Italia.

SUD
NAPOLI: è il **centro** più importante del Sud. Qui è nata la **pizza** margherita (pizza con **pomodoro** e **mozzarella**).
MATERA: è in Basilicata. È famosa per i suoi "sassi": le antiche **case** scavate nella roccia.
LECCE: è una piccola e vivace cittadina della Puglia, famosa per le **costruzioni** in stile barocco.

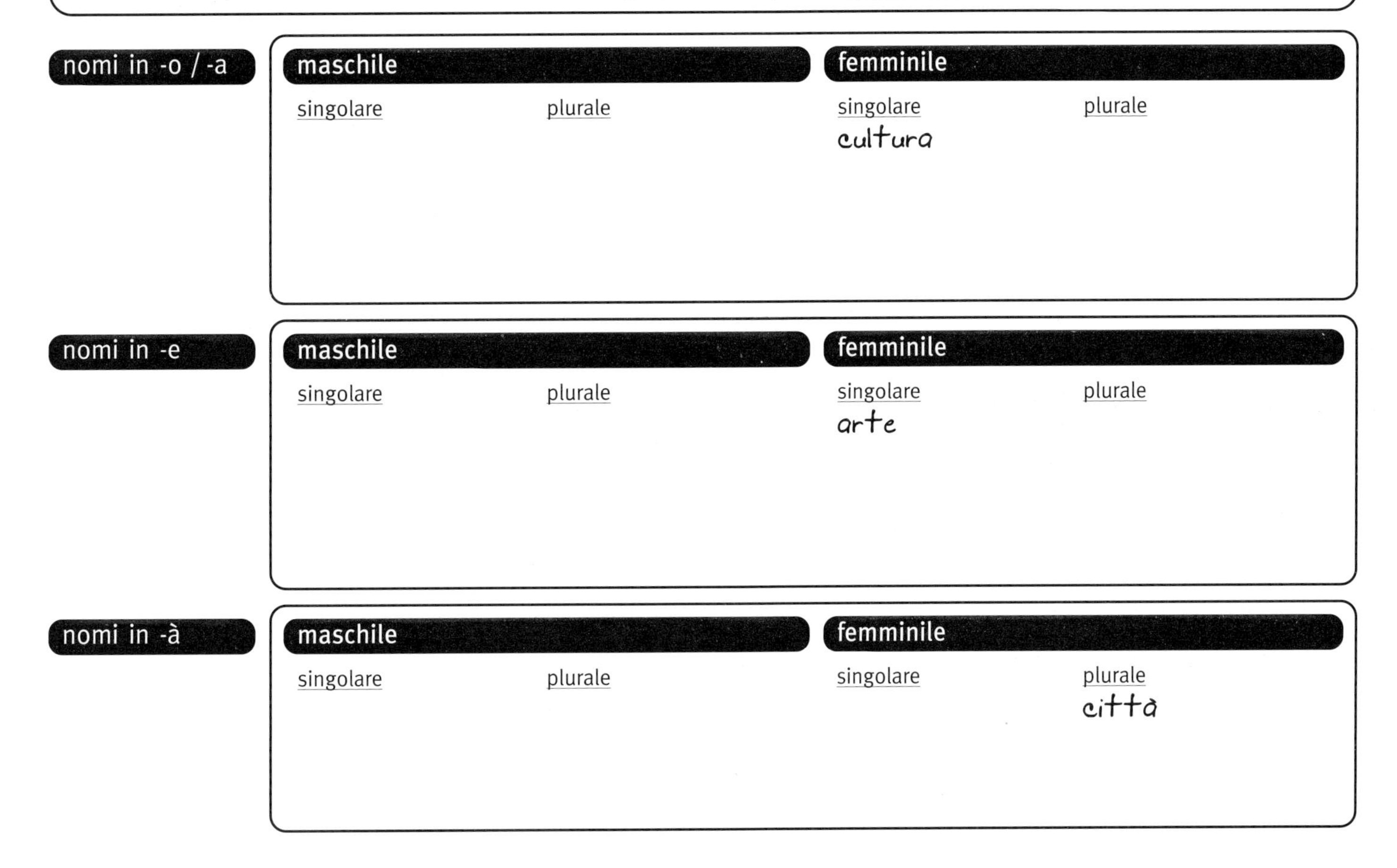

nomi in -o / -a	maschile		femminile	
	singolare	plurale	singolare	plurale
			cultura	

nomi in -e	maschile		femminile	
	singolare	plurale	singolare	plurale
			arte	

nomi in -à	maschile		femminile	
	singolare	plurale	singolare	plurale
				città

3 *Forma il plurale o il singolare dei nomi dell'esercizio* **2**.

4 *Completa con il* **plurale** *dei nomi tra parentesi.*

Milano
Sit in all'Università Bocconi
ore 14.30 ▸ via Sarfatti 25

Gli (*studente*) ____________ delle 7 (*università*) ____________ di Milano si incontrano per 7 (*lezione*) ____________ sull'ecologia.

Roma
Notte di musica
ore 22.00 ▸ Centro storico

(*Canzone*) ____________ per il futuro: i (*gruppo*) ____________ di musica popolare cantano e suonano nelle (*strada*) ____________ e nelle (*piazza*) ____________ della città.

5 *Completa i dialoghi con le parole della lista. Poi scegli il luogo dove si svolgono.*

arrivederci | arrivederci | prego | pronto | pronto | scusa

①
- ____________! È libero questo posto?
- Sì, ____________!

②
- ____________?
- ____________ Luca, sono Claudio.

③
- Allora io vado, ____________ ragazzi!
- ____________ prof!

a scuola

in treno

al telefono

6 *Ordina le frasi e ricostruisci la telefonata. Attenzione: una frase ha le parole in disordine.*

- ______________________________
- ______________________________
- ______________________________
- ______________________________
- ______________________________
- ______________________________

Ciao! Sono alla stazione.

Pronto? Ciao Carla, sono Arturo.

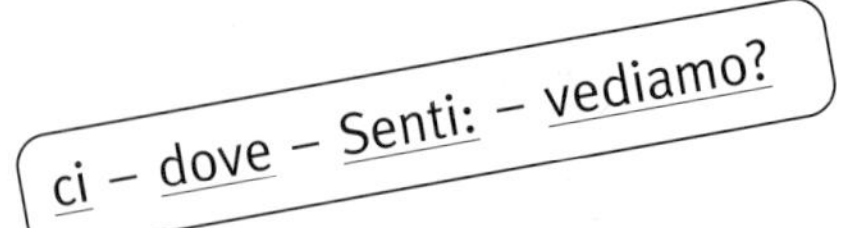

Ok, perfetto.

Pronto?

Vai su www.almaedizioni.it/domani e mettiti alla prova con gli esercizi on line dell'unità 3.

1 *Inserisci le battute negli spazi, al posto giusto.*

Scusa! È libero questo posto?	Sì, prego.
Dove vai?	Piacere. Io mi chiamo Paolo!
Io sono Pilar.	A Roma.

• Ogni frase al posto giusto 3 punti — Totale: ____ / 18

2 *Ricostruisci l'annuncio del treno. Attenzione alla punteggiatura.*

Il treno
☐ ______________________
☐ ______________________
☐ ______________________
☐ ______________________
☐ ______________________
☐ ______________________

1. a Roma, Firenze, Bologna e Milano.
2. dal binario 1.
3. delle 8 e 22
4. è in partenza
5. Eurostar 9405
6. Ferma

• Ogni parte al posto giusto 2 punti — Totale: ____ / 12

3 *Completa le domande con i* **verbi** *mancanti e unisci ogni domanda alla risposta corretta, come nell'esempio.*

1. Come ti ______________ ?
2. Di dove ______________ ?
3. Dove ______________ ?
4. Quanti anni ______________ ?
5. Mi ______________ il tuo numero di telefono?
6. Come si scrive Paolo?

a. 2298132476.
b. Di Napoli.
c. Paolo.
d. Pi-a-o-elle-o.
e. *A Roma.*
f. 35.

1 / ____ ▸ 2 / ____ ▸ 3 / *e* ▸ 4 / ____ ▸ 5 / ____ ▸ 6 / ____

• Ogni verbo corretto 4 punti • Ogni abbinamento corretto 1 punto — Totale: ____ / 25

4 *Completa con i* **verbi** *negli spazi* ________ *e con i* **nomi** *della lista negli spazi* _ _ _ _ _ _ _.

Circo

giornata

inquinamento

mondo

parole

Per il nostro futuro!

Il 25 giugno (*essere*) ____________ la giornata contro l'_ _ _ _ _ _ _. A Roma la Manifestazione nazionale (*andare*)____________ da Piazza della Repubblica al _ _ _ _ _ _ _ Massimo.

L'organizzatore della _ _ _ _ _ _ _ è un giovane blogger, (*avere*)____________ 25 anni e (*chiamarsi*)____________ Franco Rossi. Queste le _ _ _ _ _ _ _ del suo blog: "(*Avere*) ____________ un sogno, un _ _ _ _ _ _ _ pulito!".

• Ogni verbo corretto 2 punti • Ogni nome corretto 1 punto — Totale: ____ / 15

5 *Completa il testo con i* **nomi** *della lista. Attenzione: i nomi della lista sono al singolare.*

bambino · cinema · Centro · città · giornata · gondola · lezione · mare · mondo · musica · Piazza · strada · studente · teatro · università

CONTRO L'INQUINAMENTO! PER IL NOSTRO FUTURO

sabato 25 giugno • 8 appuntamenti in 7 città

Palermo
Una pizza contro l'inquinamento
ore 9.00 • Lungomare

Appuntamento al ________: pizza e vino per tutti con l'Associazione "Buongiorno natura".

Firenze
Giornata in piazza
ore 14.00 • Piazza Dallapiccola

Spettacoli, arte e musica per grandi e ________: una ________ di appuntamenti contro l'inquinamento a cura della Casa dello Studente.

Venezia
100 gondole per un mondo pulito
ore 21.00 • Canal Grande

100 ________ per un mondo pulito nella ________ più bella del ________: da Rialto a Piazza San Marco.

Milano
sit in all'Università Bocconi
ore 14.30 • via Sarfatti 25

Gli ________ delle 7 ________ di Milano si incontrano per 7 ________ sull'ecologia.

Roma
Manifestazione nazionale
ore 10.00 • ________ della Repubblica

Per dire NO all'inquinamento! Da Piazza della Repubblica al Circo Massimo.

Napoli
Lezione di teatro
ore 19.30 • via Roma

Al ________ "Roma" lezioni di teatro gratis per tutti.

Genova
Partita di calcio
ore 21.00 • Stadio Ferraris

Partita di calcio con le star del ________ e della televisione.

Roma
Notte di musica
ore 22.00 • ________ storico

Canzoni per il futuro: i gruppi di ________ popolare cantano e suonano nelle ________ e nelle piazze della città.

• Ogni nome corretto e al posto giusto 2 punti — Totale: ____ / 30

☞ Totale test: ____ / 100

Cosa so fare?

Attirare l'attenzione di qualcuno.	☐	☐	☐
Salutare.	☐	☐	☐
Chiedere e dire il nome, l'età, la provenienza, la destinazione, il numero di telefono.	☐	☐	☐
Chiedere scusa.	☐	☐	☐
Ringraziare e rispondere.	☐	☐	☐
Iniziare una conversazione telefonica.	☐	☐	☐
Contare fino a 100.	☐	☐	☐
Chiedere e suggerire il luogo di un appuntamento.	☐	☐	☐
Capire testi brevi e sintetici come volantini o brochure.	☐	☐	☐

Cosa ho imparato

Pensa a quello che hai imparato e scrivi...

- 5 parole o espressioni molto utili:
- una parola, espressione o regola molto difficile:
- una forma tipica della lingua parlata:
- una curiosità culturale sull'Italia e gli italiani:

Cosa faccio... | studiare l'italiano

1 *Inserisci nei tre riquadri le cose che fai in classe quando studi l'italiano.*

1. Lavorare da solo.
2. Lavorare in gruppo.
3. Giocare.
4. Lavorare in coppia.
5. Studiare la grammatica.
6. Usare domande in italiano (*Come si dice?*, *Che significa?*, *Come, scusa?*, ecc.).
7. Leggere un testo in italiano.
8. Ascoltare un dialogo in italiano.

È molto utile!

Non è utile!

Non so.

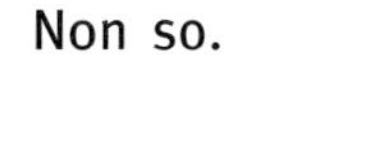

2 *Lavora con un gruppo di compagni e scegliete la cosa più utile e la cosa meno utile.*

Mi metto alla prova | creare un profilo su Facebook

Vai sul sito http://it-it.facebook.com *e crea il tuo profilo in italiano.*
Se hai già un profilo nella tua lingua, usa un avatar. Utilizza il tuo nuovo profilo per comunicare con i tuoi compagni di corso o con altre persone che parlano e/o studiano italiano.

1 *Unisci le domande a sinistra alle risposte a destra.*

Avete posto per due persone?	La camera doppia costa 60 euro a notte.
Avete una camera singola?	Il 44.
Qual è il prezzo?	No, abbiamo solo una camera doppia.
Quale autobus dobbiamo prendere?	Sì, abbiamo una camera matrimoniale con bagno.

2 *Completa le due e-mail. Inserisci negli spazi* ___________ *i verbi* **essere** *e* **avere** *e negli spazi* _ _ _ _ _ _ _ *le espressioni della lista.*

Buongiorno, | Cordiali saluti. | Gentile signora Pettinari, | Grazie.

a

A: reception123@yahoo.it
Oggetto: informazioni

_ _ _ _ _ _ _
vorrei alcune informazioni per affittare una stanza nel vostro albergo. Io e mio marito arriviamo a Genova venerdì 24 maggio. (Voi) ___________ una stanza matrimoniale per due notti?

_ _ _ _ _ _ _

Francesca Pettinari

b

A: francescapettinari@yahoo.it
Oggetto: Re: informazioni

_ _ _ _ _ _ _
in quel periodo l'albergo ___________ pieno e (noi) ___________ solo una stanza doppia con bagno. La stanza ___________ molto bella e ___________ una bella finestra con vista sul mare.

_ _ _ _ _ _ _

Rosario Di Mario | Albergo Sole, Genova

3 *Questo dialogo è in disordine. Metti le frasi nell'ordine corretto, come nell'esempio.*

Suor Caterina

- [1] *Bene. Allora la vostra stanza è la numero 3. Ecco la chiave.*
- [ ] La colazione...
- [ ] Domani mattina dalle 7.00 alle 10.00.
- [ ] Sì, scusate però, un'ultima cosa...

Giulia

- [ ] Grazie.
- [ ] Perfetto, grazie sorella. Arrivederci.
- [ ] A che ora è?
- [ ] Sì, cosa?

4 *Unisci ogni punto con un numero immediatamente più alto. Comincia da 100 e arriva a 1000. Attenzione: alcuni numeri sono sbagliati e non li devi unire agli altri. Poi scrivi nel giusto ordine le lettere* **evidenziate**. *Scoprirai il nome dell'animale del disegno.*

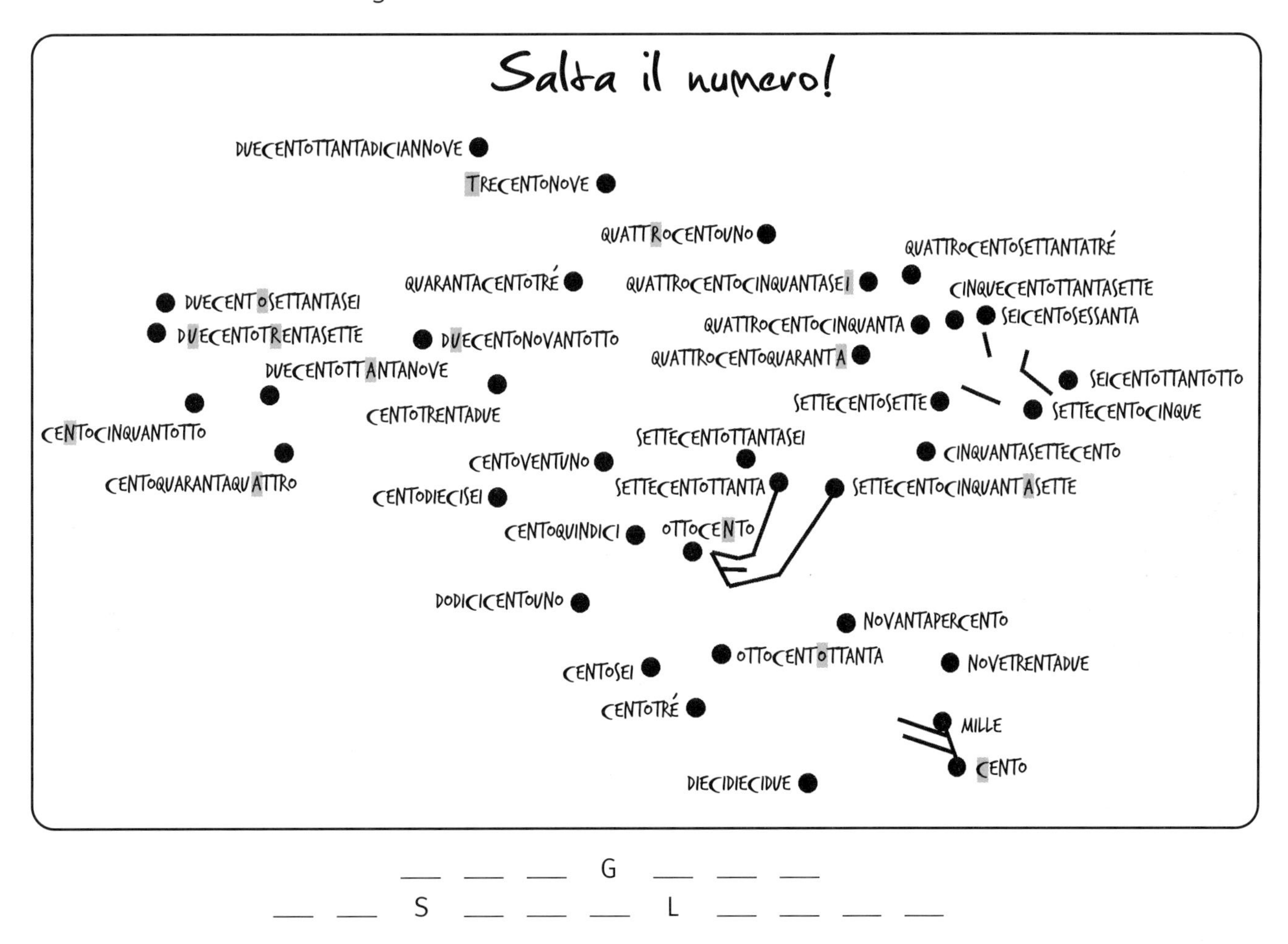

___ ___ ___ G ___ ___ ___

___ ___ S ___ ___ ___ L ___ ___ ___ ___

5 *Conosci questi artisti? Scrivi la loro nazionalità.*

1. William Shakespeare è ________________. (*Inghilterra*)
2. Ludwig Van Beethoven è ________________. (*Germania*)
3. Shikibu Murasaki è ________________. (*Giappone*)
4. Penelope Cruz è ________________. (*Spagna*)
5. Edvard Munch è ________________. (*Norvegia*)
6. Dante Alighieri è ________________. (*Italia*)
7. Vladimir Majakovskij è ________________. (*Russia*)
8. Gong Li è ________________. (*Cina*)
9. Juliette Binoche è ________________. (*Francia*)
10. Vinícius de Moraes è ________________. (*Brasile*)
11. Fernando Botero è ________________. (*Colombia*)
12. Wolfgang Amadeus Mozart è ________________. (*Austria*)
13. David Cronenberg è ________________. (*Canada*)
14. Nicole Kidman è ________________. (*Australia*)

6 *Completa il testo con i verbi al* presente.

blog

La meta della mia gita *(essere)* ____________ la bellissima città di Roma.
Il treno Eurostar Milano – Roma (*partire*) ____________ alle 7.00 e (*arrivare*) ____________ alle 10.30. A Roma (*io-prendere*) ____________ la metropolitana e (*scendere*) ____________ alla stazione Lepanto. (*Raggiungere*) ____________ l'Albergo della Gioventù. L'albergo (*costare*) ____________ circa 15 euro a persona per notte. Dopo l'arrivo, io e i miei amici facciamo una passeggiata.
(*Vedere*) ____________ lo Stadio Olimpico, lo Stadio dei Marmi, il Palazzetto dello Sport e anche l'Osservatorio Astronomico di Monte Mario. (*Andare*) ____________ anche a vedere il Tevere, il fiume che (*attraversare*) ____________ Roma. La sera sono molto stanco, i miei amici (*andare*) ____________ a ballare in discoteca e io (*cercare*) ____________ un posto dove mangiare e alla fine (*tornare*) ____________ a dormire: domani sarà una giornata molto intensa.

www.icmarcallo.it

Vai su www.almaedizioni.it/domani e mettiti alla prova con gli esercizi on line dell'unità 4.

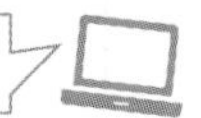

esercizi | unità 5

1 *Completa le domande a sinistra con gli* interrogativi *della lista. Poi collega ogni domanda alla risposta corretta a destra.*

Che | Come | Dove | Perché | Quale | Quando

- ▶ ____________ si chiama il fidanzato di Giulia?
- ▶ ____________ autobus devo prendere?
- ▶ ____________ ore sono?
- ▶ ____________ Chiara e Mauro sono a Roma?
- ▶ ____________ si trova Milano?
- ▶ ____________ si dice "Buongiorno"?

- ■ È mezzanotte.
- ■ Dalla mattina presto fino alle 13.00.
- ■ Mauro.
- ■ Nel nord Italia.
- ■ Per la manifestazione.
- ■ Il 3.

2 *Completa la storia di Caravaggio con le* congiunzioni *e gli* articoli *corretti.*

Caravaggio nasce nel 1571, vicino Milano. Nel 1595 è a Roma. Qui dipinge molte opere religiose e / ma diventa un artista famoso. E / Ma forse la / il / le sua arte è troppo "sensuale" e / ma poco adatta alla rappresentazione sacra. La sua tecnica (detta "chiaroscuro") evidenzia le / i / lo contrasti di luce. Le / Gli / L' arte di Caravaggio è rivoluzionaria per i / le / il suo tempo.
Nel 1606 uccide un / una uomo in un / un' duello.
Ricercato dalla polizia, deve fuggire.
Il 18 luglio 1610, solo e malato, Caravaggio muore a 39 anni, sulla spiaggia di Porto Ercole, in Toscana.

3 *Riscrivi la frase mettendo in ordine le parti della colonna a destra, come negli esempi.*

1	Salve,
7	alcune informazioni

1. *Salve,*
2. vorrei
3. leggo sul vostro sito
4. le camere all'interno
5. del convento e
6. che è possibile affittare
7. *alcune informazioni.*

4 *Unisci gli orari agli orologi corrispondenti, come nell'esempio.*

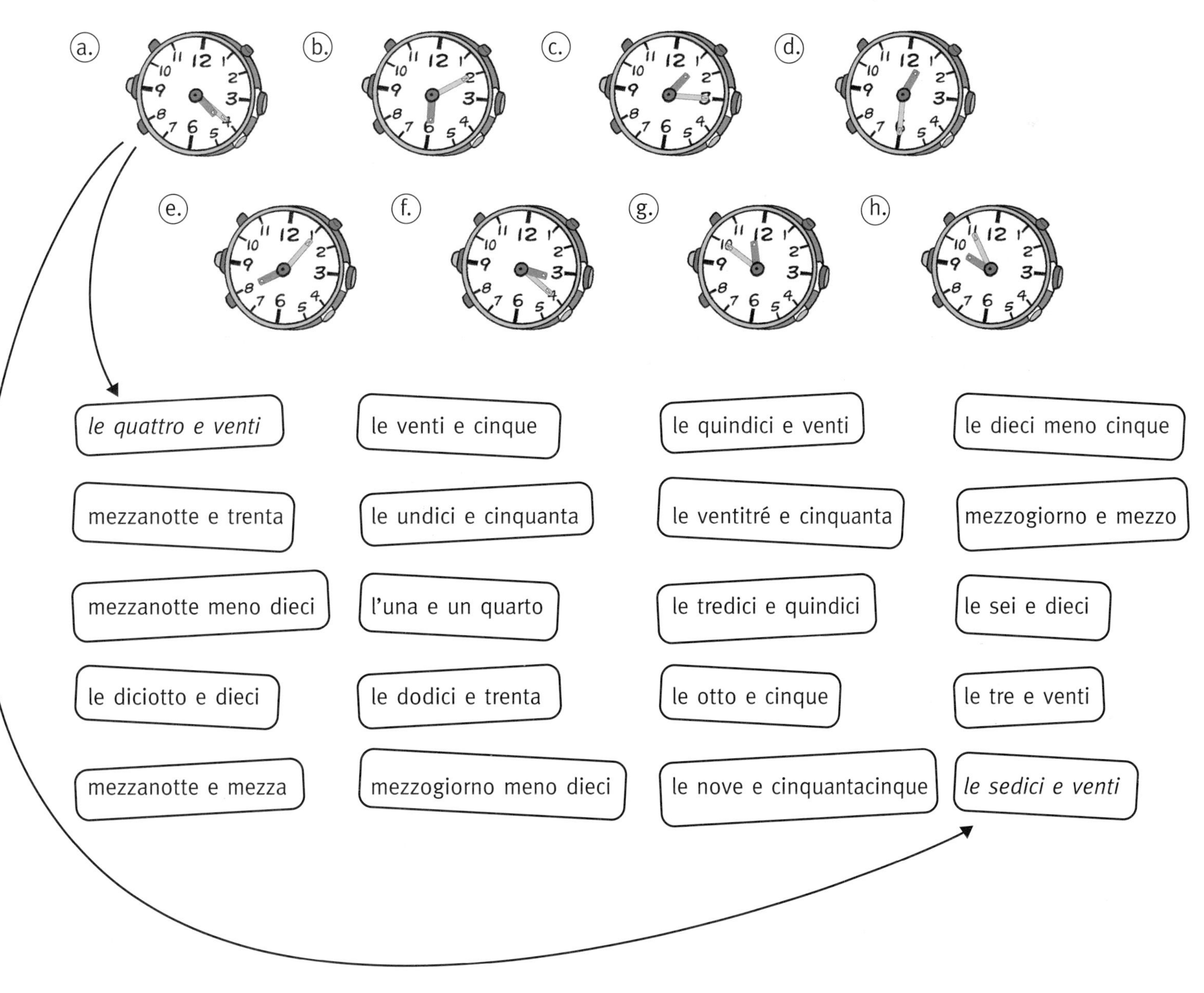

5 *Disegna le lancette degli orari evidenziati e collega gli orologi agli orari giusti nei testi.*

Pinacoteca di Brera
Via Brera, 28, Milano
Orario di apertura:
Martedì ▸ Domenica dalle 8.30 alle 19.15.
La biglietteria chiude alle 18.30.

Museo e Galleria Borghese
Piazzale del Museo Borghese 5, Roma
Orario di apertura:
Martedì ▸ Domenica dalle ore 8.30 alle 19.30.
La biglietteria chiude alle 18.30.

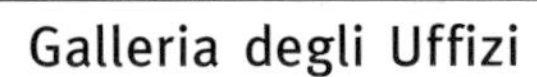

Galleria degli Uffizi
Piazzale degli Uffizi 6, Firenze
Orario di apertura:
Martedì ▸ Domenica: dalle 8.15 alle 18.50
Visite guidate al Corridoio Vasariano:
il martedì e il giovedì alle 9.00 e alle 11.30,
il mercoledì e il venerdì alle 14.00 e alle 16.30.

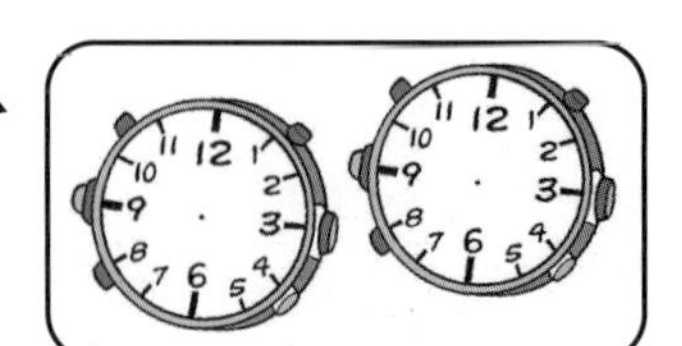

Vai su www.almaedizioni.it/domani e mettiti alla prova con gli esercizi on line dell'unità 5.

1 *Completa il testo con gli* **aggettivi** *della lista.*

antiche | deliziose | matrimoniale | panoramica | piccola | romantico | straordinaria

A Bologna l'albergo con una sola camera.

Dentro la Torre Prendiparte, a Bologna, c'è un Bed & Breakfast con una sola camera da letto!
La torre ha 11 piani:
1° piano • Qui c'è la camera per gli ospiti del Bed & Breakfast, con un soggiorno in stile '700 e un elegante letto ________________.
2° piano • Il piano è occupato da una ________________ cucina.
3° piano • Tutto il piano è un ________________ ristorante con un solo tavolo, dove i clienti possono mangiare ________________ cene a lume di candela.
4° piano • Nello spazio delle ________________ prigioni, ora troviamo una sala per ricevimenti.
5° / 10° piano • Sono cinque piani di scale per salire alla terrazza.
11° piano • Qui c'è la terrazza ________________, con una vista ________________ sulla città, da un'altezza di 60 metri.

www.stile.it

2 *Per ogni frase, trova l'***aggettivo** *usato in modo inappropriato.*

Nel Bed & Breakfast della Torre Prendiparte a Bologna:

1. L'ambiente è (accogliente – elegante – intimo – matrimoniale).
2. La cena è (deliziosa – abbondante – panoramica – buona).
3. Il ristorante è (romantico – gentile – piccolo – intimo).
4. La camera da letto è (professionale – tranquilla – pulita – silenziosa).
5. La colazione è (abbondante – buona – calda – nuova).
6. La sala ricevimenti è (abbondante – grande – accogliente – bella).

3 *Completa il testo con i verbi al* **presente.**

Campeggio Campo All'oca **
Ambiente naturale e atmosfera rilassante. (*Io – Consigliare*) ______________ il Camping Campo All'oca a tutti quelli che (*loro – cercare*) ______________ il contatto diretto con la natura.
Il campeggio (*offrire*) ______________ un meraviglioso panorama del Parco nazionale delle Foreste Casentinesi. (*Essere*) ______________ lontano dal centro storico ma (*essere*) ______________ molto facile andare a Firenze con l'autobus.

4 *Ascolta la trasmissione televisiva molte volte e rispondi alle domande.* DVD esercizi 5

1. La trasmissione parla di una stanza fatta di cioccolato. Dove è questa stanza?
☐ In una casa privata di un grande Chef italiano.
☐ In un grande albergo di Milano.
☐ In una pasticceria di Firenze.

2. Cosa usano per fare la stanza di cioccolato?

☐ Cioccolato al latte	☐ Cioccolato bianco	☐ Cioccolato nero
☐ Cioccolato fondente	☐ Colore nero	☐ Cioccolato 64%
☐ Burro di cacao	☐ Fragola	☐ Latte in polvere

5 *Completa il testo con i verbi al* **presente** *e con le terminazioni corrette degli aggettivi* **evidenziati.**

Il Four Seasons, l'hotel di lusso in zona Montenapoleone a Milano, (*creare*) ______________ ogni domenica una stanza di cioccolato. Tutte le pareti (*essere*) ______________ fatte con il cioccolato e (*avere*) ______________ diversi colori, con giochi **tridimensional___** di foglie e animali **tropical___** e una grande quantità di forme e profumi.
Il brunch (*offrire*) ______________ prodotti di prima qualità: un **eccellent___** antipasto di pesce **crud___** e uova, un primo **abbondant___**, un secondo e dei formaggi. I **fortunat___** clienti (*chiudere*) ______________ il loro brunch proprio nella stanza di cioccolato, dove (*avere*) ______________ a disposizione **molt___** tipi di torte, dolci, cioccolatini, creme, biscotti e mousse.

www.milano.repubblica.it

Vai su www.almaedizioni.it/domani e mettiti alla prova con gli esercizi on line dell'unità 6.

1 *Completa con i verbi al* **presente** *negli spazi* ____________ *e con le espressioni* **dalle** *e* **alle** *negli spazi* _ _ _ _.

Dov'è: l'Hotel Vittoria è situato in posizione panoramica sul golfo di Napoli, a 200 mt dal mare.

Camere: l'albergo (*avere*) ____________ 32 camere matrimoniali e 8 singole arredate con gusto ed eleganza. Tutte le camere (*avere*) ____________ la tv e l'aria condizionata.

Prezzi: la camera matrimoniale (*costare*) ____________ 110 euro, la singola 95 euro. (*Essere*) ____________ compresa la prima colazione. I bambini sotto i 3 anni non (*pagare*) ____________. Sono previsti sconti per gruppi e famiglie.

Pasti: la colazione è _ _ _ _ 7.45 _ _ _ _ 10.00. Per il pranzo funziona un servizio bar con piatti freddi. La sera il ristorante (*aprire*) ____________ _ _ _ _ 19.30 e (*chiudere*) ____________ _ _ _ _ 22.00.
Il menu (*presentare*) ____________ piatti della tradizione locale, a base di carne e di pesce. A richiesta è possibile preparare menu vegetariani.

Servizi: l'albergo dispone di ristorante, piscina, sauna, sala fitness e parcheggio privato. I servizi di piscina, sauna e sala fitness (*essere*) ____________ gratuiti e riservati ai clienti dell'hotel.

Massaggi e trattamento viso: una sala massaggi e un centro estetico (*completare*) ____________ i servizi dell'hotel. Prezzi: massaggio singolo / 90 euro, pacchetto 7 massaggi / 595 euro. Trattamento viso: pacchetto 5 trattamenti / 215 euro.

Lingue: il personale (*parlare*) ____________ inglese, francese e tedesco.

• Ogni spazio corretto 2 punti — Totale: ____ / 30

2 *Scrivi in lettere i* **numeri** *e le* **ore** *del testo precedente.*

200	____________	3	____________	90	____________
32	____________	7.45	____________	7	____________
8	____________	10.00	____________	595	____________
110	____________	19.30	____________	5	____________
95	____________	22.00	____________	215	____________

• Ogni spazio corretto 2 punti — Totale: ____ / 30

3 *Completa con gli* **aggettivi** *alla forma giusta negli spazi* __________ *e con gli* **aggettivi** *di nazionalità negli spazi* _ _ _ _ _ _ _.

La Gioconda, o Monna Lisa, è un'opera (*famoso*) __________ in tutto il mondo. Dipinta tra il 1503 e il 1506 da Leonardo da Vinci, rappresenta una donna (*misterioso*) __________ che guarda con un'espressione (*enigmatico*) __________ lo spettatore. Ma chi è Monna Lisa?
Le ipotesi sono molte: per alcuni è Lisa Gherardini, moglie del commerciante (*fiorentino*) __________ Francesco del Giocondo, per altri è una signora (*napoletano*) __________, per altri ancora è solo un modello di donna (*rinascimentale*) __________ senza riferimenti a una persona (*reale*) __________. L'opera (*originale*) __________ è esposta a Parigi nel museo del Louvre, ma esistono anche moltissime copie d'autore: le più conosciute si trovano nei musei di Roma, Madrid, Londra, Innsbruck, Monaco, Baltimora, Tours, e in collezioni (*privato*) __________.
Anche alcuni artisti d'avanguardia hanno realizzato copie (*importante*) __________ della Gioconda: il pittore (*Russia*) _ _ _ _ _ _ _ Kazimir Malevic, il pittore (*Francia*) _ _ _ _ _ _ _ Marcel Duchamp, il pittore (*Germania*) _ _ _ _ _ _ _ Max Ernst, il pittore (*Spagna*) _ _ _ _ _ _ _ Salvador Dalì e il pittore (*Colombia*) _ _ _ _ _ _ _ Fernando Botero.

• Ogni aggettivo corretto 1 punto • Ogni aggettivo di nazionalità corretto 2 punti Totale: ____/ 20

4 *Ricomponi la mail a sinistra: scegli l'espressione giusta e riscrivi nell'ordine giusto le parole a destra.*

A: reception123@yahoo.it
Oggetto: informazioni

Salve / Cordiali saluti,
__________________________. ◂ inglese – ragazza – sono – una
Vorrei alcune informazioni:
__________________________ notti? ◂ avete – camera – due – per – singola – una
Arrivo il 4 gennaio e parto il 6.
Come / Qual __________________? ◂ è – il – prezzo
La __________________________? ◂ colazione – compresa – è – prima
Ancora due informazioni: che / come faccio ad arrivare all'albergo dalla stazione?
Dove / Quale __________________? ◂ autobus – devo – prendere
Grazie / Prego.

• Ogni espressione corretta 1 punto • Ogni frase ricostruita in modo corretto 3 punti Totale: ____/ 20

☞ Totale test: ____/ 100

Cosa so fare?

Chiedere qualcosa in modo gentile.	☐	☐	☐
Indicare la nazionalità.	☐	☐	☐
Chiedere e dire l'ora.	☐	☐	☐
Chiedere e indicare la durata di un'azione.	☐	☐	☐
Chiedere e dare informazioni su alberghi e mostre.	☐	☐	☐
Chiedere come si arriva in un posto.	☐	☐	☐
Chiedere e dire il prezzo.	☐	☐	☐
Descrivere una stanza d'albergo.	☐	☐	☐
Indicare i colori.	☐	☐	☐
Contare fino a 1000.	☐	☐	☐
Leggere un forum per turisti.	☐	☐	☐

Cosa ho imparato

Pensa a quello che hai imparato e scrivi...

- 5 parole o espressioni molto utili:
- una parola o un'espressione strana:
- una forma tipica della lingua parlata:
- una curiosità culturale sull'Italia e gli italiani:

Cosa faccio... | cercare un alloggio con internet

1 *Vuoi dormire a Roma e cerchi un alloggio su vari siti internet. Quali sono le cose che attirano di più la tua attenzione? Scrivi un numero da 1 (più interessante) a 6 (meno interessante) negli spazi.*

le foto _____
i giudizi scritti dei clienti _____
i prezzi _____
le interviste audio ai proprietari e ai clienti _____
le presentazioni scritte _____
la posizione nella mappa _____
le presentazioni video _____
la musica _____

2 *Rifletti sul tuo modo di ricercare informazioni e confrontati con i compagni. Che differenze ci sono? Quali sono i canali che usate di più?*

☐ testo
☐ immagini fisse (foto, disegni, ecc.)
☐ audio (interviste, presentazioni, ecc.)
☐ musica
☐ video

Mi metto alla prova | scrivere una recensione

Vai su www.tripadvisor.com e scrivi una breve recensione di un luogo che hai visitato (albergo / campeggio / pensione / ecc.).

1 *Completa il testo con i verbi al* **presente**.

Marino e Glauco si conoscono all'esame di ammissione all'Arma e (*diventare*) ______________ grandi amici. Tutto va bene, fino a quando (*conoscere*) ______________ Rita, che si innamora di Glauco. I due vogliono sposarsi e Marino, anche lui innamorato di Rita, (*preferire*) ______________ andare in un'altra città. Glauco lo (*raggiungere*) ______________ e lo aiuta a risolvere alcune missioni importanti e pericolose. Il film (*finire*) ______________ bene: i due carabinieri (*tornare*) ______________ amici e Marino (*accettare*) ______________ la nuova situazione. Finalmente Glauco e Rita possono sposarsi.

2 *Completa il testo con gli* **articoli** *della lista.*

gli · il · il · il · l' · la · la

Vincenzo Lipari fa ____ insegnante e, dopo tanti anni, non sopporta più ____ studenti e odia ____ suo lavoro. Ma un giorno arriva una nuova collega: si chiama Luisa, una ex alunna dei primi anni. Grazie a questo incontro Lipari ricostruisce un nuovo rapporto con ____ sua classe e con ____ suo lavoro. ____ film vuole mostrare ____ vita dura ma affascinante dell'insegnante nella scuola italiana. È proprio il caso di dire "Auguri professore!"

3 *Scegli l'***articolo** *giusto e metti i verbi al* **presente**.

Davide è (il / lo) segretario particolare di un uomo politico: (*prendere*) ______________ (gli / l') appuntamenti, (*ricevere*) ______________ (i / le) telefonate, (*pulire*) ______________ (il / lo) studio, (*comprare*) ______________ (gli / i) fiori per sua moglie. Ma non solo: deve anche amministrare una grande quantità di denaro. Un giorno (*capire*) ______________ che quei soldi hanno una provenienza sospetta, ma è troppo tardi.

4 *Completa le frasi con il verbo* **fare** *e riordina il dialogo.*

n° ____ ▸ Tu che lavoro ______________ ?

n° ____ ▸ Sono impiegata in un ufficio e voi?

n° ____ ▸ Io ______________ l'operaio, e lei è cameriera in un ristorante.

5 *Ora riscrivi il dialogo del punto* **4** *cambiando dove è possibile* **fare** *con* **essere** *e viceversa. Attenzione agli articoli!*

6 *Forma le frasi come nell'esempio. Attenzione: ♂ = maschile, ♀ = femminile.*

		♂ barb	aio
		♀ alberga	aia
	il	♂ commercial	iere
	lo	♀ farmac	iera
Faccio →	l' →	♀ inferm →	ista
	la	♀ libr	tore
		♂ macell	trice
		♀ music	
		♀ parrucch	
		♂ pit	
		♂ stil	
		♀ tradut	

7 *Riscrivi l'inizio delle trame dei 3 film con i nomi dei personaggi trasformati al femminile. Cambia anche il titolo.*

♂	♀
Titolo: **Segretario particolare** Davide è il segretario particolare di un uomo politico.	Titolo: ______________ Maria è ______________ ______________
Titolo: **I due carabinieri** Marino e Glauco si conoscono all'esame di ammissione all'Arma e diventano grandi amici.	Titolo: ______________ Sabrina e Paola si conoscono ______________ ______________ ______________
Titolo: **Auguri professore** Vincenzo Lipari fa l'insegnante e, dopo tanti anni, non sopporta più gli studenti e odia il suo lavoro.	Titolo: ______________ Teresa Lipari fa ______________ ______________ ______________

8 *Che lavoro fanno queste persone? Completa i testi con le professioni della lista. Attenzione: metti anche l'articolo!*

a. Costruisco case e palazzi. È un lavoro duro e faticoso. Faccio _____ ____________.

b. Lavoro in casa. Cucino, pulisco, lavo i panni, faccio la spesa. Qualcuno dice che questo non è un lavoro, ma si sbaglia. Faccio _____ ____________.

c. Lavoro in teatro. La sera molte persone vengono a vedere il mio spettacolo comico. Faccio _____ ____________.

d. Per lavoro viaggio molto. Ho tanti appuntamenti e partecipo a lunghe riunioni. Faccio _____ ____________.

attrice

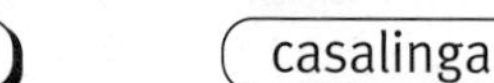

casalinga

manager

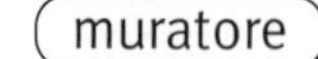

muratore

9 *Collega le colonne e completa le frasi. Attenzione, non sempre tutte le colonne devono essere collegate.*

Il Lo La Gli Le	appuntamenti casalinga muratore riunioni spettacolo	è costruisce lava sono sono	i le	case comico lunghe panni tanti

Vai su www.almaedizioni.it/domani e mettiti alla prova con gli esercizi on line dell'unità 7.

1 *In ogni coppia di dialoghi alcuni elementi* ***evidenziati*** *sono stati scambiati. Correggi gli errori, come nell'esempio.*

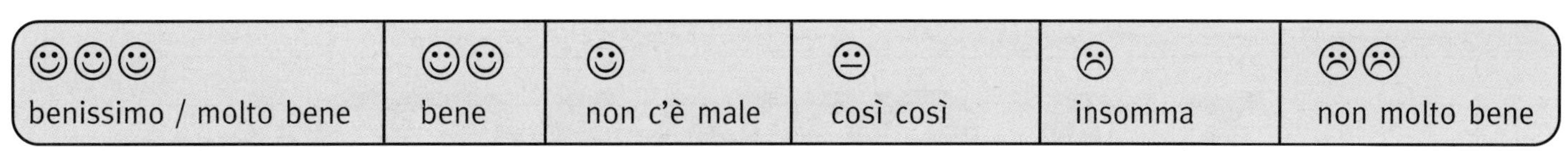

☺☺☺ benissimo / molto bene	☺☺ bene	☺ non c'è male	😐 così così	☹ insomma	☹☹ non molto bene

Esempio

Marco ☺☺, signor Lippi ☹
- ■ Ciao Marco, come **stai**?
- ● **Bene**, grazie signor Lippi, e **tu**?
- ■ **Benissimo**.

Gianni ☺, Antonio ☺☺☺
- ■ Ciao Gianni, come **stai**?
- ● **Non c'è male**, grazie Antonio, e **Lei**?
- ■ **Insomma**.

a

signor Conti ☺☺☺, Anna ☺☺
- ■ **Ciao** signor Conti, come **stai**?
- ● **Benissimo**, grazie Anna, e **tu**?
- ■ **Bene**.

Toni ☺, Paola ☹☹
- ■ **Buongiorno** Toni, come **sta**?
- ● **Non c'è male**, grazie Paola, e **tu**?
- ■ **Non molto bene**.

b

signor Porta ☺☺, signor Draghi ☹
- ■ **Buongiorno** signor Porta, come **sta**?
- ● **Così così**, grazie signor Draghi, e **Lei**?
- ■ **Non c'e male**.

Mario ☺, signora Bini 😐
- ■ **Ciao** Mario, come **stai**?
- ● **Insomma**, grazie signora Bini, e **Lei**?
- ■ **Bene**.

c

signor Gatti ☺☺☺, Claudio 😐
- ■ **Buongiorno** signor Gatti, come **sta**?
- ● **Non molto bene**, grazie Claudio, e **tu**?
- ■ **Così così**.

signora Verdi ☺☺, signora Mauri ☹☹
- ■ **Buongiorno** signora Verdi, come **sta**?
- ● **Bene**, grazie signora Mauri, e **Lei**?
- ■ **Molto bene**.

2 *Riordina le frasi a destra (dove c'è la fotografia scrivi il nome della bevanda). Poi metti le frasi al posto giusto a sinistra e ricomponi il dialogo, come nell'esempio.*

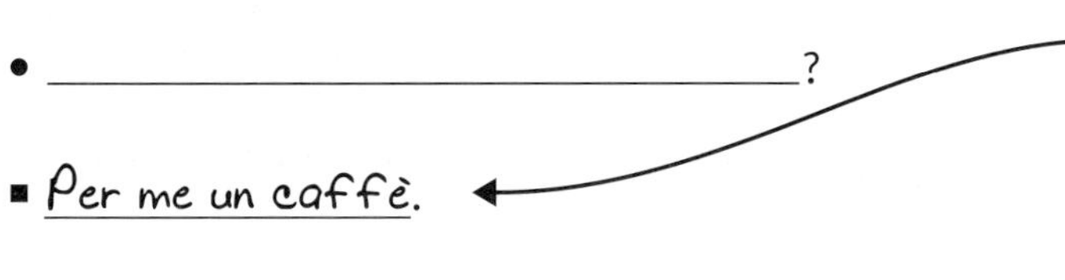

- ● ______________________________?
- ■ Per me un caffè.
- ◆ E ______________________________?
- ● Certo signora. ______________________________?
- ▲ ______________________________.

me – per – un

io – prendo – un

avere – io – posso – un

cosa – e – Lei – signor Berti – prende

buongiorno – cosa – prendete – signori,

3 *Scegli la* **preposizione** *e il* **verbo modale** *giusti e metti gli altri verbi al* **presente**.

LA STAMPA

QUOTIDIANO FONDATO NEL 1867

LUNEDÌ 20 ▬▬ • ▬▬ 1,00 € IN ITALIA (PREZZI PROMOZIONALI ED ESTERO IN ULTIMA) SPEDIZIONE ABB. POSTALE - D.L. 353/03 (CONV. IN L. 27/02/04) ART. 1 COMMA 1, DCB - TO www.lastampa.it

(*Voi – Conoscere*) ________________ il detto "volere è potere"? In questo caso è vero. Questa storia inizia cinque anni fa, quando McDonald's (*arrivare*) ________________ (a / in) Puglia e (*decidere*) ________________ di aprire un suo spazio (a / in) Altamura, una cittadina di 65.000 abitanti. La novità (*avere*) ________________ subito un grande successo: la maggior parte della gente infatti ha visto un fast-food solo in televisione e così il nuovo McDonald's registra ogni giorno il "tutto esaurito". Al punto che, per mangiare un Big Mac, le persone (devono / possono / vogliono) prendere il ticket e fare una lunga fila. Ma a questo punto (*succedere*) ________________ qualcosa di imprevisto. Luca Digesù, un giovane panettiere del posto, (*aprire*) ________________ una piccola bottega nella stessa piazza. Il panettiere (*abbassare*) ________________ subito i prezzi e (*moltiplicare*) ________________ l'offerta: focacce, focaccine, pizze e panini di tutti i tipi. Naturalmente tutto preparato con prodotti locali e genuini. Digesù (*capire*) ________________ che la sua è la scelta giusta quando i genitori, dopo aver accompagnato i bambini (a / da) McDonald's, (*andare*) ________________ (a / da) mangiare qualcosa di buono (a / da) lui.

In poche settimane la "corrente" dei clienti s'inverte e la piccola bottega (*cominciare*) ________________ a riempirsi di clienti insoddisfatti dei Big Mac. Infatti tutti (devono / possono / vogliono) mangiare la meravigliosa "focaccia" locale di farina di grano duro, spessa e spugnosa, condita con l'olio di oliva e il pomodoro fresco. McDonald's, per recuperare le perdite, (*inventare*) ________________ nuove promozioni, moltiplica le feste per bambini, cambia direttore. Ma non (deve / può / vuole) fare niente per cambiare le cose: davanti ai prodotti di qualità di un piccolo fornaio, il gigante americano (deve / può / vuole) chiudere.

4 *Trasforma il testo a sinistra cambiando i* **soggetti** *e i* **verbi**, *come nell'esempio a destra.*
Poi elimina dal puzzle i verbi modali che utilizzi e scrivi nell'ordine le lettere rimaste.
Scoprirai il soprannome della città di Altamura.

Per mangiare un Big Mac, **le persone devono** prendere il ticket e fare una lunga fila. Ma una piccola bottega apre nella stessa piazza e **tutti vogliono** mangiare la meravigliosa "focaccia". **McDonald's** non **può** fare niente per cambiare le cose: davanti ai prodotti di qualità di un piccolo fornaio, **il gigante americano deve** chiudere.

www.lastampa.it

Esempio
Le persone / tutti ▸ **io**
McDonald's / il gigante americano ▸ **tu**

Per mangiare un Big Mac, **io devo** prendere il ticket e fare una lunga fila. Ma una piccola bottega apre nella stessa piazza e **io voglio** mangiare la meravigliosa "focaccia". **Tu** non **puoi** fare niente per cambiare le cose: davanti ai prodotti di qualità di un piccolo fornaio, **tu devi** chiudere.

a le persone / tutti ▸ **tu**
McDonald's / il gigante americano ▸ **io**

b le persone / tutti ▸ **voi**
McDonald's / il gigante americano ▸ **loro**

c le persone / tutti ▸ **noi**
McDonald's / il gigante americano ▸ **voi**

d le persone / tutti ▸ **lui**
McDonald's / il gigante americano ▸ **noi**

P	V	O	G	L	I	A	M	O	D	D	L
O	D	D	A	D	L	E	D	O	O	O	N
S	E	E	E	E	P	■	O	S	V	B	V
S	V	V	S	V	U	P	B	D	E	B	O
O	I	O	A	I	O	O	B	E	T	I	L
D	D	E	V	O	I	T	I	V	E	A	E
V	U	O	I	I	P	E	A	O	U	M	T
D	O	V	E	T	E	T	M	N	G	O	E
V	O	G	L	I	O	E	O	O	L	I	A
P	O	S	S	O	N	O	V	U	O	L	E
P	O	S	S	I	A	M	O	D	E	V	E

▸ **Il soprannome è**

___ ___ ___ ___ ___ ___ ___ ___ ___ ___
___ ___ ___ ___ ___ ___ ___ ___

5 *Completa il testo con le* **preposizioni** *della lista.*

a | con | da | in

PIZZA, SCHIACCIATA E FOCACCIA

____ Italia, si sa, i posti dove mangiare una buona pizza sono molti. Ogni città ha le sue specialità. ____ Roma, per esempio, potete mangiare dell'ottima pizza bianca e rossa non solo in pizzeria ma anche dal fornaio. ____ Firenze e in generale in tutto il centro Nord, la pizza bianca del fornaio si chiama schiacciata o focaccia. Ma la capitale della pizza è Napoli. Andare ____ mangiare una pizza ____ Michele, in via C. Sersale, è un'esperienza indimenticabile. Questa pizzeria, fondata nel 1870 dal pizzaiolo Michele, è piccolissima e sempre piena di gente. Le specialità sono due: la classica *margherita* (____ il pomodoro e la mozzarella di bufala) e la *marinara* (____ pomodoro, aglio e origano).

Vai su www.almaedizioni.it/domani e mettiti alla prova con gli esercizi on line dell'unità 8.

1 *Ascolta e scegli il titolo giusto.* DVD esercizi 6

☐ Apre il primo supermercato per anziani.
☐ Un paese senza negozi.
☐ Apre un piccolo negozio e il supermercato deve chiudere.

2 *Riascolta molte volte e scegli le affermazioni giusta.* DVD esercizi 6

1. Cavallasca è
☐ un supermercato.
☐ un paese vicino Como.
☐ un paese in Svizzera.

2. Cavallasca
☐ ha
☐ non ha
un panificio, una salumeria, un minimarket e un fiorista.

3. Il supermercato va bene
☐ per le persone anziane.
☐ per i giovani.

4. Cavallasca ha
☐ 0
☐ 1
☐ 2
☐ 3
supermercati.

5. Davanti al Comune c'è
☐ un mercato.
☐ un supermercato.

6. Per andare al supermercato
☐ è necessaria
☐ non è necessaria
la macchina.

3 *Collega dove necessario le parole di sinistra con le parole di destra e ricomponi il listino del bar, come nell'esempio.*

caffè →	
caffè	
cappuccino	
cioccolata	calda
tè	d'arancia
cornetto	di frutta
pasta	→ *freddo*
latte	freddo
panino	macchiato
toast	macchiato
tramezzino	minerale
acqua	
succo	
spremuta	

4 *Ricomponi i due dialoghi, uno al* **formale** *e l'altro all'***informale**. *Attenzione: usa una volta le frasi* <u>*sottolineate*</u> *e due volte le frasi* **evidenziate**, *come negli esempi.*

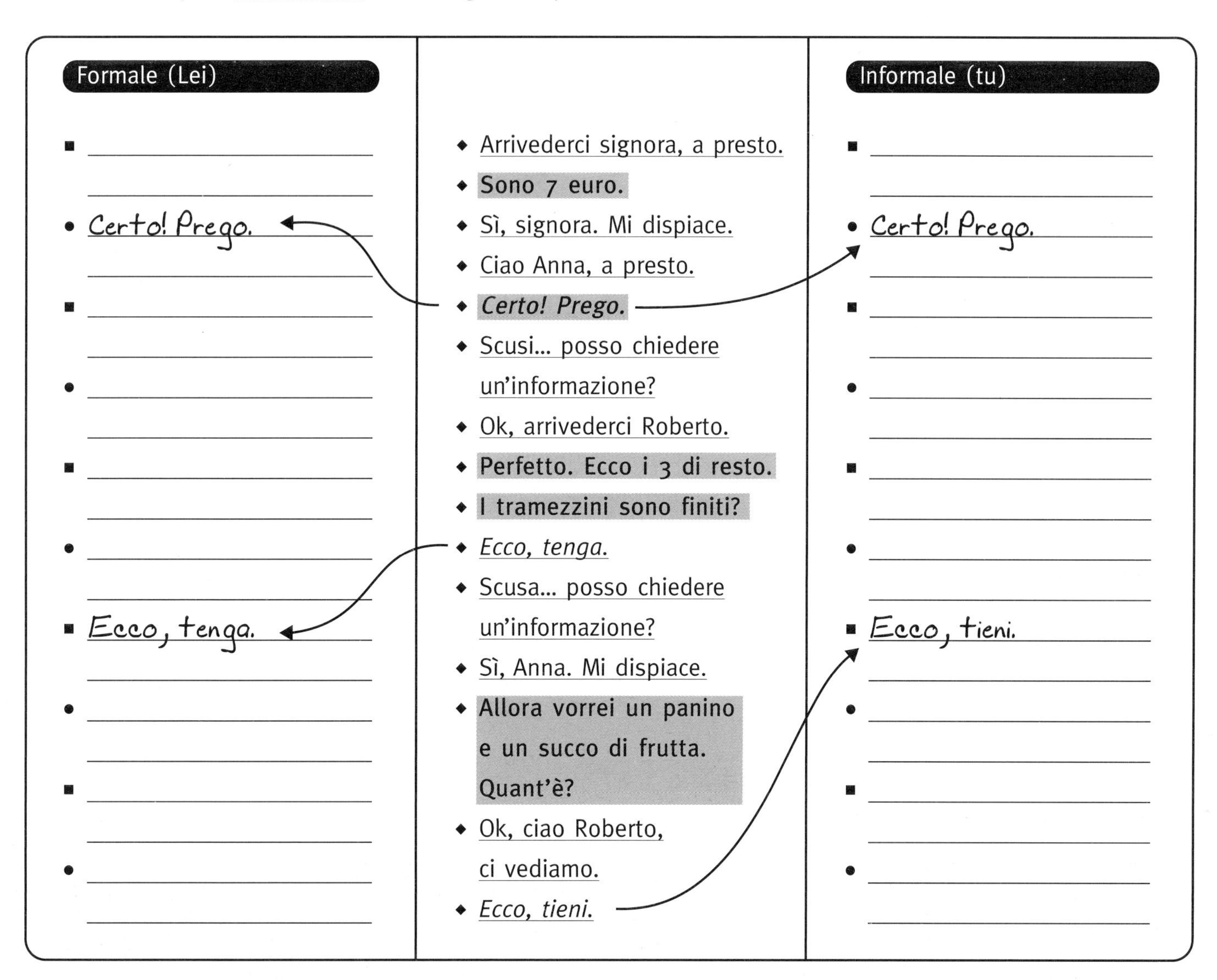

5 *Completa il testo con gli* **articoli indeterminativi**.

Il Baretto è ______ bar che offre la classica colazione alla romana (cappuccino e cornetto), ma anche ______ ampia scelta di paste, dolci e crostate. A pranzo è possibile mangiare ______ panino o ______ tramezzino preparato con arte da Loredana, ______ simpatica signora di sessant'anni che gestisce il locale insieme al marito. Ma chi vuole qualcosa di più consistente può ordinare ______ insalata mista o ______ piatto caldo. Il bar ha anche ______ spazio esterno, con 5 tavoli sempre occupati dagli avventori che non mancano mai in questo delizioso locale situato in ______ caratteristica via del centro di Roma. Vivamente consigliato a chi ama i luoghi di una volta.

6 *Metti l'***articolo indeterminativo** *davanti alle parole dell'esercizio* **3**.

Vai su www.almaedizioni.it/domani e mettiti alla prova con gli esercizi on line dell'unità 9.

1 *Trova in ogni riga + la parola in più e inseriscila nella riga superiore (nella riga –), come nell'esempio.*

– • Buongiorno.
+ ▸ Buongiorno Alberto, come stai (ragazzi)?
– • C'è male, grazie.
+ ▸ Non posso avere un caffè macchiato?
– • Certo. Ecco. E tu Giulia cosa?
+ ■ Per me prendi un succo di frutta.
– ◆ Scusa, posso un'informazione?
+ • Sì, chiedere prego.

– ◆ I cornetti al sono finiti?
+ • Sì, cioccolato mi dispiace.
– ◆ Allora uno strudel. Quant'è?
+ • Vorrei sono 3 euro.
– ◆ Ecco. Ho euro.
+ • Grazie. Ecco i 17 di 20 resto.
– ◆ Perfetto. Ciao, presto.
+ • Ciao, a ci vediamo.

• Ogni parola inserita correttamente 2 punti — Totale: ____ / 16

2 *Trasforma il dialogo del punto* **1** *dall'***informale** *(tu) al* **formale** *(Lei).*

• Buongiorno signori.
▸ Buongiorno signor Alberto, ____________
• ____________
▸ ____________
• ____________
■ ____________
◆ ____________
• ____________

◆ ____________
• ____________
◆ ____________
• ____________
◆ ____________
• ____________
◆ Perfetto. Arrivederci, a presto.
• Arrivederci.

• Ogni elemento cambiato correttamente 2 punti — Totale: ____ / 8

3 *Completa il dialogo con il verbo* **fare**, *gli* **articoli**, *il* **nome** *delle professioni. Attenzione: ♂ = maschile, ♀ = femminile.*

• Che lavoro (*voi – fare*) ____________ ?
■ Io (♀ – *fare*) ____________ ____ impiegat______, Antonio (♂ – *fare*) ____________ ____ camer______, Lucia (♀ – *fare*) ____________ ____ dent ______, Mauro e Paolo (♂ – *fare*) ____________ ____ opera ______ in un call center. E voi?
• Noi (♀ – *fare*) ____________ ____ farmac ______ .

• Ogni elemento corretto 1 punto — Totale: ____ / 16

4 *Collega le colonne e ricostruisci le frasi. Attenzione, non sempre tutte le colonne devono essere collegate.*

Il	acqua	è		crema	
L'	cornetti	è	il	dolce con le	
Lo	panettiere	fa	la	naturale o	bianca
I	pizze della pizzeria	possono avere	un	pane	mele
La	schiacciata	può essere	una	pizza	gassata
Le	strudel	sono		tonde	

• Ogni frase corretta 3 punti — Totale: ____ / 18

5 *Completa il testo con i verbi al* **presente**. *Cambia anche gli* **articoli** *e i* **nomi** *delle professioni* **evidenziate,** *dal femminile al maschile.*

Studenti.it

Internet offre possibilità interessanti a chi (*volere*) ______________ un lavoro "nuovo". (*Tu – Avere*) ______________ passione per la rete, curiosità e un buon inglese? (*Potere*) ______________ fare **la surfista** (______________) del web. (*Dovere*) ______________ navigare tutto il giorno in Internet alla ricerca di siti da segnalare. Le aziende che (*volere*) ______________ diffondere il loro nome sono molte e sono disposte a pagare molto bene. I guadagni (*partire*) ______________ dai 700 euro in su. Se (*avere*) ______________ buone doti comunicative, (*potere*) ______________ fare **l'animatrice** (______________) di chat. (*Dovere*) ______________ interagire con gli utenti delle chat e delle comunità virtuali, stimolando la conversazione e moderando i toni degli utenti. Gli animatori di chat (*essere*) ______________ molto richiesti dai portali che (*offrire*) ______________ questo servizio. I turni (*essere*) ______________ in genere di 4 ore. Gli impiegati full time (*guadagnare*) ______________ 800 / 1000 euro al mese.
Per chi (*preferire*) ______________ un lavoro più originale, ecco **la portatrice** (______________) di fiori al cimitero. Sì, proprio così! Questa persona porta i fiori, (*pulire*) ______________ le tombe e accende le candele al posto di chi non (*potere*) ______________ o non (*volere*) ______________ andare al cimitero... Un lavoro davvero particolare!

• **Ogni verbo corretto 1 punto, ogni articolo + nome corretto 2 punti** **Totale: ____ / 23**

6 *Completa con gli* **articoli determinativi** *negli spazi* ______, *con gli* **articoli indeterminativi** *negli spazi* _ _ _ _ *e scegli la* **preposizione** *giusta.*

FOCACCIA BLUES è _ _ _ _ piccolo film che racconta _ _ _ _ grande impresa. È ______ incredibile storia di Luca, _ _ _ _ panettiere pugliese che un giorno decide di aprire _ _ _ _ focacceria nella stessa piazza di Mc Donald's, ______ multinazionale americana del fast food. ______ idea è semplice: _ _ _ _ spazio piccolo ma accogliente dove proporre ______ specialità della tradizione pugliese (focacce, pizze, pizzette) facendo concorrenza al famoso Big Mac. All'inizio sembra _ _ _ _ impresa impossibile, ma poi ______ abitanti del posto cominciano ad apprezzare la novità e per Luca arriva ______ successo: a poco a poco tutto ______ paese va (a / da / in) mangiare le sue focacce e sempre meno gente va (a / da / in) Mc Donald's. Alla fine ______ gigante americano è costretto a chiudere. Il film si svolge (a / da / in) Altamura (a / da / in) Puglia, ma racconta _ _ _ _ storia universale: quella del piccolo Davide contro il grande Golia.

• **Ogni elemento corretto 1 punto** **Totale: ____ / 19**

☞ **Totale test: ____ / 100**

Cosa so fare?

Chiedere a qualcuno come sta e rispondere.	☐	☐	☐
Rivolgersi a qualcuno in modo formale e informale.	☐	☐	☐
Chiedere e indicare la professione.	☐	☐	☐
Comunicare in un bar.	☐	☐	☐
Indicare i giorni della settimana.	☐	☐	☐
Leggere brevi sintesi di film.	☐	☐	☐
Leggere un articolo semplice.	☐	☐	☐
Capire un servizio radiofonico semplice.	☐	☐	☐

Cosa ho imparato

Pensa a quello che hai imparato e scrivi...

- 5 parole o espressioni molto utili:
- una parola, espressione o regola molto difficile:
- una forma tipica della lingua parlata:
- una curiosità culturale sull'Italia e gli italiani:

Cosa faccio... | fare un'ordinazione in un bar

Immagina di entrare in un bar italiano. Scegli per ogni lettera una delle due possibili azioni e fai il test. Poi leggi il tuo profilo a pagina 143.

	1	2
a.	☐ Entro nel bar solamente con persone italiane che mi possono aiutare.	☐ Entro nel bar anche da solo/a.
b.	☐ Guardo i prodotti e indico solo le cose che vedo, senza parlare.	☐ Penso a quello che vorrei ordinare e al modo per fare le ordinazioni in italiano.
c.	☐ Se non vedo quello che voglio, provo a chiedere al barista, in italiano. Se non mi capisce, mi aiuto con altre lingue o con il mimo o con un po' di fantasia.	☐ Se devo parlare direttamente al barista, parlo nella mia lingua. Oppure chiedo ad un italiano di ordinare al posto mio.
d.	☐ Se devo parlare in italiano non mi importa di essere gentile e di usare le forme di cortesia con il barista. Lui sa che io sono straniero/a.	☐ Cerco di essere gentile e di usare le forme di cortesia con il barista.
e.	☐ Alla fine ordino prodotti sconosciuti, per provare cose diverse.	☐ Alla fine ordino solo prodotti conosciuti. Sono al bar per mangiare e bere, non per fare un'esperienza culturale!

Mi metto alla prova | fare il caffè

Leggi il riquadro "Un caffè..." a pag. 67 oppure guarda una lista di ricette a base di caffè sul sito www.styleciok.it/caffe_perfetto.php. *Per qualche giorno, preparane e assaggiane alcune: quale preferisci? Se non ti piace il caffè, puoi proporlo a un amico o a un familiare e chiedergli la sua opinione.*

1 *Completa con i verbi.*

Alle 8:00
io (*svegliarsi*) ______________ ,
lui dorme.

Alle 8:01
io (*alzarsi*) ______________ ,
lui dorme.

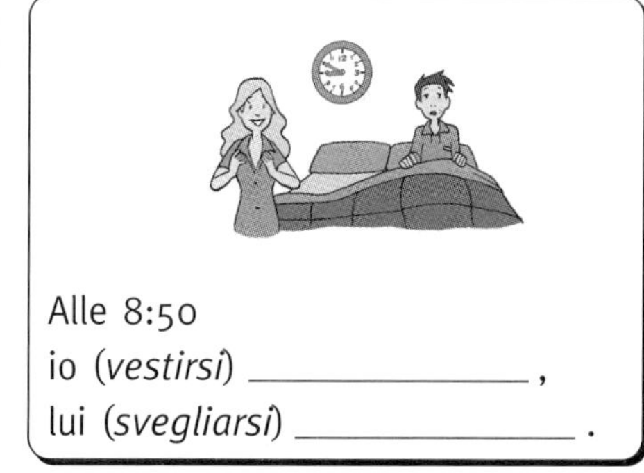

Alle 8:50
io (*vestirsi*) ______________ ,
lui (*svegliarsi*) ______________ .

Alle 8:53
io (*truccarsi*) ______________ ,
lui (*alzarsi*) ______________ .

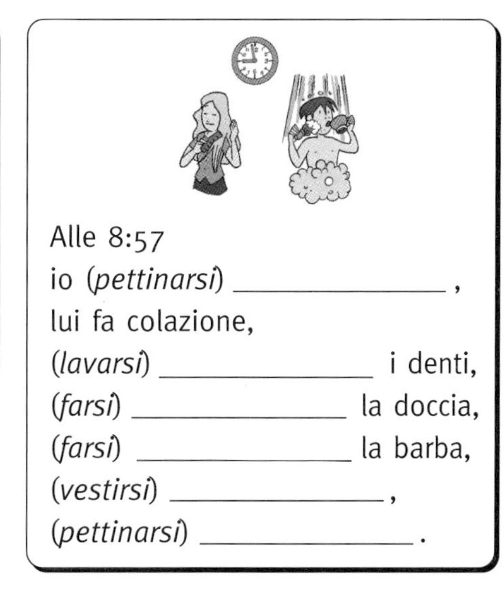

Alle 8:57
io (*pettinarsi*) ______________ ,
lui fa colazione,
(*lavarsi*) ______________ i denti,
(*farsi*) ______________ la doccia,
(*farsi*) ______________ la barba,
(*vestirsi*) ______________ ,
(*pettinarsi*) ______________ .

Alle 9:00
(*essere*) ______________
pronti per una nuova giornata!

2 *Riflessivo o non riflessivo? Scegli l'opzione corretta.*

La mattina di una mamma

La mattina (mi / si / –) sveglio presto. Alle 7.00 (mi / si / –) alzo, vado in bagno e faccio la doccia. Poi (mi / si / –) vesto, preparo la colazione e alle 7.30 (mi / si / –) sveglio Luca. Dopo dieci minuti Luca (mi / si / –) alza. Io (mi / si / –) lavo e (mi / si / –) vesto Luca. Alle 8.00 (mi / si / –) facciamo colazione. Alle 8.15 (mi / si / –) pettino e (mi / si / –) lavo i denti. Poi (mi / si / –) lavo i denti a Luca. Alle 8.30 (mi / si / –) usciamo di casa. Alle 8.45 (mi / si / –) accompagno Luca a scuola e finalmente alle 9.00 (mi / si / –) arrivo in ufficio.

3 *Ricostruisci i nomi dei giorni, come nell'esempio. Le lettere che restano formano una parola che significa "sette giorni".*

1. lunedí
2. ______________
3. ______________
4. ______________
5. ______________
6. ______________
7. ______________

ve ba me do set dì ti to gio co te sa mer dì mar ma le dì ner dì ni ca ve na

Sette giorni = una ______________________

4 *Completa con* **anche** *o* **neanche**.

- Mi sveglio sempre prima delle 7.
- ______________ io.
- La mattina di solito non faccio colazione.
- ______________ io.
- Per andare al lavoro a volte prendo la macchina.
- ______________ io.
- A pranzo spesso non torno a casa.
- ______________ io.
- Il sabato non lavoro quasi mai.
- ______________ io.
- La sera resto quasi sempre a casa.
- ______________ io.

5 *Scegli l'opzione corretta.*

- Io la mattina (non / –) faccio colazione al bar. E tu?
- Anche io.
- Io la sera di solito (non / –) esco. E tu?
- Neanche io.
- Tu lavori il sabato?
- No.
- (Anche / Neanche) io.

6 *Trasforma le frasi dell'esercizio* **4** *cambiando l'***avverbio** *di frequenza* **evidenziato** *o con il* **contrario** (≠) *o con il* **sinonimo** (=), *come negli esempi. Usa gli avverbi della lista. Attenzione: in alcuni casi devi aggiungere o eliminare la negazione* **non**.

~~a volte~~ | di solito | mai | qualche volta | quasi mai | quasi sempre | raramente | ~~sempre~~ | spesso

Esempio
La mattina non prendo **mai** il caffè. ≠ La mattina prendo **sempre** il caffè.
Il sabato **qualche volta** vado al cinema. = Il sabato **a volte** vado al cinema.

1. Mi sveglio **sempre** prima delle 7. ≠ ______________ mi sveglio ______________ prima delle 7.
2. La mattina **di solito** non faccio colazione. = La mattina ______________ non faccio colazione.
3. Per andare al lavoro **a volte** prendo la macchina. = Per andare al lavoro ______________ prendo la macchina.
4. A pranzo **spesso** torno a casa. = A pranzo ______________ torno a casa.
5. Il sabato non lavoro **quasi mai**. = Il sabato lavoro ______________.
≠ Il sabato lavoro ______________.
6. La sera resto **quasi sempre** a casa. ≠ La sera ______________ resto ______________ a casa.

7 *Completa la tabella con la combinazione* **articolo + aggettivo possessivo + nome**, *come nell'esempio.*

Aldo / macchina =	la sua macchina	Voi / biglietti =	______________	I signori Bindi / cani =	______________
Luigi / gatto =	______________	Voi / treno =	______________	Noi / pizze =	______________
Io e Sandra / soldi =	______________	Chiara / libri =	______________	Tu / documenti =	______________
Noi / corso =	______________	Tu / lavoro =	______________	Io / computer =	______________
Io / amici =	______________	Tu e Sara / città =	______________	Gianni / bambine =	______________
Loro / scuola =	______________	Tu / borsa =	______________	Loro / famiglie =	______________
Io / giornate =	______________	Lino e Ugo / albergo =	______________	Io / casa =	______________
Tu e Edo / camere =	______________	Io e Maria / classe =	______________	Tu / scarpe =	______________

8 *Completa con gli* **aggettivi possessivi** *e scegli l'***avverbio** *di frequenza corretto.*

Da quando non lavoro più ho molto tempo libero, ma le ______ giornate sono un po' tutte uguali.
La mattina vado al parco con il cane. Resto lì fino all'ora di pranzo a leggere. Poi torno a casa, mangio e mi riposo. Il venerdì pomeriggio viene a trovarmi Rita, con i ______ due bambini, Matteo e Dino.
La ______ visita è il momento più bello della settimana! ☺ La sera (**di solito / mai**) vado a letto presto.
Solo il sabato e la domenica (**quasi mai / qualche volta**) vado al cinema o a cena con i ______ ex colleghi.

Aldo

9 *Completa con i* **verbi** *e scegli l'espressione corretta.*

Alle 6 suona la sveglia, io e Luigi (*alzarsi*) ______________, doccia veloce, lui (*vestirsi*) ______________ ed esce (il (**suo / si / lui**) ufficio è a 40 km da casa). Io preparo il latte per Martina, la (**nostri / noi / nostra**) bambina. Mi vesto, (*uscire*) ______________ di casa, porto Martina dai nonni, corro in ufficio, lavoro fino alle 4, ripasso a prendere Martina, faccio la spesa al supermercato, torno (**a / di / da**) casa, preparo la cena...
Alle 8 (*arrivare*) ______________ Luigi, (*noi – mangiare*) ______________ ... Alle 9 Martina è sveglissima e (*volere*) ______________ giocare, con le ultime energie la mettiamo a letto e (*noi – addormentarsi*) ______________. 😐 zzz Fine settimana: (**noi / non / nostro**) usciamo mai, stiamo a casa a fare le pulizie e a dormire. Forse è per questo che il (**loro / nostro / suo**) matrimonio è in crisi? ☹??? ☹??? ☹???

Giovanna

Vai su www.almaedizioni.it/domani e mettiti alla prova con gli esercizi on line dell'unità 10.

esercizi | unità 11

1 *Ascolta e rispondi alle domande.* DVD esercizi 7

1. Una mamma parla della sua famiglia. Da quante persone è composta?
2. Quali personaggi della famiglia puoi sentire nell'audio?

2 *Riascolta e completa la scheda della famiglia con tutte le informazioni che riesci a capire.* DVD esercizi 7

	Come si chiama?	Quanti anni/mesi ha?	Cosa fa?
La mamma	/	/	______
Il marito	/	/	______
Il primo figlio	/	______	______
Il secondo figlio	______	______	______
Il terzo figlio	______	______	/

3 *La mamma parla anche di un sesto componente della famiglia. Chi è?*

4 *Completa la tabella, come negli esempi.*

	Sì	No, è...
1. *Il padre di mio padre è mio nonno.*	☒	☐ ______
2. *Il figlio di mio padre e di mia madre è mio zio.*	☐	☒ mio fratello
3. Il fratello di mia madre è mio cugino.	☐	☐ ______
4. La figlia di mio padre e di mia madre è mia sorella.	☐	☐ ______
5. Il fratello di mio padre è mio zio.	☐	☐ ______
6. La madre di mia madre o di mio padre è mia nonna.	☐	☐ ______
7. La figlia di mia zia e di mio zio è mia sorella.	☐	☐ ______
8. La sorella di mio cugino è mia cugina.	☐	☐ ______
9. Il figlio di mio figlio è mio nipote.	☐	☐ ______
10. La sorella di mia madre o di mio padre è mia nonna.	☐	☐ ______

5 *Completa il dialogo con gli* **aggettivi possessivi,** *con o senza l'articolo, come nell'esempio.*

- Allora questa sei tu, questo è ___tuo___ fratello Alessandro dicevi...
- Sì, sì. Questa è Irene, __________ sorella, e questo è Giulio, __________ fidanzato.
- E Irene è più grande di te?
- Sì, ha diciassette anni.
- Senti invece in quest'altra foto... non siete in vacanza?
- No, no, siamo a casa.
- Ah, ho capito, ecco questa sei di nuovo tu...
- Sì, questo è __________ fratello Alessandro, che però non si riconosce perché qui ha gli occhiali. Questa è Irene e questa è __________ madre e questa è __________ nonna Luisa.
- E __________ nonna quanti anni ha?
- Ottantaquattro.
- Sembra molto più giovane! Quindi tu vivi con __________ madre?
- Sì, abito con __________ madre, __________ nonna e __________ fratelli, Irene e Alessandro.

6 *Guarda le foto. Forma tutte le possibili domande e collegale alle risposte corrette, come nell'esempio.*

domanda			risposta
Nella foto A →	c'è →	gli alberi?	Sì, c'è.
Nella foto B	ci sono	il mare? →	No, non c'è.
		il sole?	Sì, ci sono.
		le tende?	No, non ci sono.
		un bambino con il cappello?	
		una barca?	

7 *Completa con gli* **articoli determinativi** *negli spazi* _ _ _ _ *e con gli* **articoli indeterminativi** *negli spazi* _____.

Gentile Direttore,
sono laureato in economia, ho _____ specializzazione, due master e circa venti pubblicazioni internazionali. Ma invece di lavorare all'Università come professore, faccio _ _ _ _ cameriere in _____ ristorante. Dei 60.251 professori universitari del nostro Paese, 30.000 hanno più di 60 anni e _ _ _ _ altri sono _ _ _ _ loro figli, le loro nipoti, _ _ _ _ loro amici, _ _ _ _ loro amanti e segretarie! E io non sono figlio, nipote, amico di nessun professore. Nelle università italiane circa _ _ _ _ 30% dei professori ha _ _ _ _ cognome uguale a quello di _____ altro professore. Solo in Italia, dove _ _ _ _ famiglia è sacra e intoccabile, può succedere _____ cosa come questa. Non è giusto. La ringrazio per _ _ _ _ attenzione. *Giovanni Sarti*

8 *Trova in ogni riga + la parola in più e inseriscila nella riga superiore (nella riga –), come nell'esempio.*

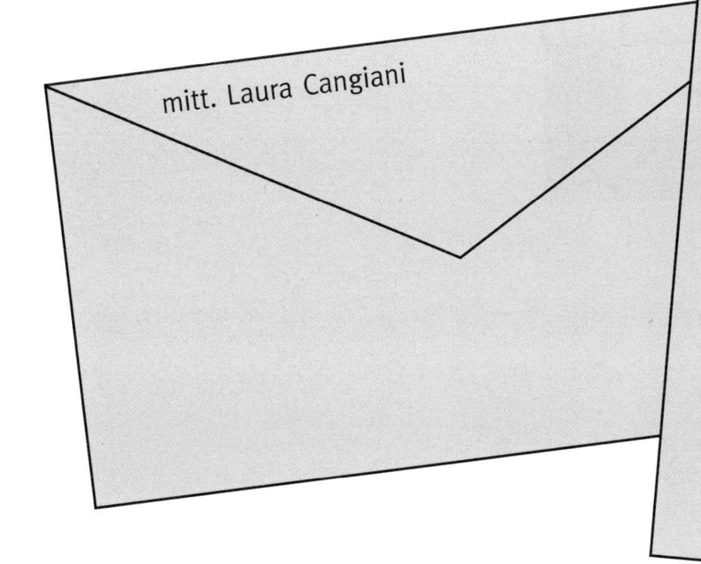

– Giovanni, tu dici che in Italia
+ la famiglia (caro) ha troppa importanza.
– Non d'accordo.
+ Io sono vivo e lavoro negli USA
– e quando torno Italia sono felicissima
+ di rivedere i miei in tanti parenti:
– mia madre, mio padre, i fratelli,
+ i nonni, gli miei zii, i nipoti e i cugini.
– A Natale ritroviamo tutti nella grande casa
+ di mio nonno a Todi e stiamo tutti ci insieme.
– Il problema, caro Giovanni, non è
+ la tuo famiglia ma la disonestà degli altri.
– "Famiglia" invece solidarietà,
+ significa amore e, per me, festa!

Laura Cangiani

9 *Scrivi i numeri in lettere, come nell'esempio.*

Popolazione italiana attuale:	60.462. 038	_____
1ª Roma:	2.724.347	_____
2ª Milano:	1.295.705	_____
3ª Napoli:	963.661	_____
8ª Firenze:	365.659	_____
10ª Catania:	296.469	_____
Nati in un anno:	75.175	_____
Morti in un anno:	76.100	_____
Nati in un giorno:	1.196	millecentonovantasei
Morti in un giorno:	1.235	_____
Matrimoni in un anno:	33.467	_____
Separazioni e divorzi in un anno:	17.070	_____

10 *Completa il cruciverba.*

Vai su www.almaedizioni.it/domani
e mettiti alla prova con gli esercizi on line dell'unità 11.

Orizzontali ➡

1. "Ti __________ di vedere le foto delle vacanze?"
4. Il giorno dopo domenica.
5. "Ciao, come va?" "Non c'è __________, grazie."
6. "Io non vado __________ al cinema, preferisco guardare la tv."
9. "__________ Paolo, a che ora comincia la lezione?"
10. "Buongiorno signora, come sta?" "Così __________."
12. "Scusa papà, perché non posso uscire con i miei amici? Non è __________!"
14. Il contrario di "no".
15. "Posso avere un caffè?" "__________ signora!"
16. "Facciamo una pausa, __________!"
17. __________ stadio di Roma si chiama "Olimpico".

Verticali ⬇

1. "Prendiamo qualcosa al bar?" "Sì, molto __________!"
2. "Ho __________ fratello e una sorella."
3. "__________ padre si chiama Giovanni."
5. Un periodo di 30 giorni.
7. "La lingua italiana è molto facile." "No, non sono d'__________!"
8. "La mattina mi sveglio presto." "Anche __________."
11. "__________ signora, posso chiedere un'informazione?"
13. "Conosci Luigi?" "Sì, __________ fratello è nella mia classe."

1 *Scegli l'opzione corretta.*

Ciao ciao
mi chiamo Mila e ho 19 anni. Ho una sorella più piccola di due anni che va ancora a scuola, io invece frequento l'università e (di sempre / di solito / mai) sto tutto il giorno in casa a studiare. Quando finisco di studiare esco con (mie / le mie / l') amiche per andare a fare shopping o al bar... (Una volta / Qualche volta / Qualche volte) vado a danza, che è (il mio / lo mio / mio) hobby preferito. La sera invece non esco spesso. Di solito mi stendo sul divano con (sua / mia / la mia) sorella e (si rilassano / si rilasso / ci rilassiamo) con qualche film in tv. A volte succede che (ci addormentiamo / mi addormentiamo / noi addormentiamo) così! (A / Il / La) sabato sera esco con (il mio / mio / la mia) ragazzo e (loro / i loro / i suoi) amici. (La nostra / Nostra / Sua) serata inizia in pizzeria e (finisce quasi sempre / finisce quasi mai / non finisce mai) al cinema, al bowling o in discoteca.

- **Ogni scelta corretta 1 punto e mezzo** — **Totale: ____ / 18**

2 *Completa con i* **verbi** *negli spazi* ________ *e inserisci due delle parole della lista negli spazi* _ _ _ _ _ _.

anche | gli | loro | neanche | suoi

Ciao, sono sempre Mila.
Ora vi racconto la giornata di Luca, il mio ragazzo. La mattina (*svegliarsi*) ____________ sempre alle 6.00, ormai è un'abitudine consolidata, non ha nemmeno bisogno della sveglia.
Appena alzato (*farsi*) ____________ subito la doccia. (*Vestirsi*) ____________, fa una buona colazione e (*prepararsi*) ____________ per andare a giocare a tennis o per andare a nuotare (è un vero sportivo!).
Alle 9.00 (*aprire*) ____________ il negozio (lavora nella frutteria dei _ _ _ _ _ _ zii).
Resta lì fino alle 13.00, poi (*andare*) ____________ a casa a pranzare (di solito un'insalata), a volte prima di mangiare (*accendere*) ____________ il computer e controlla le mail.
Dopo pranzo (*riposarsi*) ____________ un po' o legge. Alle 16.00 torna al negozio. Lavora fino alle 19.30 / 20.00. Poi torna a casa per la cena. _ _ _ _ _ _ lui, come me, la sera esce spesso. Di solito (*mettersi*) ____________ a letto alle 21.30, legge un'oretta e poi (*addormentarsi*) ____________ .

- **Ogni verbo corretto 1 punto** — **Totale: ____ / 10**
- **Ogni parola inserita correttamente 3 punti** — **Totale: ____ / 6**

3 *Completa le frasi di sinistra con le parole della lista e poi riordina il dialogo a destra, come nell'esempio.*

~~accordo~~ | anch'io | dai | senti | ti va di | volentieri

☐	____________	1. D'accordo.
☐	____________	2. Sì, certo, molto ____________!
1	D'accordo.	3. ____________ prendere un caffè?
☐	____________	4. Sì, ____________. Facciamo una pausa, ____________!
☐	____________	5. ____________, io sono stanca. E tu?

- **Ogni parola inserita correttamente 2 punti** — **Totale: ____ / 10**
- **Ogni frase al posto giusto 3 punti** — **Totale: ____ / 12**

4 *Completa con gli* **aggettivi possessivi** *(con o senza articolo) negli spazi* __________ *e con le parole della lista negli spazi* _ _ _ _ _ _ _.

figio | fratello | padre | padre

Sofia ha 11 anni. Vive con __________ madre, __________ nonna Luisa e __________ fratelli Alessandro e Irene. Alessandro, ha 6 anni, è biondissimo, porta gli occhiali e non assomiglia per niente a Sofia. Irene e Sofia invece si assomigliano molto. Irene è più grande di Sofia, ha 17 anni. __________ ragazzo si chiama Giulio. Sofia ha anche un altro _ _ _ _ _ _ _ più piccolo, Francesco, di quasi due anni. Francesco è il _ _ _ _ _ _ _ di Sabrina e del _ _ _ _ _ _ _ di Sofia. Infatti i genitori di Sofia sono separati e il _ _ _ _ _ _ _ ha una nuova compagna.
Sofia, Alessandro e Irene abitano a Roma. __________ casa è in centro. Francesco invece abita in un piccolo paese vicino Roma. Per questo Francesco non vede spesso __________ fratelli durante la settimana: di solito passano insieme il sabato, la domenica e le vacanze.

- Ogni aggettivo possessivo corretto 3 punti — Totale: ____ / 18
- Ogni parola inserita correttamente 1 punto — Totale: ____ / 4

5 *Completa con* **è, sono, c'è, ci sono** *negli spazi* _ _ _ _ _ *e scrivi i numeri in lettere o viceversa, come negli esempi.*

In Italia:

- le famiglie con figli _ _ _ _ _ 9.612.300 (______________________________).
- il numero delle persone sole e delle coppie senza figli _ _ è _ _ in aumento: da tre milioni ottocentonovanta-settemilacinquecento (____________________) a 4.909.150 (______________________________).
- aumentano anche le famiglie "alternative": si calcolano circa cinque milioni (5.000.000) tra single, coppie non sposate o con partner provenienti da altre unioni.
- _ _ _ _ _ novantottomilacentonovantotto (____________________) bambini e adolescenti (età media tra 11 e 17 anni) figli di genitori separati e 46.586 (______________________________) di genitori divorziati.
- _ _ _ _ _ l'indice di vecchiaia più alto del mondo: per ogni 100 giovani al di sotto dei 15 anni _ _ _ _ _ 133 persone al di sopra dei 65.
- gli anziani (persone con più di 65 anni) _ _ _ _ _ più di 7.000.000 (sette milioni).
  Gli ultracentenari (persone con più di 100 anni) _ _ _ _ _ 7.102 (______________________________).
- _ _ _ _ _ un tasso di fecondità tra i più bassi del mondo. Il numero di figli per donna _ _ _ _ _ 1,26.

- Ogni verbo corretto 2 punti — Totale: ____ / 16
- Ogni numero scritto correttamente 1 punto — Totale: ____ / 6

☞ Totale test: ____ / 100

Cosa so fare?

Parlare di una giornata tipo.	☐	☐	☐
Indicare in che momento della giornata avviene un'azione.	☐	☐	☐
Indicare la frequenza di un'azione.	☐	☐	☐
Parlare della famiglia.	☐	☐	☐
Descrivere una persona in modo semplice.	☐	☐	☐
Esprimere accordo o disaccordo.	☐	☐	☐
Fare e accettare una proposta.	☐	☐	☐
Contare.	☐	☐	☐
Descrivere un luogo in modo semplice.	☐	☐	☐

Cosa ho imparato

Pensa a quello che hai imparato e scrivi...

- 10 parole o espressioni che ti sembrano molto utili:
- un errore in italiano che ora non fai più:
- una forma tipica della lingua parlata:
- un elemento culturale completamente diverso dalle tradizioni del tuo paese:

Cosa faccio... | usi e costumi degli italiani in un'occasione particolare

1 *Un amico italiano ti propone di andare a passare un giorno di festa con la sua famiglia. Secondo te, quali comportamenti possono essere efficaci con gli italiani e quali possono dare fastidio?*

1. Mostrare delle fotografie della propria famiglia.
2. Fare domande private ai presenti.
3. Fare domande sui bambini, i loro gusti, la scuola, ecc.
4. Non fare nessuna domanda personale.
5. Chiedere di vedere la casa.
6. Portare un dolce o una bottiglia di vino.
7. Chiedere l'età dei presenti.
8. Non interrompere mai una persona che sta raccontando un fatto.
9. Parlare del cibo.
10. Giocare con i bambini.
11. Chiedere alle coppie come si sono conosciute.
12. Fare molti complimenti alla padrona di casa.

Comportamenti efficaci

Comportamenti fastidiosi

2 *Nel tuo paese quali sono i comportamenti efficaci e quelli che danno fastidio? Parlane con un compagno e confrontate il lavoro svolto al punto* **1**.

Mi metto alla prova | compilare la tua agenda in italiano

Per alcuni giorni (almeno una settimana), scrivi tutto quello che devi fare in un'agenda (elettronica o cartacea) in italiano: appuntamenti personali o di lavoro, pagamenti da effettuare, cose da comprare, ecc. Puoi usare il dizionario o chiedere aiuto ad altre persone: l'importante è utilizzare sempre e soltanto l'italiano!

1 *Cosa sta facendo Mariana? Completa le frasi con la forma* **stare + gerundio** *dei verbi della lista.*

andare | guidare | parcheggiare | parlare | passare | passare

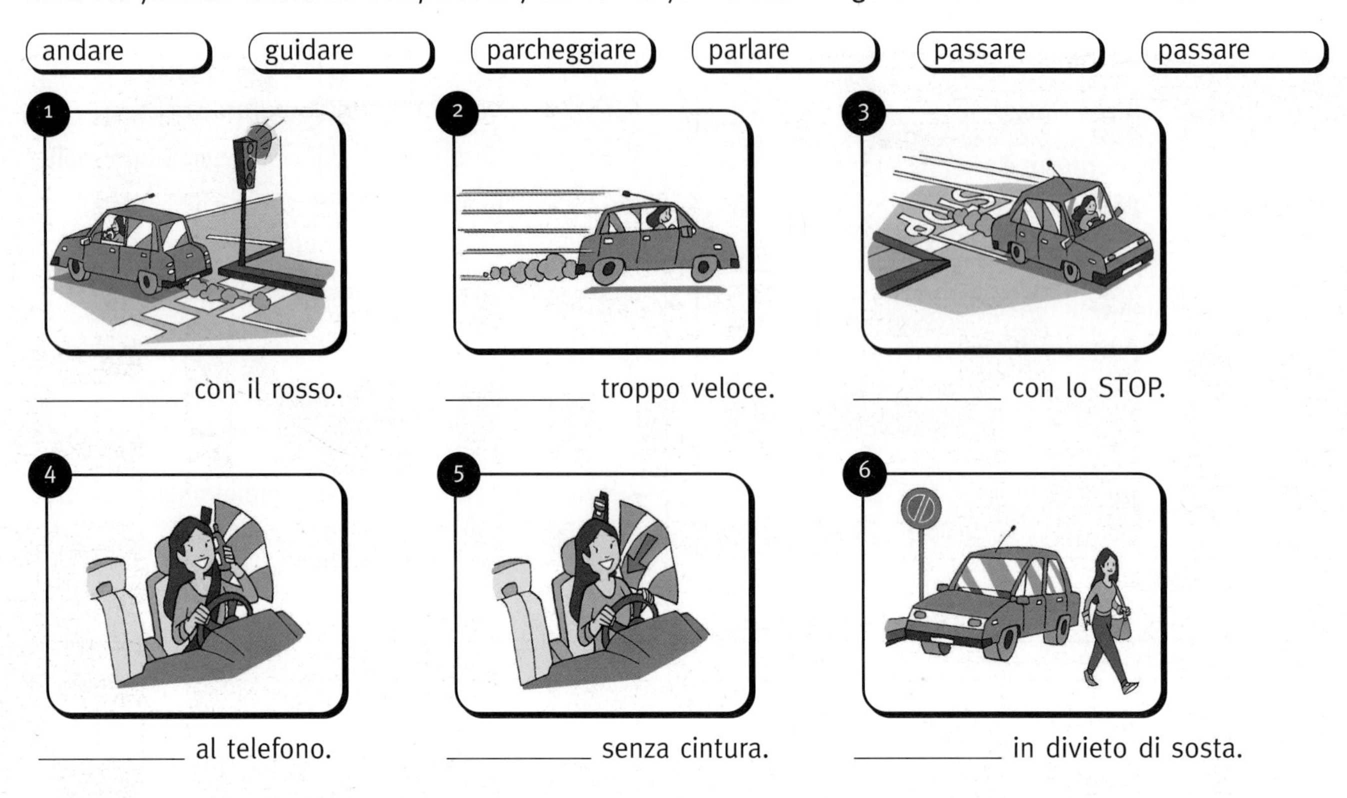

1. __________ con il rosso.
2. __________ troppo veloce.
3. __________ con lo STOP.
4. __________ al telefono.
5. __________ senza cintura.
6. __________ in divieto di sosta.

2 *Completa il dialogo con i verbi al* **presente**. *Usa, dove possibile, la forma* **stare + gerundio**.

- ■ Pronto Mariana? Ciao, (*essere*) __________ Rita.
- • Ehi, ciao Rita. Aspetta un attimo, (*guidare*) __________, sono in macchina.
- ■ Ok, ok.
- • Sì dimmi. Sei già arrivata a Capri?
- ■ Sì sono arrivata. Sono arrivata oggi, da due ore.
- • Ah, che bello. Senti, com'è il tempo lì? Qui a Perugia (*piovere*) __________.
- ■ Qui è bellissimo. (*Esserci*) __________ un sole stupendo. In questo momento (*mangiare*) __________ di fronte al mare.
- • Bello. Non (*vedere*) __________ l'ora di essere lì. Così (*vedere*) __________ anche la tua casetta.
- ■ Eh, finalmente. A proposito, a che ora (*pensare*) __________ di arrivare?
- • Eeh... guarda io (*andare*) __________ alla stazione, tra venti minuti (*avere*) __________ il treno.

3 *Completa le frasi con la forma* **stare + gerundio** *e scegli il finale di ogni frase, come nell'esempio.*

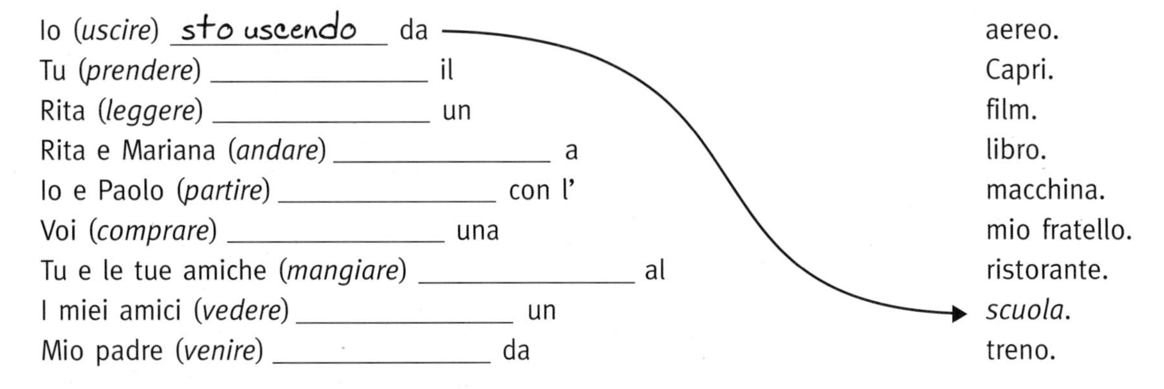

Io (*uscire*) sto uscendo da →	*scuola.*
Tu (*prendere*) __________ il	aereo.
Rita (*leggere*) __________ un	Capri.
Rita e Mariana (*andare*) __________ a	film.
Io e Paolo (*partire*) __________ con l'	libro.
Voi (*comprare*) __________ una	macchina.
Tu e le tue amiche (*mangiare*) __________ al	mio fratello.
I miei amici (*vedere*) __________ un	ristorante.
Mio padre (*venire*) __________ da	treno.

4 *Completa il cruciverba con i* **numeri ordinali** *in lettere e con gli* **avverbi** *di luogo, come negli esempi.*

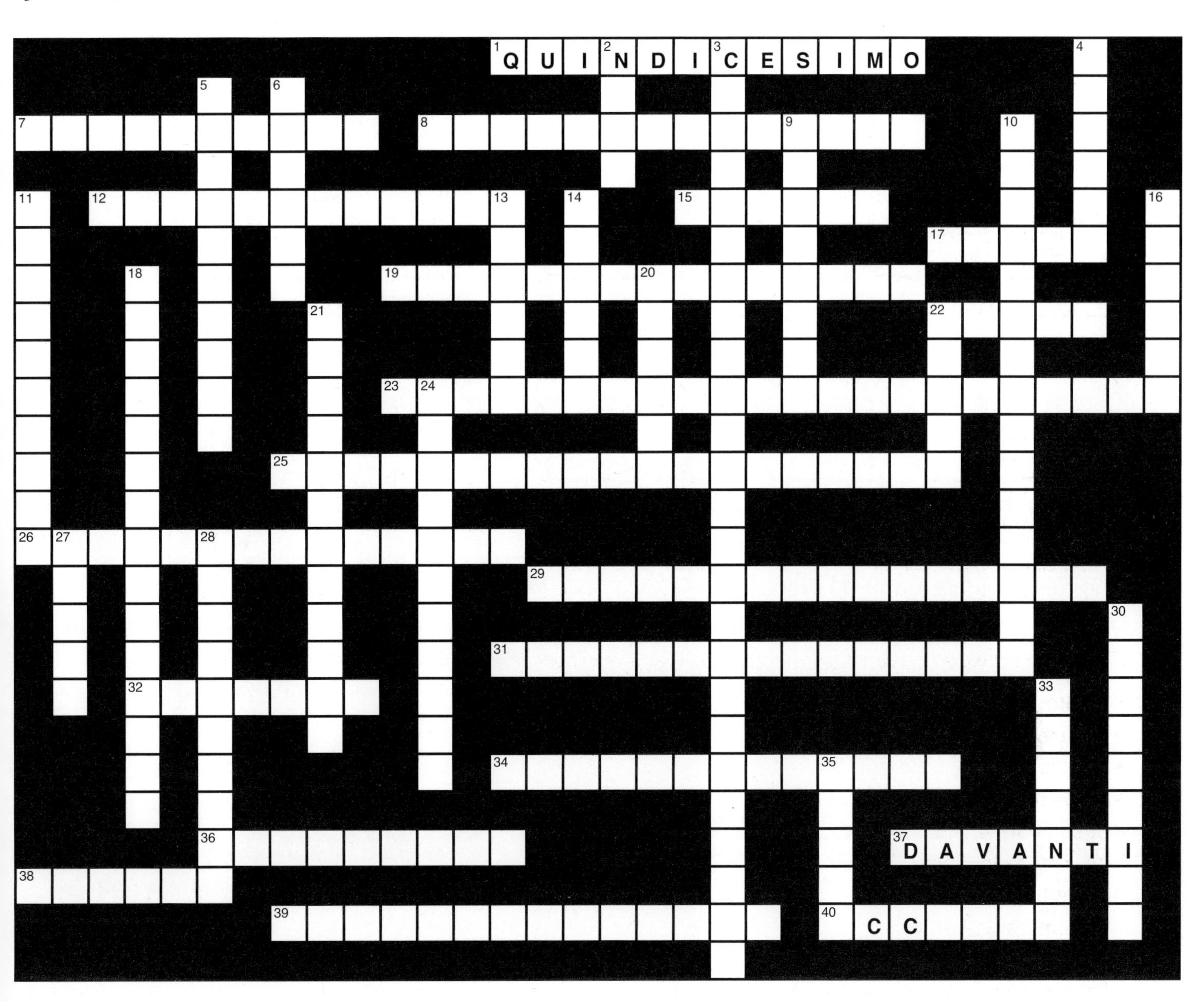

Orizzontali ➡

1. **15°**
7. 12°
8. 41°
12. 18°
15. 5°
17. 1°
19. 14°
22. 6°
23. 888°
25. 604°
26. 88°
29. 73°
31. 99°
32. 7°
34. 26°
36. 1000°
37. **Contrario di *dietro***
38. Contrario di *lontano*
39. 19°
40. Sinonimo di *vicino*

Verticali ⬇

2. 9°
3. 533°
4. 10°
5. 16°
6. Contrario di *davanti*
9. Contrario di *destra*
10. 17°
11. 11°
13. 8°
14. Sinonimo di *davanti*: di ____________
16. 4°
18. 62°
20. Contrario di *sinistra*
21. 600°
22. Contrario di *sopra*
24. 13°
27. 3°
28. 30°
30. 100°
33. 2°
35. Contrario di *sotto*

5 *Inserisci nei mini dialoghi il pronome* ci, *solo dove è necessario, come negli esempi.*

a. ■ Devi andare al Molo Beverello, a prendere l'aliscafo.
• Ah, e come _ci_ arrivo?
■ _x_ Prendi il tram.

b. • A che ora pensi di arrivare?
■ Ora ____ sto andando alla stazione, tra venti minuti ho il treno.

c. ■ Perché non ____ prendi la macchina per andare a Napoli?
• No, in macchina non ____ vado a Napoli!

d. • Com'è il tempo a Capri?
■ Qui è bellissimo. In questo momento ____ sto mangiando di fronte al mare.

e. ■ Conosci bene Capri?
• Beh, io ____ vado sempre d'estate.
■ Allora ____ vieni a casa mia!

f. • Signora non ha visto il semaforo? ____ È rosso!
■ Ah, è vero, sì sì è rosso, ____ guardi, mi scusi.

6 *Completa il testo con i mezzi di trasporto della lista.*

aereo | aliscafi | aliscafo | auto | autobus | metro | taxi | traghetti | traghetto | tram | treno

◄ ► + http://www.hotel-a-capri.it

Raggiungere Capri da Napoli

IN __________
Al casello autostradale di Napoli seguite le indicazioni per il porto. Dovete raggiungere il Molo Beverello per prendere il __________ o l'__________ per Capri.

IN __________
All'esterno dell'aeroporto Capodichino di Napoli ci sono gli __________ di linea ed i taxi per raggiungere il Molo Beverello.

IN __________
Arrivate alla Stazione di Napoli Centrale, qui prendete un __________ oppure un mezzo pubblico (la __________ o il __________) per raggiungere il Molo Beverello dove partono i __________ e gli __________ per Capri.

7 *Completa il testo con le parole della lista.*

dietro | dritto | incrocio | piazza | ponte | seconda | stazione | strada | uscita

Il bed & breakfast Al mercato di Ortigia è situato nell'affascinante centro storico di Siracusa, nel cuore del caratteristico mercato dell'isola di Ortigia.
• Come arrivare in auto dalla Strada Statale 124 (Catania, Noto, Ragusa): Esci all'__________ Siracusa. Prosegui superando il cimitero. All'__________ vai dritto per viale Ermocrate. Prosegui superando alla tua sinistra la __________ ferroviaria. Continua, seguendo la __________, in corso Umberto I. Gira sulla destra intorno a piazzale Guglielmo Marconi. Prendi via Malta. Prosegui __________ fino ad attraversare il __________ per Ortigia. Gira a sinistra alla __________ dopo il ponte: via XX settembre. Continua dritto attraversando piazza Pancali. Continua quindi su via Trieste. Gira a destra alla terza traversa: via Perno. Venti metri e sei arrivato in __________ Cesare Battisti.
Il bed & breakfast Al mercato di Ortigia è __________ la statua di Cesare Battisti.

da www.almercatodiortigia.it

Vai su www.almaedizioni.it/domani e mettiti alla prova con gli esercizi on line dell'unità 12.

1 *Completa il testo con i verbi all'***imperativo informale** *(tu). Attenzione: tre imperativi sono negativi.*

Roberto

Domanda risolta
Vorrei andare qualche giorno a Firenze ma non mi piace vivere le città in modo troppo turistico. Ci sono fiorentini che mi possono dare qualche consiglio?
6 ore fa

YAHOO! ITALIA ANSWERS

Gino A.

Miglior risposta – Scelta dal Richiedente

IL CENTRO STORICO • È sempre pieno di turisti. (*Guardare*) __________ i musei e le piazze famose, ma (*girare*) __________ anche per la città e (*cercare*) __________ qualche stradina e qualche piazza frequentata solamente da fiorentini...

IL CLIMA • Il clima è terribile, sul serio. D'estate è caldissimo e d'inverno si muore di freddo. (*Partire*) __________ con i vestiti adatti alla stagione.

PREZZI • Il costo della vita in centro è altissimo e in periferia è molto più basso. Se vuoi risparmiare, (*trovare*) __________ un albergo fuori dalla zona del centro.

SICUREZZA • Firenze è una città abbastanza sicura, ma naturalmente non mancano i borseggiatori. (*Portare*) __________ con te solo i soldi necessari e (*mettere*) __________ il portafogli nei pantaloni, soprattutto se prendi l'autobus.

NEGOZI • (*Dimenticare*) __________ di fare la spesa perché la sera i negozi chiudono alle 8:00.

DOVE MANGIARE • Anche se i ristoratori fiorentini generalmente sono onesti, (*chiedere*) __________ sempre la ricevuta e controlla il conto. Mi raccomando: (*ordinare*) __________ il piatto del giorno e (*andare*) __________ nei locali per turisti.

LA SERA • A Firenze c'è un po' di tutto: discoteche, pub, locali romantici, ristoranti. (*Andare*) __________ in internet e (*cercare*) __________ il locale migliore su *firenzenotte.it*.

NUMERI UTILI • In caso di furto o rapina, (*chiamare*) __________ il 113 (polizia) o 112 (carabinieri). A questi numeri puoi richiedere anche un'ambulanza. In caso di incendio (*telefonare*) __________ al 115.

MUSEI E MONUMENTI
Se possibile (*comprare*) __________ i biglietti on line così non devi fare la fila.

2 ore fa

2 *Ascolta il bollettino radio per gli automobilisti ed evidenzia, sulla cartina, le città che vengono nominate.*

DVD esercizi 8

3 *Ascolta ancora il bollettino e collega i tratti di strada con i problemi corrispondenti, come nell'esempio.*

DVD esercizi 8

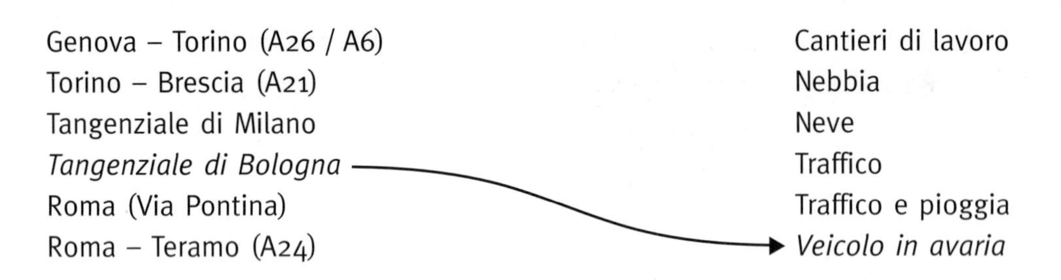

Genova – Torino (A26 / A6)	Cantieri di lavoro
Torino – Brescia (A21)	Nebbia
Tangenziale di Milano	Neve
Tangenziale di Bologna →	Traffico
Roma (Via Pontina)	Traffico e pioggia
Roma – Teramo (A24)	*Veicolo in avaria*

4 *In questo SMS tre coppie di* verbi *sono state scambiate. Rimettile al posto giusto.*

5 *Uno dei 6 verbi dell'SMS del punto* **4** *non è un imperativo. Quale?*

____

> Io abito in via del Palazzo Bruciato 8. Dalla stazione **mangia** il taxi! A quell'ora c'è molto traffico, devi dire al tassista che da viale Strozzi non deve andare dritto in via dello Statuto ma subito dopo deve prendere a sinistra per via Spadolini e poi tornare a destra in via del Romito. Poi sempre dritto fino a via Neri. Il frigorifero è pieno, **prendi**, **arrivi** e **chiama** tutto quello che vuoi. **Prendi** quando **bevi**. Baci.

6 *Scegli i* pronomi diretti.

■ **Il taxi a Firenze** ■

Prendere un taxi nelle grandi città italiane non è sempre facile come in altri paesi. Non fermare un taxi lungo la strada, è meglio se (lo / la / li / le) chiami telefonicamente ai seguenti numeri: 055-4390, 055-4499, 055-4798, 055-4242. Nel centro storico invece i taxi (lo / la / li / le) trovi facilmente negli appositi parcheggi. Fai attenzione: a Firenze ci sono anche taxi pirata! Le macchine autorizzate dal Comune (lo / la / li / le) riconosci facilmente perché sono bianche o gialle con la scritta "taxi" sopra il tetto. Se sei all'aeroporto puoi utilizzare un prezzo fisso: (lo / la / li / le) trovi all'interno del taxi o sul sito *www.firenze-online.com*.

7 *Inserisci, in ogni disegno, la parola* **questo** *o la parola* **quello**, *riferita al contrabbasso.*

8 *Completa il testo con i verbi all'***imperativo** *e inserisci negli spazi i pronomi diretti* **lo, la, li, le** *o il pronome* **ci**. *Attenzione: in alcuni casi devi attaccare il pronome all'imperativo.*

Marco

Domanda risolta

YAHOO! ANSWERS ITALIA

La prossima settimana vado a Firenze.
Come ____ posso arrivare dall'autostrada??
6 ore fa

Antonio

Miglior risposta – Scelta dai votanti

1) Visto che ____ vai in macchina, (*seguire*) __________ le indicazioni stradali! In Italia ci sono dei chiari cartelli che indicano la strada agli automobilisti.
2) Se i cartelli non ____ vedi o se qualcuno ____ ha eliminati, (*comprare*) __________ un navigatore satellitare, tipo Tomtom, ____ vendono in tutti i negozi di computer!
3) Se non hai i soldi per il Tomtom, (*scaricare*) __________ le mappe da internet e (*mettere*) __________ nel cellulare.
4) Se hai problemi con la tecnologia, vai su *http://maps.google.it*, (*inserire*) __________ l'itinerario che vuoi, (*leggere*) __________ la risposta e, se vuoi, (*stampare*) __________.

9 *Riordina le frasi della colonna destra e inseriscile al posto giusto nel dialogo a sinistra, come nell'esempio.*

- ■ Pronto. Ciao Rita.
- • Ciao Stefano. ____________________. Allora? Tutto bene?
- ■ Sì, diciamo di sì. Sì, tutto bene, grazie. ____________________. ____________________.
- • Ah, bene. E quand'è che ____________________?
- ■ ____________________!
- • Mhhh, ____________________?
- ■ Eh, beh, ____________________, ci sarà moltissima gente...

- a – casa – andando – sto – tua
- chiamando – Capri – da – sto – ti
- *ciao – pronto – Rita*
- concerto – è – importante – un
- concerto – hai – il
- emozionato – sei
- in – sono – taxi
- domani – sera

Vai su www.almaedizioni.it/domani e mettiti alla prova con gli esercizi on line dell'unità 13.

1 *Completa la telefonata tra Rita e Mariana con i verbi al* **presente** *o con la forma* **stare + gerundio**.

Rita	Pronto?
Mariana	Pronto Rita, ciao. Senti: sono a Napoli e (*andare*) ______________ a prendere il traghetto.
Rita	Ah, perfetto! Tutto ok con il treno?
Mariana	Sì, sì, tutto a posto. Ora (*camminare*) ______________, sono a via Monteoliveto.
Rita	Ah, allora sei quasi arrivata.
Mariana	Sì, sì, tra cinque minuti (*arrivare*) ______________ al molo.
Rita	Bene. Allora io ti (*aspettare*) ______________ al porto di Capri. Ci vediamo lì, ok?
Mariana	Certo! A dopo allora.
Rita	Ciao, a più tardi.

• Ogni verbo corretto 3 punti — Totale: _____ / 12

2 *Scegli dove inserire il pronome* **ci** *e completa i dialoghi con le espressioni della lista.*

a sinistra | di fronte | dietro | dritto

a. ▪ Quello... dove lo mettiamo, scusi?
• Guardi, (ci / –) proviamo ________, insieme alle valigie.
▪ No. Guardi, non entra. Non (ci / –) sta.

b. ▪ Guardi, l'indirizzo è: via del Palazzo Bruciato 8. Come (ci / –) arriviamo?
• Dunque, (ci / –) prendiamo viale Strozzi, poi proseguiamo ________ per via dello Statuto
▪ Veramente mi hanno detto che a quest'ora è meglio girare ________ per prendere via Spadolini.

c. ▪ Ah, bene. E quand'è che hai il concerto?
• Domani sera!
▪ Mhhh, (ci / –) sei emozionato?
• Eh, beh, è un concerto importante, (ci / –) sarà moltissima gente.

d. ▪ Ciao Stefano, sei già a casa?
• Ancora no, (ci / –) sto andando adesso!
▪ Ah, bene, ricordati che (ci / –) devi chiedere la chiave alla signora Paola, che ha la porta proprio ________ alla mia.
• Sì, sì, non preoccuparti.

• Ogni pronome *ci* corretto 2 punti — Totale: _____ / 16
• Ogni parola al posto giusto 2 punti — Totale: _____ / 8

3 *Rimetti in ordine il dialogo inserendo al posto giusto le battute della colonna a destra e completa con i* **pronomi diretti** *o il pronome* **ci** *negli spazi* ____.

■ Amore, come sistemiamo i bagagli per la partenza? • ☐ ■ Allora, prima di tutto ci sono le valigie. • ☐ ■ Poi il mio computer portatile... • ☐ ■ E la borsetta? • ☐ ■ Perfetto. Poi ci sono i giochi dei bambini... • ☐ ■ Se ____ mettiamo in una scatola? • ☐ ■ Due giorni?! Guarda che partiamo per una settimana, non per un mese!	1. • Cosa c'è da portare? 2. • Quella ____ tieni davanti, vicino ai tuoi piedi. 3. • Per me va bene, però in macchina sicuramente non ____ va, ____ possiamo mandare con la posta. In due giorni arriva. 4. • Ok, ____ possiamo mettere dietro, non occupa troppo spazio. 5. • Sì. Quelle ____ mettiamo nel portabagagli. 6. • ____ vuoi portare tutti? Ma sono troppi!

- **Ogni frase al posto giusto 1 punto** — **Totale: ____ / 6**
- **Ogni pronome corretto 4 punti** — **Totale: ____ / 28**

4 *Completa i testi con i verbi all'***imperativo informale** *(tu), affermativo o negativo. Attenzione: in un caso devi attaccare il* **pronome diretto** *all'imperativo.*

ARRIVARE A FIRENZE IN AUTO

Se vieni da Milano, (*prendere*) __________ l'autostrada A1 Bologna-Firenze, ed (*uscire*) __________ a Firenze Nord; successivamente (*seguire*) __________ le indicazioni per il centro storico di Firenze. Se vieni da Genova o dalla Francia, (*prendere*) __________ l'autostrada A12 fino a Viareggio, l'A11 per Firenze ed (*uscire*) __________ a Firenze Nord. Se arrivi a Firenze da Roma prendi l'autostrada A1 Roma-Milano, questa volta esci a Firenze Sud, e poi (*seguire*) __________ le indicazioni per Firenze.

ARRIVARE A FIRENZE IN TRENO

Firenze ha 4 stazioni ferroviarie ed è collegata molto bene con le maggiori città italiane. Se vuoi prenotare un treno da casa, (*acquistare*) __________ il biglietto sul sito *www.ferroviedellostato.it*. (*Salire*) __________ sul treno senza biglietto perché prendi sicuramente una multa.

ARRIVARE A FIRENZE IN AEREO

L'aeroporto di Firenze si chiamo Amerigo Vespucci ed è collegato con tutti i maggiori aeroporti italiani ed alcuni europei. Se arrivi a Firenze in aereo e vuoi usare una macchina, (*noleggiare*) __________ presso gli autonoleggi dell'aeroporto, sono aperti dalle 8.30 alle 23.00. Per maggiori informazioni (*visitare*) __________ il sito *www.aeroporto.firenze.it*.

- **Ogni verbo corretto 3 punti** — **Totale: ____ / 30**

☞ **Totale test: ____ / 100**

Cosa so fare?

Chiedere e dire l'indirizzo.	☐	☐	☐
Chiedere, seguire e dare indicazioni stradali.	☐	☐	☐
Chiedere e indicare la durata di un percorso.	☐	☐	☐
Dare ed eseguire istruzioni.	☐	☐	☐
Formulare domande semplici per ottenere informazioni su una località e rispondere.	☐	☐	☐
Indicare oggetti vicini o lontani.	☐	☐	☐
Capire i cartelli stradali.	☐	☐	☐

Cosa ho imparato

Pensa a quello che hai imparato e scrivi...

- 5 parole o espressioni difficili da ricordare:
- una regola particolarmente difficile:
- una forma tipica della lingua parlata:
- una curiosità culturale sull'Italia e gli italiani:

Cosa faccio... | dare indicazioni a qualcuno

1 *Cosa fai in queste situazioni? Scegli per ogni punto una delle due possibilità tra* a *e* b *e indica le parole che usi.*

Devi chiedere un'informazione:

1a. Fermo una persona per strada usando (scusi / guardi / scusa / guarda).

1b. Apro la mappa con aria disperata e aspetto un aiuto.

2a. Se la persona che mi aiuta non mi capisce dico (prego / grazie / scusa / guardi) e vado via.

2b. Se la persona che mi aiuta non mi capisce rispondo "(prego / scusi / piuttosto), sono straniero".

3a. Per avere l'informazione dico semplicemente dove devo andare. Inizio con (caspita / guardi / piuttosto / cioè).

3b. Per avere l'informazione da un italiano devo formulare una domanda chiara, altrimenti non risponde.

4a. Quando capisco l'indicazione dico (caspita! / grazie! / prego! / certo!) e vado via.

4b. Quando capisco saluto con un gesto e vado via.

Una persona ti ferma e ti chiede un'informazione:

1a. Se non capisco chiedo di ripetere usando (scusi? / come scusa? / guarda. / guardi.)

1b. Dico subito "(Come / Scusa / Scusi), sono straniero!" e cerco di andare via.

2a. Per dare l'informazione cerco di usare le parole giuste, facendo attenzione a non sbagliare.

2b. Per dare l'informazione cerco di usare tutti i modi che ho per comunicare, prima di tutto la gestualità.

3a. Se la persona mi dice "Cerco via ..." rispondo "Buona fortuna". Se non fa una domanda evidentemente non vuole una risposta.

3b. Se la persona mi dice "Cerco via ..." provo ad aiutarla se posso. Inizio con (allora / cioè / piuttosto / prego).

4a. Quando la persona va via mi aspetto un (grazie / prego / ciao / scusi).

4b. Quando la persona ha capito vado via senza salutare.

2 *Nel tuo paese valgono gli stessi comportamenti? Discuti con un compagno e motivate le risposte.*

Mi metto alla prova | ottenere indicazioni stradali con internet

Vai su http://maps.google.it, *poi su "Indicazioni stradali", e inserisci un punto di partenza ("A") e di arrivo ("B"), nella tua città o in un'altra località. Puoi selezionare sia l'opzione "in auto" che "a piedi". In "percorsi suggeriti", osserva e annota tutte le parole ed espressioni relative che non conosci e integrale al lessico del modulo 5.*

1 *Ricostruisci il dialogo con le frasi nei riquadri.*

- ■ ☐ ☐
- • Musica classica.
- ■ ☐ ☐ ☐
- • Capisco, no, io invece ☐

5. non amo ballare.

3. ti piace ascoltare?

1. il pop, il rock, la disco... Insomma, musica da ballare.

6. Che tipo di musica

2. Mmm. la musica classica

4. non mi fa proprio impazzire. Preferisco

2 *Scegli la* **preposizione articolata** *corretta.*

Sono aperte le iscrizioni (alla / allo / al) stagione invernale (dai / dei / degli) corsi di:

BODY-BUILDING, SPINNING, AEROBICA

Sconti (del / dello / dell') 20% (ai / agli / al) primi 30 iscritti!
Prima lezione di prova gratuita
(lezioni (dalla / dal / dei) lunedì (al / allo / ai) sabato, ore 9.00 – 20.00)

Centro sportivo capitolino
Corso Garibaldi, 125 • csc@csc.it • tel 063244798 • fax 063244885

3 *Aggiungi l'articolo e forma le* **preposizioni articolate** *per completare il testo, come nell'esempio.*

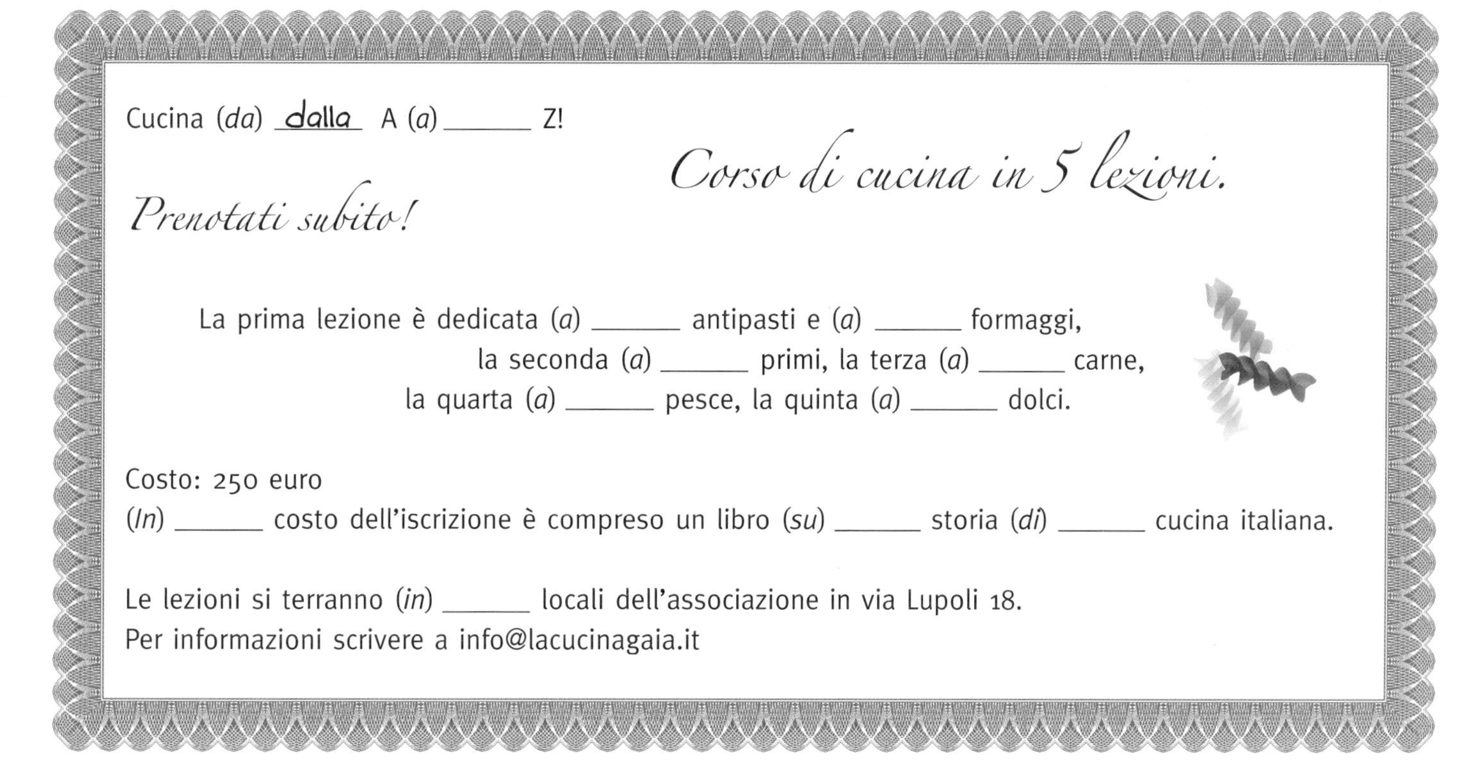

Cucina (*da*) dalla A (*a*) ______ Z!

Corso di cucina in 5 lezioni.

Prenotati subito!

La prima lezione è dedicata (*a*) ______ antipasti e (*a*) ______ formaggi,
la seconda (*a*) ______ primi, la terza (*a*) ______ carne,
la quarta (*a*) ______ pesce, la quinta (*a*) ______ dolci.

Costo: 250 euro
(*In*) ______ costo dell'iscrizione è compreso un libro (*su*) ______ storia (*di*) ______ cucina italiana.

Le lezioni si terranno (*in*) ______ locali dell'associazione in via Lupoli 18.
Per informazioni scrivere a info@lacucinagaia.it

4 *Completa le domande con* **piace** *o* **piacciono** *e poi collega ogni domanda alla risposta corrispondente, come nell'esempio.*

domanda	risposta
Ti piace *ballare?*	No, preferiamo le tagliatelle.
A Luigi _________ le lasagne?	Sì, ci piace.
A voi _________ l'Italia?	Sì, le piace.
A Luca e Paolo _________ cucinare?	No, preferisco leggere un libro.
Ti _________ guardare la tv?	Sì, gli piace.
A Laura _________ la musica rock?	*Sì, mi piace.*
A voi _________ gli spaghetti?	No, preferisce le tagliatelle.

5 *Completa il dialogo con il* **presente** *dei verbi negli spazi_________ e i* **pronomi** *negli spazi _ _ _ _, come negli esempi.*

■ Complimenti, siete bravissimi.
• Grazie.
■ Senti ma... questa canzone... quella che fa "Domani è già qui"... Come si chiama...
• Eh, sì, "Domani". _Ti_ (*piacere*) piace ?
■ Sì, _ _ _ _ (*piacere*)_________ moltissimo. È veramente bella. Di chi è?
• Beh, è mia... l'ho scritta io.
■ Davvero?
• Eh sì.
■ Così tu (*cantare*) _________, (*suonare*)_________ il contrabbasso e (*scrivere*) _________ canzoni...
• Esatto.
■ WOW!
• Beh... In realtà io e i miei compagni (*preferire*)_________ suonare un altro tipo di musica, ma con le canzoni pop è più facile avere dei contratti...
■ E che tipo di musica _ _ _ _ (*piacere*)_________ suonare?
• Musica jazz...
■ Mmm...
• Beh, perché quella faccia?
■ No, niente, è che il jazz non mi fa proprio impazzire. (*Preferire*) _________ il pop, il rock, la disco... Insomma, musica da ballare.
• Capisco... No, io invece non amo ballare... Comunque io mi chiamo Stefano.
■ Piacere. Io sono Euridice.
• Euridice? Che strano nome...
■ Lo so... (*dire*) _________ tutti così...
• No, ma _ _ _ _ (*piacere*) _________... sì, sì, _ _ _ _ (*piacere*) _________... Senti, Euridice tu che (*fare*) _________ ? (*Suonare*)_________ anche tu?
■ No, no... Io lavoro in un circo.
• Ma dai!
■ Davvero... Sto facendo uno stage per diventare acrobata.
• Acrobata...
■ Sto imparando a camminare sul filo, a circa tre metri da terra...
• Caspita. Che coraggio! E come mai questa passione?
■ Beh... _ _ _ _ (*piacere*)_________ le cose difficili...
• Che vorresti dire?
■ Beh, (*andare*)_________ anche a cavallo, (*correre*) _________ in moto... _ _ _ _ (*piacere*) _________ le moto?
• Nooo, sono troppo pericolose per i miei gusti... E poi (*avere*)_________ il contrabbasso, la moto non (*andare*)_________ bene. (*Preferire*)_________ la macchina.
◆ Stefano! Vieni, dai, che (*dovere*)_________ ricominciare. Ti sei già innamorato? Guarda che sono gelosa!
• Arrivo arrivo.
■ È la tua ragazza?
• No, no... è Caterina, la cantante. _ _ _ _ (*piacere*) _________ scherzare.

Vai su www.almaedizioni.it/domani e mettiti alla prova con gli esercizi on line dell'unità 14.

1 *Completa la mail di Silvia con il* **participio passato** *dei verbi tra parentesi come nell'esempio e inserisci negli spazi _ _ _ _ le parole della lista.*

dopo | fa | fra | momento | qui

A: paola123@yahoo.it
Oggetto: in viaggio

Innsbruck, venerdì 8 luglio 2009

Ciao Paola,
(*leggere*) ho letto la tua mail dieci minuti _ _ _ _ e ti rispondo subito. In questo _ _ _ _ sono a Innsbruck, finalmente _ _ _ _ in albergo c'è una connessione a internet così posso raccontarti un po' il mio viaggio.
Come sai, l'altro ieri io e Marco (*partire*) siamo ________ da Venezia alle 5.30 e (*venire*) siamo ________ a passare qualche giorno nelle zone intorno al confine tra Italia e Austria.
La prima città è stata Bolzano, dove (*fare*) abbiamo ________ una visita guidata alla Thun e poi per il resto della giornata (*girare*) abbiamo ________ per le vie e i mercatini della città... la sera (*mangiare*) abbiamo ________ in un albergo... no comment!! La cena (*essere*) è ________ un disastro! Per fortuna alla fine (*prendere*) abbiamo ________ la torta Sacher... praticamente (*cenare*) abbiamo ________ con quella!
Ieri (*essere*) è ________ la giornata di Bressanone. Il centro mi (*piacere*) è ________ moltissimo.
(*Visitare*) Abbiamo ________ anche il Duomo: una chiesa barocca davvero imponente.

Oggi (*passare*) abbiamo ________ una giornata molto faticosa. Stamattina (*svegliarsi*) ci siamo ________ presto e (*partire*) siamo ________ per l'Austria. Ora siamo ad Innsbruck ma durante il viaggio (*fermarsi*) ci siamo ________ a Wattens per vedere il museo della Swarovski... molto carino.
Innsbruck è splendida, veramente bellissima, molto colorata e accogliente... (*fare*) abbiamo ________ un po' di shopping (poi quando torno ti mostro le cose che (*comprare*) ho ________... c'è anche un regalino per te!) e _ _ _ _ (*andare*) siamo ________ a cena in un ristorante tipico. Prima di andare a cena però (*comprare*) abbiamo ________ due torte Sacher da portare a Venezia!
Ora siamo in questo bellissimo hotel... _ _ _ _ poco chiudo il computer, mi faccio un bagno nella vasca idromassaggio e poi mi butto a letto!

2 *Rileggi la seconda parte della mail e metti in ordine cronologico gli eventi accaduti prima del momento in cui Silvia scrive la mail e quelli previsti per dopo, come nell'esempio.*

1. Marco e Silvia comprano due torte Sacher.
2. Marco e Silvia mangiano in un ristorante tipico.
3. Marco e Silvia partono per l'Austria.
4. *Marco e Silvia si svegliano presto.*
5. Marco e Silvia tornano a Venezia.
6. Marco e Silvia visitano il museo della Swarovski.
7. Marco e Silvia fanno shopping a Innsbruck.
8. Silvia entra nella vasca idromassaggio.
9. Silvia mostra a Paola le cose che ha comprato.
10. Silvia va a letto.

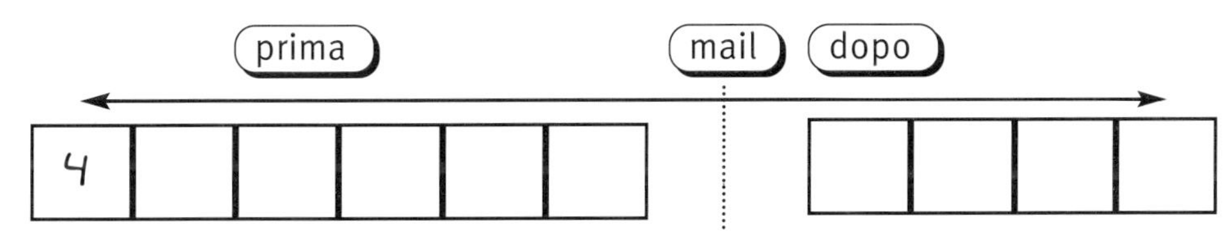

3 *Rimetti in ordine la parte finale della mail di Silvia: inserisci al posto giusto nel testo a sinistra le frasi a destra. Attenzione alla punteggiatura.*

A: paola123@yahoo.it
Oggetto: in viaggio

Domani mattina partiamo da qui e andiamo in Val di Fassa. ☐ Lì c'è un festival ☐ ☐ e noi abbiamo comprato i biglietti per il concerto di domani. ☐ ☐ ☐ ! ☐ Un bacio grande dalla tua collega preferita.
Silvia

1. Abbiamo un programma fantastico!
2. Arriviamo in un rifugio con la macchina
3. che si chiama "I suoni delle Dolomiti":
4. e poi dobbiamo fare un'ora e mezza di cammino per raggiungere il luogo del concerto! Poi,
5. fanno dei concerti in mezzo alle montagne
6. Ora vado a letto che sono stanca.
7. quando torno, ti faccio vedere tutte le foto

4 *Completa i post del forum con i verbi al* **passato prossimo.**

www.cisonostato.it

Lessinia, chi c'è stato? ▸ *da etta il 6 settembre 2009, 15:38*

Ciao a tutti, voglio andare una giornata in Lessinia, territorio in provincia di Verona e Vicenza e vorrei sapere se qualcuno di voi ci (*andare*) ___________ e la conosce? Grazie.
Etta

quote

Re: Lessinia, chi c'è stato? ▸ *da sangiopanza il 6 settembre 2009, 19:26*

Io (*vedere*) ___________ solo il museo paleontologico di Bolca e la Pesciara, dove, tra le pietre sparse per terra, mio marito (*trovare*) ___________ due piccoli fossili.

quote

Re: Lessinia, chi c'è stato? ▸ *da Ricky il 29 settembre 2009, 16:36*

Etta, poi (*andare*) ___________ in Lessinia?

quote

Re: Lessinia, chi c'è stato? ▸ *da etta il 29 settembre 2009, 22:17*

Sì, ci (*andare*) ___________ mi (*piacere*) ___________ moltissimo! Sono felice perché (*conoscere*) ___________ un posto fantastico con un paesaggio verdissimo, rilassante e anche interessante dal punto di vista culturale.
Prima di partire (*decidere*) ___________ di visitare il lato ovest della Lessinia, dove (*fare*) ___________ moltissime fotografie di panorami unici.
Ad un certo punto (*arrivare*) ___________ anche un'aquila reale: (*riuscire*) ___________ a vederla e anche a fotografarla, anche se da lontano. Che emozione!
Insomma, (*passare*) ___________ una bella giornata!

Vai su www.almaedizioni.it/domani e mettiti alla prova con gli esercizi on line dell'unità 15.

1 *Ascolta il servizio del telegiornale e scegli il titolo.* DVD esercizi 9

- ☐ Il presidente Obama allo spettacolo di Roberto Benigni.
- ☐ Dante a Manhattan con Roberto Benigni.
- ☐ Roberto Benigni e Jim Jarmush a Broadway.

2 *Riascolta e inserisci al posto giusto nello schema le informazioni sui due spettacoli citati.* DVD esercizi 9

1. August Wilson
2. Barack Obama
3. Belasco Theatre
4. Hammerstein Ballroom
5. Jim Jarmush
6. Roberto Benigni
7. Tutto Dante

Titolo dello spettacolo	Teatro	Autore	Spettatore
A. Joe Turner's Come and Gone	A. ______	A. ______	A. ______
B. ______	B. ______	B. ______	B. ______

3 *Ascolta ancora il servizio giornalistico e scegli l'opzione corretta.* DVD esercizi 9

Roberto Benigni:	Sì	No	Forse
1. Ha fatto satira sulla politica italiana.	☐	☐	☐
2. Ha parlato in inglese.	☐	☐	☐
3. Ha parlato degli afroamericani.	☐	☐	☐
4. Ha recitato insieme a Giovanna Botteri.	☐	☐	☐
5. Ha detto parolacce in italiano.	☐	☐	☐
6. Ha detto parolacce in inglese.	☐	☐	☐

4 *Scegli l'***ausiliare** *dei verbi al passato prossimo e sostituisci le espressioni di tempo* evidenziate *con quelle della lista, come nell'esempio.*

alla fine | due sere fa | ora | poi | poi | prima di recitare | verso le 20

Siena, 16 luglio 2009 • La città di Siena, (l'altro ieri) due sere fa, ha vissuto un piccolo miracolo. (Circa alle 8 di sera) __________ i negozi hanno chiuso, le strade del centro (hanno / sono) acceso le luci della sera e tutti i senesi (hanno / sono) accorsi in Piazza del Campo per assistere a un evento eccezionale. Una partita di calcio? Un concerto di una star del rock? No, niente di tutto questo. L'altra sera tutta Siena (ha / è) uscita in strada per ascoltare Roberto Benigni leggere la Divina Commedia di Dante. In una Piazza del Campo affollatissima (si calcolano tra le 25 mila e le 30 mila persone), Roberto Benigni (ha / è) spiegato e (ha / è) recitato il quinto canto dell'Inferno.
(Prima della lettura del quinto canto di) __________ Dante, l'artista toscano (ha / è) aperto lo spettacolo con un breve monologo, che (ha / è) riguardato soprattutto i temi dell'attualità. Moltissime (hanno / sono) state le battute sulla politica, che (hanno / sono) provocato le risate del pubblico.
(Dopo il monologo) __________ Benigni (ha / è) iniziato la lettura del quinto canto. Come tutti sanno, è il canto dell'amore tra Paolo e Francesca. L'attore toscano (ha / è) spiegato con grande semplicità e chiarezza il significato del canto e poi (ha / è) recitato il testo. Quando (ha / è) recitato i famosi versi "Amor, ch'a nullo amato amar perdona...." tutta la piazza (ha / è) rimasta in un silenzio magico, completamente rapita dalla bravura dell'attore.
(Al termine dello spettacolo) __________, il pubblico (ha / è) applaudito per molti minuti e Benigni (ha / è) regalato vari bis. Lo spettacolo di Benigni, dal titolo *TuttoDante*, (ha / è) debuttato in piazza Santa Croce a Firenze esattamente 3 anni fa ed (ha / è) stato subito un grande successo.
(Dopo) __________ Benigni (ha / è) partito per un tour mondiale, che (ha / è) toccato prima l'Europa e successivamente gli Stati Uniti. (Adesso) __________ lo spettacolo (ha / è) ricominciato a girare per le piazze italiane.

5 *Riordina le frasi a destra. Poi metti le frasi al posto giusto nel testo a sinistra e ricomponi il dialogo, come nell'esempio. Attenzione alla punteggiatura.*

■ Adesso io devo andare a suonare. Ma ti va di fare due chiacchiere dopo il concerto?
• __________, __________, tra un po' io devo tornare a casa. Domani mattina... insomma... devo alzarmi presto.
■ __________, __________... se non puoi stasera...
• __________. Ti do il mio numero così mi chiami. Voi siete qui tutte le sere?
■ No, domani sera abbiamo l'ultimo concerto. __________.
• Allora...Vabbe'... __________... DOMANI?
■ Domani? __________! __________. Anzi, sai che ti dico? Domani è già qui!

- dispiace – mi – non – posso
- partiamo – poi
- allora – beh – ma
- *di – ti – ma – va*
- certo – perfetto
- che – ci – dici – ne – se – vediamo
- altra – un' – facciamo – volta

6 *Inserisci nelle risposte il* **che relativo** *al posto giusto, come nell'esempio.*

che

1. *Come apre i suoi spettacoli Benigni?*
▸ Inizia sempre con un monologo [che] parla di politica.

2. *Cosa è successo a Siena il 14 luglio 2009?*
▸ Benigni ha fatto uno spettacolo in piazza ha avuto un enorme successo.

3. *Chi è Antonio Vivaldi?*
▸ Vivaldi è il compositore ha scritto *Le 4 Stagioni*.

4. *Cos'è un contrabbassista?*
▸ È il musicista suona lo strumento chiamato contrabbasso.

5. *Cos'è il quinto canto dell'Inferno?*
▸ È il canto della Divina Commedia racconta l'amore tra Paolo e Francesca.

6. *Da quanto tempo Benigni è in tournée?*
▸ Sta facendo un tour mondiale dura da tre anni.

7. *Chi va al locale Danzassassina?*
▸ Ci vanno le persone vogliono ballare tutta la notte.

8. *Chi va all'accademia di gastronomia?*
▸ Ci vanno le persone vogliono imparare a cucinare.

9. *Perché moltissimi senesi sono andati in Piazza del Campo?*
▸ Per vedere Roberto Benigni recita la Divina Commedia.

10. *Cos'è la Divina Commedia?*
▸ È l'opera più famosa di Dante Alighieri racconta il viaggio del poeta attraverso l'Inferno, il Purgatorio e il Paradiso.

7 *Completa il testo con i verbi al* **passato prossimo** *o al* **presente**, *come nell'esempio.*

Scemo di guerra

Martedì 9 e mercoledì 10 gennaio (*andare*) è andato in scena Ascanio Celestini con *Scemo di guerra. Roma 4 giugno '44*, spettacolo da lui scritto, interpretato e diretto che (*debuttare*) ____________ nel 2004 a La Biennale di Venezia. Celestini è riconosciuto, in Italia, come uno dei più giovani e importanti esponenti del filone del "teatro della memoria". Nel 2002 l'Associazione Nazionale dei Critici di Teatro gli (*assegnare*) ____________ il premio della critica. Inoltre l'attore (*ricevere*) ____________ il Premio UBU Speciale "per il complesso della sua ricerca della Storia dentro alle sue storie". Celestini racconta così lo spettacolo: «(*Sentire*) ____________ raccontare questa storia da mio padre per trent'anni. (*Essere*) ____________ la storia del 4 giugno del 1944, il giorno della Liberazione di Roma. Per tanto tempo questa (*essere*) ____________ per me l'unica storia concreta sulla guerra. Così quando (*cominciare*) ____________ a fare ricerca (*decidere*) ____________ di registrarlo e (*provare*) ____________ a lavorare sulle sue storie. E proprio da queste storie nasce *Scemo di guerra*. Nello spettacolo (*essere*) ____________ possibile ascoltare alcuni avvenimenti molto conosciuti come il bombardamento di San Lorenzo. Alcuni fatti (*accadere*) ____________ veramente a mio padre, come quando (*rischiare*) ____________ di farsi ammazzare per raccogliere una cipolla. Alcuni (*essere*) ____________ altrettanto veri, ma li (*ascoltare*) ____________ da altre persone, come la storia del soldato seppellito vivo all'Appio Claudio. Altre cose le (*inventare*) ____________ io o le (*prendere*) ____________ da altri racconti di altre guerre che (*ascoltare*) ____________. Adesso questa sua storia per me (*essere*) ____________ il modo per mantenere un duplice legame sentimentale: quello politico con la mia città e quello umano con mio padre».

adattato da Italia Donna, 9 gennaio 2007

8 *Chiudi gli occhi, ascolta la musica e lascia libera la fantasia. Immagina una storia e scrivila.* DVD esercizi 10

Vai su www.almaedizioni.it/domani e mettiti alla prova con gli esercizi on line dell'unità 16.

1 *Trasforma il testo della prima colonna da* **io** *a* **lui**. *Inserisci sulle righe* ____________ *il verbo* **piacere**, *sulle righe* ____ *i* **pronomi diretti** *e sulle righe* _ _ _ _ *i* **pronomi indiretti**, *come nell'esempio.*

io	lui
Mi (*piacere*) leggere perché mi sento in un mondo diverso. La lettura secondo me è una terapia e mi aiuta tantissimo a crescere. Quando qualcuno mi regala un libro per me è sempre una festa! Ma non tutti i libri sono uguali. Ci sono libri che, anche se ben scritti, non mi colpiscono. Altre volte invece un libro mi travolge o mi emoziona, o ancora mi insegna cose che non avrei mai potuto imparare. C'è poi un altro aspetto, che mi sembra importante sottolineare: spesso i libri che mi (*piacere*) mi aiutano a dimenticare i problemi che ho.	_Gli_ ____________ leggere perché si sente in un mondo diverso. La lettura secondo lui è una terapia e ____ aiuta tantissimo a crescere. Quando qualcuno _ _ _ _ regala un libro per lui è sempre una festa! Ma non tutti i libri sono uguali. Ci sono libri che, anche se ben scritti, non ____ colpiscono. Altre volte invece un libro ____ travolge o ____ emoziona, o ancora _ _ _ _ insegna cose che non avrebbe mai potuto imparare. C'è poi un altro aspetto, che _ _ _ _ sembra importante sottolineare: spesso i libri che _ _ _ _ ____________ ____ aiutano a dimenticare i problemi che ha.

- Ogni pronome corretto 2 punti — Totale: ____ / 18
- Ogni verbo corretto 3 punti — Totale: ____ / 6

2 *Completa la chat con il* **participio passato** *dei verbi tra parentesi e inserisci negli spazi* _ _ _ _ _ _ _ _ _ *le espressioni della lista.*

a casa | fa | la sera prima | qui a Capri

Rita è a Capri e ha lasciato la sua casa di Firenze a Stefano. Dopo qualche giorno lo contatta in *chat*.

Stefano	Hey Rita, sei on line? (*Provare*) Ho ____________ a telefonarti cinque minuti _ _ _ _ _ _ _ _ _ ma non (*riuscire*) sono ____________ a prendere la linea.
Rita	Ciao Stefano. Scusa ma _ _ _ _ _ _ _ _ _ il cellulare non prende molto bene. Come stai? Non (*avere*) ho ____________ nessuna notizia del tuo concerto! E _ _ _ _ _ _ _ _ _? Tutto ok?
Stefano	Sì, tutto bene. Non so come ringraziarti! (*Passare*) Ho ____________ una settimana molto movimentata, ma c'è anche una bella notizia!
Rita	Che bello! Racconta, racconta!
Stefano	Il concerto (*andare*) è ____________ bene, e _ _ _ _ _ _ _ _ _ ... (*conoscere*) ho ____________ una ragazza.
Rita	WOW! ☺

- Ogni participio corretto 1 punto — Totale: ____ / 6
- Ogni espressione al posto giusto 2 punti — Totale: ____ / 8

3 *Completa il testo con i verbi al* **passato prossimo** *sulle righe* ________, *con gli* **articoli determinativi** *sulle righe* _ _ _ _ *e con le* **preposizioni articolate** *sulle righe* ____, *come negli esempi.*

Il 21 aprile 2009 cinquantasei tra _ _ i _ _ più grandi artisti (*di*) della nostra storia recente, presente e futura (*registrare*) ________ una canzone tutti insieme, *Domani 21/04.09*. Lo scopo di *Domani 21/04.09 – Artisti uniti* per _ _ _ _ *Abruzzo* è stato quello di raccogliere fondi per sostenere gli interventi di ricostruzione e restauro (*di*) ____ Conservatorio "Alfredo Casella" e (*di*) ____ sede (*di*) ____ Teatro Stabile d'Abruzzo dell'Aquila, dopo il terribile terremoto (*di*) ____ 6 aprile 2009. Tutti gli artisti (*prendere*) ________ questo appuntamento con _ _ _ _ sola regola di essere fisicamente tutti insieme (*in*) ____ stesso posto – gli studi Officine Meccaniche di Milano – (*in*) ____ stesse ore, senza utilizzare _ _ _ _ rete o le tecnologie. Il ruolo (*di*) ____ musica (*avere*) ________ sempre un valore (*in*) ____ passaggi importanti di una comunità, la musica c'è (*in*) ____ momenti di difficoltà e (*in*) ____ momenti di festa, serve ad elaborare le emozioni e a dargli un posto. Il gruppo di cantanti, così ampio e vario, (*dare*) ________ un risultato sorprendente ed emozionante. Il brano infatti esprime il meglio (*di*) ____ nostro panorama musicale, con _ _ _ _ suo carico di umanità, di talento e con qualcosa di unico. Ogni cantante (*partecipare*) ________ con _ _ _ _ sua storia e ognuno (*abbassare*) ________ le sue difese e si è messo a nudo con _ _ _ _ sua voce per _ _ _ _ progetto... *Domani 21/04.09* è un progetto storico, di grande impatto sociale, perché per _ _ _ _ prima volta gli artisti tutti insieme, con management e case discografiche, (*dimostrare*) ________ che esiste una scena musicale che vive come tradizione ma anche come presenza vitale (*in*) ____ società.

adattato da: http://www.domani21aprile2009.it

- **Ogni verbo corretto 2 punti** — **Totale: ___ / 14**
- **Ogni articolo e preposizione corretta 1 punto** — **Totale: ___ / 20**

4 *Riscrivi il testo nel giusto ordine coniugando i verbi tra parentesi al* **passato prossimo**. *Attenzione: devi aggiungere un pronome relativo* **che**.

Tutto ________ ________ ________ ________ ________ ________ del premier.	Benigni a New York, e non (*mancare*) di fare satira esaurito per il canto dei lussuriosi (*recitare*) sulle vicende

- **Frase corretta 15 punti** — **Totale: ___ / 15**

5 *Inserisci negli spazi le* **date** *della lista e aggiungi, dove necessario, due volte il pronome relativo* **che**.

2006 | 2009 | 1265 | 14 settembre 1321 | 22 maggio

Dante Alighieri è nato a Firenze nel ________, tra il ________ ed il 13 giugno, ed è morto a Ravenna il ________. È stato poeta, scrittore e politico italiano. È considerato il padre della lingua italiana ed è l'autore della *Divina Commedia*. Sono numerosissimi gli scrittori e gli intellettuali hanno utilizzato e continuano ad utilizzare la *Commedia* e le altre opere dantesche come fonte di ispirazione tematica, linguistica, espressiva. Tra di loro, Roberto Benigni, ha portato in tutto il mondo lo spettacolo *TuttoDante* dal ________ al ________.

- **Ogni data al posto giusto 1 punto** — **Totale: ___ / 5**
- **Ogni pronome relativo al posto giusto 4 punti** — **Totale: ___ / 8**

☞ **Totale test: ___ / 100**

Cosa so fare?

Informarsi sul tempo libero	☐	☐	☐
Chiedere a una persona cosa ama fare	☐	☐	☐
Indicare gusti e preferenze	☐	☐	☐
Raccontare eventi passati	☐	☐	☐
Ricostruire l'ordine cronologico di un racconto	☐	☐	☐
Fare, accettare o rifiutare una proposta	☐	☐	☐
Concordare un appuntamento	☐	☐	☐
Chiedere e indicare la data	☐	☐	☐

Cosa ho imparato

Pensa a quello che hai imparato e scrivi...

- 5 parole o espressioni che ti sembrano molto utili:
- una cosa particolarmente difficile:
- qualche segnale discorsivo utile per comunicare (suoni, non parole vere e proprie):
- una curiosità culturale sull'Italia e gli italiani:

Cosa faccio... | conoscere una nuova persona

1 *Hai conosciuto una persona italiana, che comincia a raccontarti cosa ha fatto nel fine settimana. Per capire, oltre al significato di quello che dice, ci sono altre cose che ti aiutano. Quali? Segnale nella tabella.*

	Mi aiuta a capire meglio, ma solo se **ho già capito tutto** quello che ha detto.	Mi aiuta a capire meglio quando **non ho capito tutto** quello che ha detto.
I gesti e la mimica	☐ sì ☐ no	☐ sì ☐ no
Il tono della voce	☐ sì ☐ no	☐ sì ☐ no
Le pause e i silenzi nel discorso	☐ sì ☐ no	☐ sì ☐ no
I segnali discorsivi che usa (*ehm*, *mah*, *beh*, ecc.)	☐ sì ☐ no	☐ sì ☐ no
L'espressione del viso	☐ sì ☐ no	☐ sì ☐ no
Altro: ______________	☐ sì ☐ no	☐ sì ☐ no

2 *Lavora in gruppo: scegliete qual è la cosa che vi aiuta di più a capire un italiano che parla.*

Mi metto alla prova | tenere un diario in italiano

Per un periodo più o meno esteso (minimo una settimana), prova a scrivere in un diario (in un quaderno o al computer) tutto quello che hai fatto nella giornata. Puoi essere sintetico o dettagliato, non preoccuparti degli errori o di consultare il dizionario per cercare le parole importanti: l'importante è scrivere tutti i giorni! Il diario sarà un ricordo del periodo in cui hai studiato l'italiano e una prova dei tuoi progressi.

grammatica

glossario dei termini grammaticali

▸ termine	▸ esempio
aggettivo	*la colazione* ***abbondante***
aggettivo di nazionalità	*il pittore* ***italiano****, il pittore* ***francese***
articolo determinativo	***il*** *pomeriggio,* ***la*** *mattina*
articolo indeterminativo	***una*** *notte,* ***un*** *supplemento*
avverbio di modo	*Sto* ***bene*** *con Paola.*
avverbio di quantità	*In questo periodo lavoro* ***molto.***
avverbio di frequenza	*Mi sveglio* ***sempre*** *alle 7.00.* ***Non*** *vado* ***mai*** *in discoteca.*
avverbio di luogo	***Qui*** *a Capri il cellulare non prende.*
avverbio di tempo	***Ora*** *ti saluto,* ***Dopo*** *il concerto...*
concordanza	***Le*** *camer****e*** *sono pulit****e****.* ***Gli*** *albergh****i*** *sono pien****i****.*
condizionale di cortesia	***Vorrei*** *un cappuccino.*
congiunzione	*Giulia* ***e*** *Mauro*
coniugazione	***io lavoro, tu lavori, lui/lei lavora...***
consonante	***b, c, d, f...***
femminile	*Pilar è spagnol****a****.*
forma di cortesia	*Buongiorno avvocato. Come* ***sta****?*
frase dichiarativa	***Mi chiamo Paolo.***
frase interrogativa	***Che autobus devo prendere?***
frase esclamativa	***È un regalo bellissimo, grazie!***
gerundio	*Sto* ***guidando.***
grado dell'avverbio	*Come stai?* ***Molto bene / Benissimo.***
imperativo	***Prendi*** *il taxi.* ***Non prendere*** *la metropolitana.*
interrogativi	***Quanti*** *anni hai?* ***Che*** *lavoro fai?*
pronome di luogo ci	*Come* ***ci*** *arrivo?*
maschile	*Paolo è italian****o****.*
negazione	***Non*** *sono italiana.*
nome	***teatro, piazza, paese, città***
numero ordinale	***primo, secondo, terzo, quarto...***
participio passato	*Ho* ***conosciuto*** *una ragazza.*
passato prossimo	***Abbiamo deciso*** *di andare a casa sua.*
plurale	*appuntament****i****, piazz****e***
possessivi	*la* ***mia*** *giornata*
presente indicativo	***Vado*** *alla manifestazione.*
pronome dimostrativo	***Questa*** *casa è troppo piccola.* ***Quella*** *ragazza è francese.*
pronome relativo che	*Ho comprato un libro* ***che*** *parla di fantascienza.*
pronome diretto	*Ho le valigie.* ***Le*** *mettiamo nel portabagagli?*
pronome indiretto	*Che tipo di musica* ***vi*** *piace suonare?*
preposizione	*Abito* ***a*** *Roma,* ***in*** *Italia.*
preposizione articolata	***dagli*** *antipasti* ***ai*** *dolci*
singolare	*appuntament****o****, piazz****a***
verbi modali	***Posso*** *fare una domanda?*
verbo	***arrivare, scrivere, partire***
verbo ausiliare	*Il concerto* ***è*** *andato bene.*
vocale	***a, e, i, o, u***
verbi riflessivi	***Mi sveglio*** *alle 7.00.*

L'alfabeto

L'alfabeto italiano ha 21 lettere. Altre 5 lettere sono presenti in parole di origine straniera: *j, k, w, x, y*.

Alfabeto italiano

A a	B bi	C ci	D di	E e	F effe	G gi
H acca	I i	L elle	M emme	N enne	O o	P pi
Q cu	R erre	S esse	T ti	U u	V vu	Z zeta

Altre lettere

J i lunga	K kappa	W doppia vu	X ics	Y ipsilon

La pronuncia

In italiano le parole si leggono come si scrivono e a ogni lettera corrisponde un suono. Ma ci sono alcune eccezioni.

suono	lettere	esempio
[ʧ]	cia, ce, ci, cio, ciu	*ciao, cena, cinema, bacio, ciurma*
[k]	ca, che, chi, co, cu	*casa, amiche, chiamo, amico, cucina*
[ʤ]	gia, ge, gi, gio, giu	*giallo, gelato, giro, gioco, giugno*
[g]	ga, ghe, ghi, go, gu	*impiegato, spaghetti, laghi, prego, gufo*
[ʎ]	gli	*figli*
[ɲ]	gn	*gnomo*
suono muto	h	*ho, hotel*
[ʃ]	scia, sce, sci, scio, sciu	*sciabola, pesce, uscita, sciopero, asciugo*
[sk]	sca, sche, schi, sco, scu	*scala, pesche, maschile, tedesco, scusa*

L'accento

La maggior parte della parole italiane ha l'accento sulla penultima sillaba: *studente*

Nelle altre parole l'accento può cadere:

- sull'ultima sillaba: *città*
- sulla terz'ultima sillaba: *parlano*
- sulla quart'ultima sillaba: *telefonano*

Quando cade sull'ultima sillaba, l'accento è indicato: *università*

L'accento può essere grave o acuto. Nelle vocali ***a, i, o, u*** l'accento è sempre grave: *papà, lunedì, però, più*.

Nella vocale ***e*** l'accento può essere grave o acuto: *caffè, perché*

I numeri da 1 a 30

1 uno	2 due	3 tre	4 quattro	5 cinque	6 sei	7 sette	8 otto	9 nove	10 dieci
11 undici	12 dodici	13 tredici	14 quattordici	15 quindici	16 sedici	17 diciassette	18 diciotto	19 diciannove	20 venti
21 ventuno	22 ventidue	23 ventitré	24 ventiquattro	25 venticinque	26 ventisei	27 ventisette	28 ventotto	29 ventinove	30 trenta

grammatica | unità zero

Il verbo *chiamarsi*

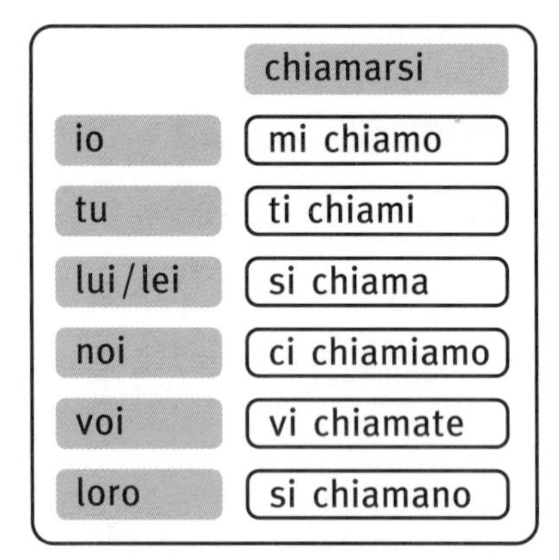

	chiamarsi
io	mi chiamo
tu	ti chiami
lui/lei	si chiama
noi	ci chiamiamo
voi	vi chiamate
loro	si chiamano

grammatica | modulo uno

I verbi *andare*, *essere*, *avere*

	andare	essere	avere
io	vado	sono	ho
tu	vai	sei	hai
lui/lei	va	è	ha
noi	andiamo	siamo	abbiamo
voi	andate	siete	avete
loro	vanno	sono	hanno

I pronomi soggetto

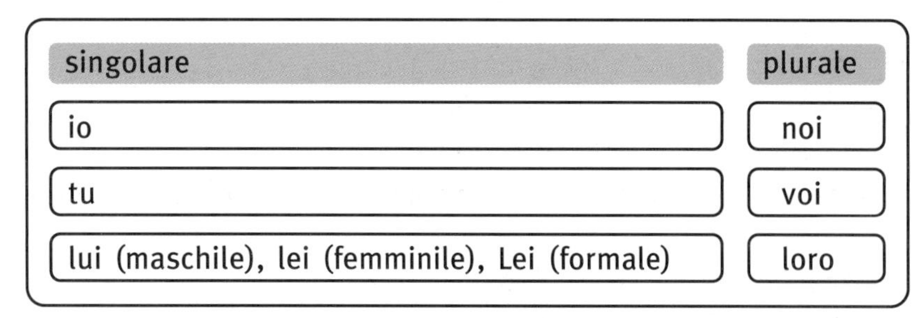

singolare	plurale
io	noi
tu	voi
lui (maschile), lei (femminile), Lei (formale)	loro

In italiano il soggetto del verbo di solito non è espresso.

- *Dove vai?* ▸ *Vado al cinema.*

Il soggetto è espresso in casi particolari: per mettere in risalto la persona, per esprimere un'opposizione, per evitare ambiguità.

- ***Lui** di dov'è?* ▸ ***Lui** è di Roma, **io** sono di Genova.*

La negazione

In italiano la negazione è espressa da ***no*** o ***non***. ***No*** si usa per rispondere e si mette all'inizio o alla fine della frase.

- *Sei italiano?* ▸ ***No**, sono spagnolo.*

Non si mette prima del verbo.

▸ *Mauro **non** parla inglese.*

I numeri da 0 a 100

0	1	2	3	4	5	6	7	8	9
zero	uno	due	tre	quattro	cinque	sei	sette	otto	nove
10	**11**	**12**	**13**	**14**	**15**	**16**	**17**	**18**	**19**
dieci	undici	dodici	tredici	quattordici	quindici	sedici	diciassette	diciotto	diciannove
20	**21**	**22**	**23**	**24**	**25**	**26**	**27**	**28**	**29**
venti	ventuno	ventidue	ventitré	ventiquattro	venticinque	ventisei	ventisette	ventotto	ventinove
30	**31**	**32**	**33**	**34**	**35**	**36**	**37**	**38**	**39**
trenta	trentuno	trentadue	trentatré	trentaquattro	trentacinque	trentasei	trentasette	trentotto	trentanove
40	**50**	**60**	**70**	**80**	**90**	**100**			
quaranta	cinquanta	sessanta	settanta	ottanta	novanta	cento			

I nomi

I nomi possono essere maschili o femminili. In genere i nomi in ***-o*** sono maschili (plurale ***-i***) e i nomi in ***-a*** sono femminili (plurale ***-e***). I nomi in ***-e*** possono essere maschili o femminili (plurale ***-i***).

nomi in *-o* / *-a*

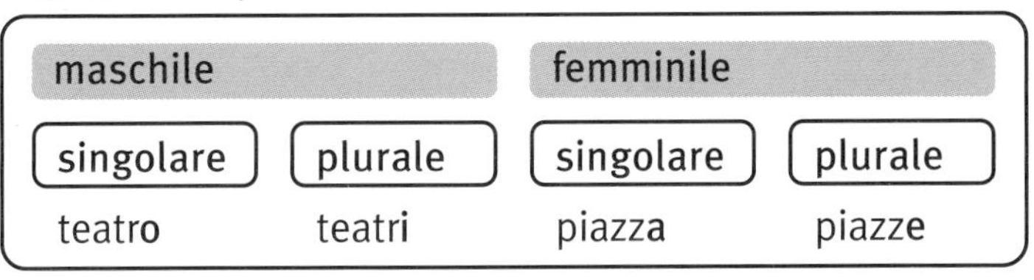

maschile		femminile	
singolare	plurale	singolare	plurale
teatro	teatri	piazza	piazze

nomi in *-e*

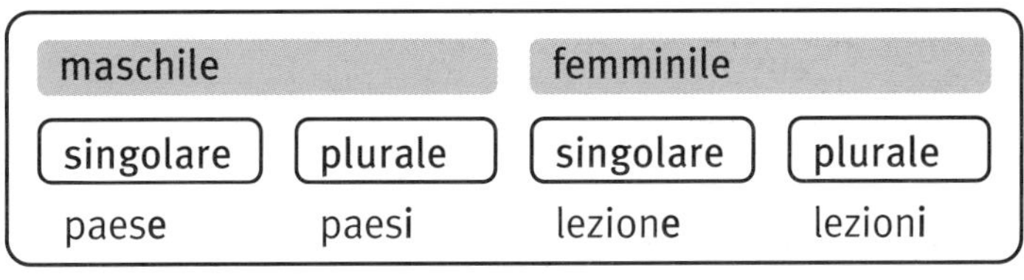

maschile		femminile	
singolare	plurale	singolare	plurale
paese	paesi	lezione	lezioni

Ci sono molti casi particolari:

- i nomi in ***-tà*** sono femminili e hanno il plurale uguale al singolare: *città*, *università*.
- alcuni nomi femminili finiscono in ***-o*** al singolare e al plurale: *auto*, *foto*, *moto*, *radio*.
- alcuni nomi maschili finiscono in ***-a*** (plurale ***-i***): *problema* (*problemi*), *schema* (*schemi*).
- normalmente i nomi stranieri che finiscono in consonante sono maschili e con plurale invariabile: *bar*, *film*, *autobus*, *yogurt*.
- alcuni nomi maschili in ***-co*** e ***-go*** con l'accento sulla penultima sillaba hanno il plurale in ***-chi*** e ***-ghi***: *tedesco* (*tedeschi*), *albergo* (*alberghi*). Eccezioni importanti: *amico* (*amici*), *greco* (*greci*).
- altri nomi maschili in ***-co*** e ***-go*** con l'accento sulla terz'ultima sillaba hanno il plurale in ***-ci*** e ***-gi***: *medico* (*medici*), *psicologo* (*psicologi*).
- i nomi in ***-ca*** e ***-ga*** al plurale hanno una ***-h-***: *amica* (*amiche*), *riga* (*righe*).
- i nomi in ***-cia*** e ***-gia*** con la ***-i-*** accentata hanno il plurale in ***-cie*** e ***-gie***: *farmacia* (*farmacie*), *bugia* (*bugie*).
- i nomi in ***-cia*** e ***-gia*** con la ***-i-*** non accentata hanno il plurale in ***-cie*** e ***-gie*** se la sillaba è preceduta da una vocale, e in ***-ce*** e ***-ge*** se la sillaba è preceduta da una consonante: *camicia* (*camicie*), *ciliegia* (*ciliegie*), *arancia* (*arance*), *pioggia* (*piogge*).

I numeri da 100 a 1000

100	110	150	200	300	500	1000
cento	centodieci	centocinquanta	duecento	trecento	cinquecento	mille

Il presente indicativo dei verbi regolari in *-are*, *-ere* e *-ire*

I verbi regolari italiani si dividono in 3 gruppi: verbi in *-are*, verbi in *-ere*, verbi in *-ire*.

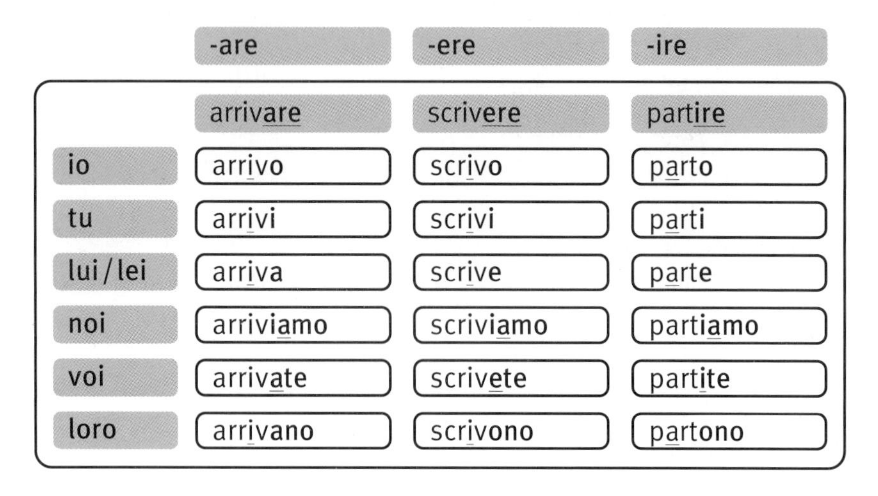

	-are	-ere	-ire
	arrivare	scrivere	partire
io	arrivo	scrivo	parto
tu	arrivi	scrivi	parti
lui/lei	arriva	scrive	parte
noi	arriviamo	scriviamo	partiamo
voi	arrivate	scrivete	partite
loro	arrivano	scrivono	partono

Nella prima e nella seconda persona plurale l'accento cade sulla penultima sillaba.
Nelle altre persone l'accento cade sulla stessa sillaba della prima persona singolare.

Gli aggettivi in *-o* / *-a*, *-e*

In italiano esistono due gruppi di aggettivi: gli aggettivi in *-o* / *-a* (plurale *-i* / *-e*) e gli aggettivi in *-e* (plurale *-i*).

aggettivi in *-o* / *-a*

maschile		femminile	
singolare	plurale	singolare	plurale
italiano	italiani	italiana	italiane

aggettivi in *-e*

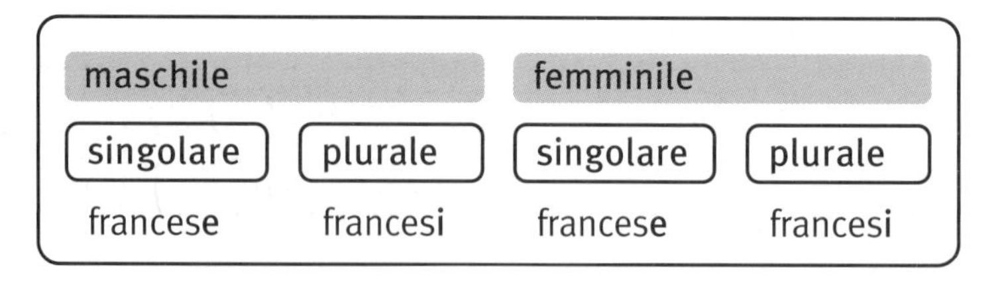

maschile		femminile	
singolare	plurale	singolare	plurale
francese	francesi	francese	francesi

I colori

Gli aggettivi che indicano i colori possono essere in *-o* / *-a* o in *-e*. Alcuni colori sono invariabili.

colori in *-o* / *-a*

rosso / rossa / rossi / rosse
azzurro / azzurra / azzurri / azzurre
giallo / gialla / gialli / gialle
grigio / grigia / grigi / grigie
nero / nera / neri / nere
bianco / bianca / bianchi / bianche

colori in *-e*

verde / verdi
arancione / arancioni
marrone / marroni

colori invariabili

rosa
viola
blu

Gli interrogativi

Chi?	***Chi*** *è la tua insegnante?*
Che cosa?	***Che cosa*** *prendi?*
Che + *nome*?	***Che*** *ore sono?*
Come?	***Come*** *ti chiami?*
Dove?	***Dove*** *andiamo?*
Perché?	***Perché*** *studi l'italiano?*
Quando?	***Quando*** *parti per New York?*
Quanto?	***Quanto*** *costa?*
Quanto / Quanta / Quanti / Quante + *nome*?	***Quanti*** *anni hai?*
Quale / Quali + *nome*?	***Quali*** *lingue parli?*

Le congiunzioni *e*, *o*, *ma*

La congiunzione ***e*** si usa per unire due elementi di una frase (o anche due frasi).

- *La doppia **e** la matrimoniale costano 85 euro.*

La congiunzione ***o*** si usa per unire due elementi che si escludono tra di loro.

- *Volete una camera doppia **o** una matrimoniale?*

La congiunzione ***ma*** si usa per dire una cosa in opposizione a un'altra detta prima.

- *La singola costa 55 euro **ma** per il bagno in camera c'è un supplemento di 20 euro.*

Il condizionale di cortesia *vorrei*

Vorrei (condizionale del verbo ***volere***) si usa per chiedere qualcosa con cortesia.

- ***Vorrei*** alcune informazioni.

Gli articoli determinativi e indeterminativi

In italiano esistono articoli di due tipi: determinativi e indeterminativi (vedi Modulo 3).

articoli determinativi

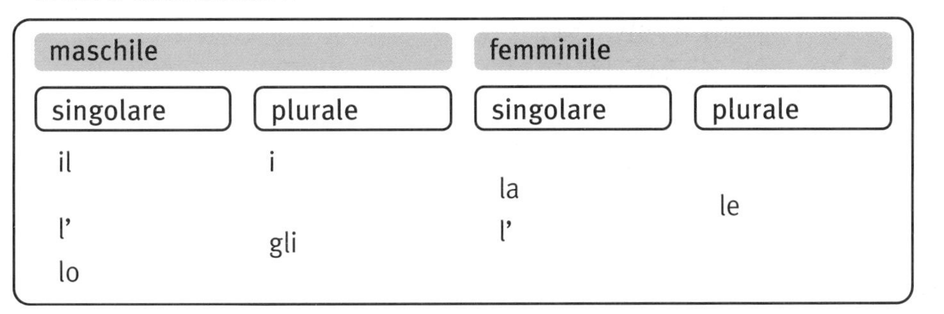

maschile		femminile	
singolare	plurale	singolare	plurale
il	i	la	le
l'	gli	l'	
lo			

articoli indeterminativi

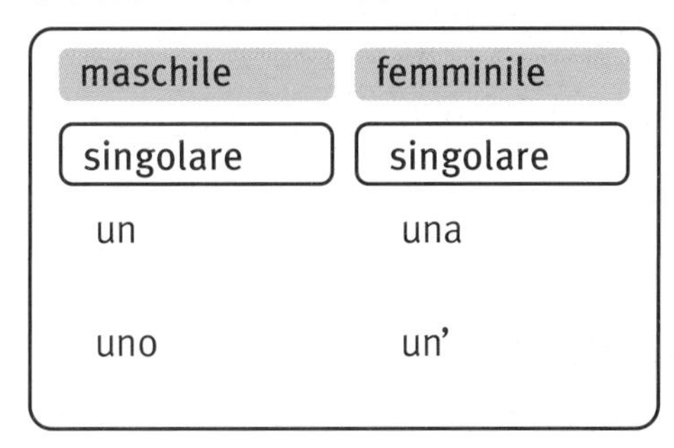

maschile	femminile
singolare	singolare
un	una
uno	un'

La frase dichiarativa, interrogativa ed esclamativa

La frase dichiarativa serve ad affermare o negare qualcosa. Ha un'intonazione uniforme (la voce non varia in modo significativo).

- *Mi chiamo Paolo.*
- *Non sono spagnolo.*

La frase interrogativa serve a domandare qualcosa.
Ha un'intonazione ascendente (la voce tende a salire).

- *Che autobus devo prendere?*

La frase esclamativa contiene un'esclamazione.
Ha un'intonazione discendente (la voce tende a scendere).

- *È un regalo bellissimo, grazie!*

I verbi in *-isco*

Alcuni verbi in *-ire* (*capire*, *preferire*, *finire*...) al singolare e alla terza persona plurale aggiungono *-isc-* alla radice.

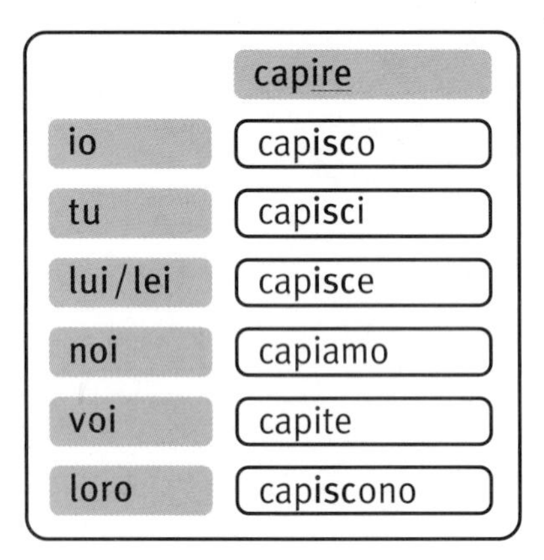

	capire
io	capisco
tu	capisci
lui/lei	capisce
noi	capiamo
voi	capite
loro	capiscono

Il verbo *fare* e altri verbi irregolari

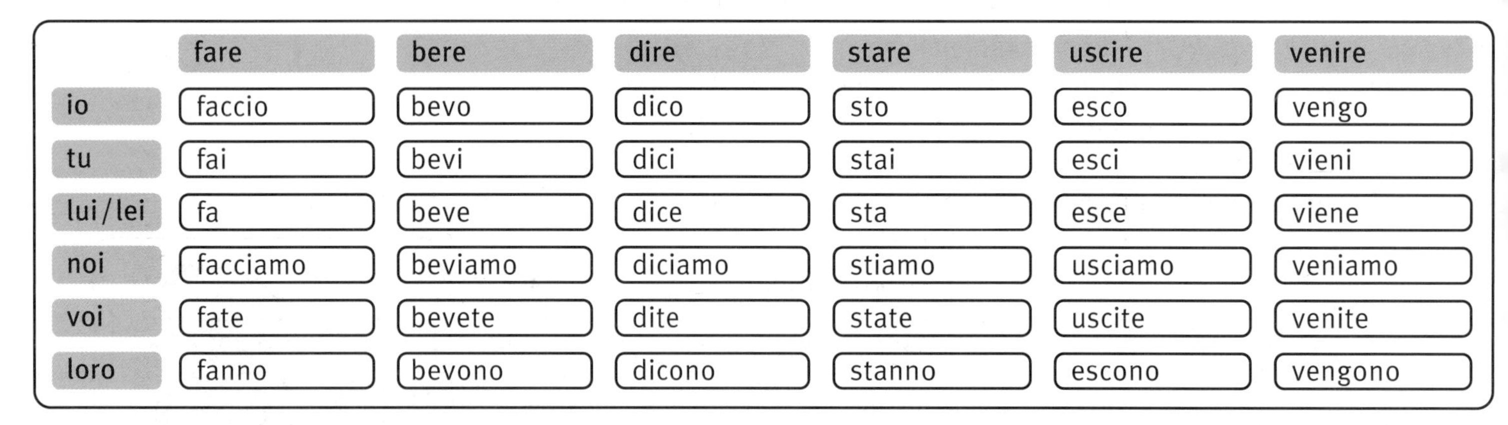

	fare	bere	dire	stare	uscire	venire
io	faccio	bevo	dico	sto	esco	vengo
tu	fai	bevi	dici	stai	esci	vieni
lui/lei	fa	beve	dice	sta	esce	viene
noi	facciamo	beviamo	diciamo	stiamo	usciamo	veniamo
voi	fate	bevete	dite	state	uscite	venite
loro	fanno	bevono	dicono	stanno	escono	vengono

I verbi in *-care* / *-gare*, *-ciare* / *-giare*, *-gere* / *-scere*

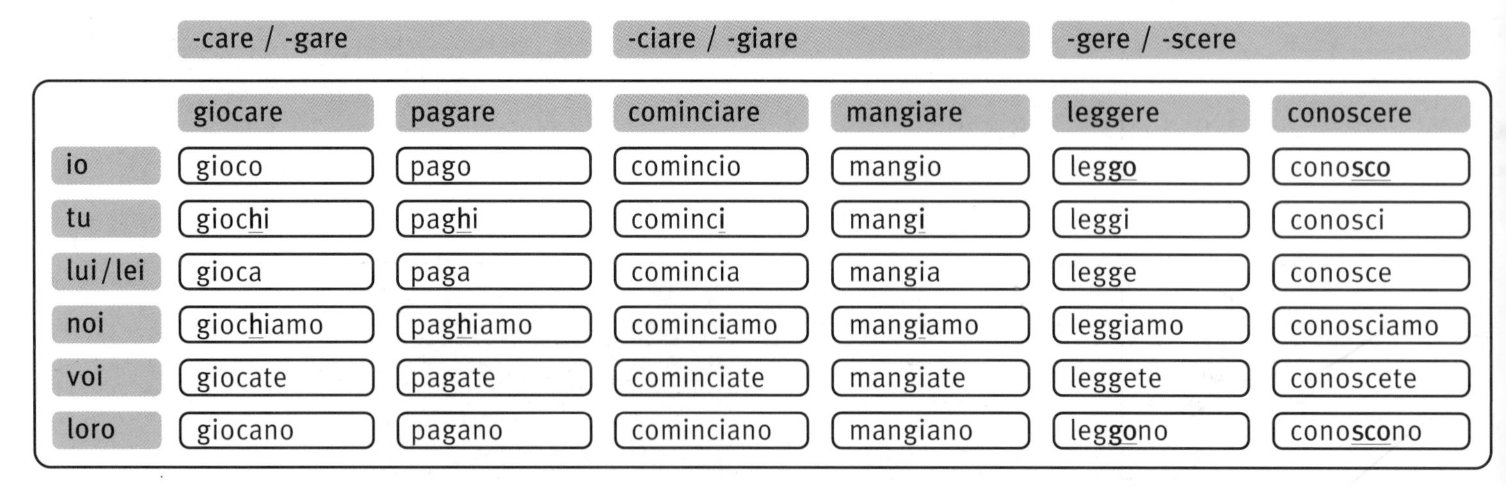

	-care / -gare		-ciare / -giare		-gere / -scere	
	giocare	pagare	cominciare	mangiare	leggere	conoscere
io	gioco	pago	comincio	mangio	leggo	conosco
tu	giochi	paghi	cominci	mangi	leggi	conosci
lui/lei	gioca	paga	comincia	mangia	legge	conosce
noi	giochiamo	paghiamo	cominciamo	mangiamo	leggiamo	conosciamo
voi	giocate	pagate	cominciate	mangiate	leggete	conoscete
loro	giocano	pagano	cominciano	mangiano	leggono	conoscono

I verbi modali

verbi ***dovere***, ***potere***, ***volere*** e ***sapere*** si usano come verbi principali e anche come verbi modali (seguiti da infinito).

- *Oggi **devo** studiare tutto il giorno.*
- *Mio padre **vuole** comprare una casa a Milano.*
- *Mi dispiace, non **posso** venire con voi.*
- *Maria non **sa** cucinare.*

	dovere	potere	volere	sapere
io	devo	posso	voglio	so
tu	devi	puoi	vuoi	sai
lui/lei	deve	può	vuole	sa
noi	dobbiamo	possiamo	vogliamo	sappiamo
voi	dovete	potete	volete	sapete
loro	devono	possono	vogliono	sanno

Anche i verbi fraseologici ***cominciare (a)*** e ***finire (di)*** si comportano nello stesso modo.

- *La mattina **comincio a** studiare alle 10.*
- *Mario **finisce di** lavorare alle 8 di sera.*

Gli articoli determinativi

La scelta dell'articolo determinativo dipende dalla lettera iniziale (o dalle lettere iniziali) del nome.

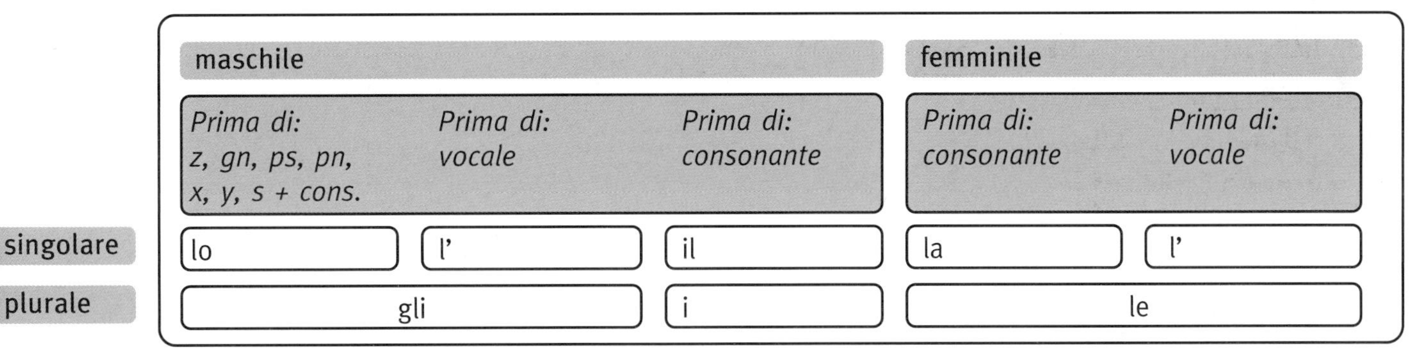

	maschile			femminile	
	Prima di: z, gn, ps, pn, x, y, s + cons.	*Prima di: vocale*	*Prima di: consonante*	*Prima di: consonante*	*Prima di: vocale*
singolare	lo	l'	il	la	l'
plurale	gli		i	le	

Gli articoli indeterminativi

Anche la scelta dell'articolo indeterminativo dipende dalla lettera iniziale (o dalle lettere iniziali) del nome.
L'articolo indeterminativo non ha le forme del plurale.

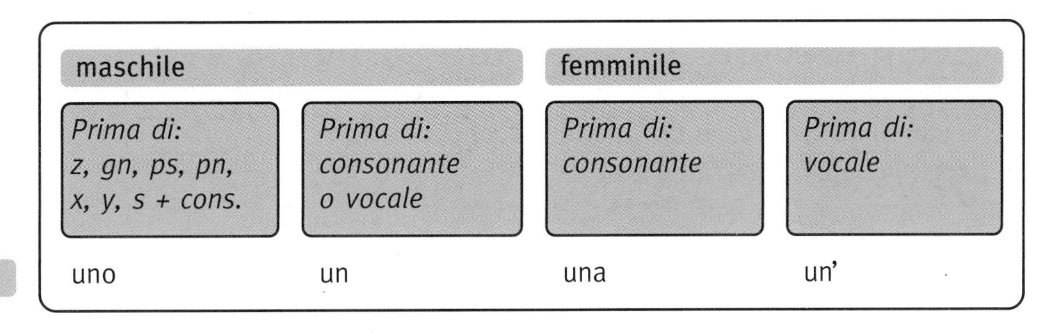

	maschile		femminile	
	Prima di: z, gn, ps, pn, x, y, s + cons.	*Prima di: consonante o vocale*	*Prima di: consonante*	*Prima di: vocale*
singolare	uno	un	una	un'

La concordanza articolo – nome – aggettivo

In italiano il genere (maschile / femminile) e il numero (singolare / plurale) del ***nome*** determinano il genere e il numero dell'articolo e dell'aggettivo.

- *Il **letto** è comodo.*
- *Gli **alberghi** sono pieni.*
- *La **colazione** è abbondante.*
- *Le **camere** sono pulite.*

I nomi delle professioni

I nomi di professione in *-**ista*** hanno il singolare maschile e femminile uguale (plurale *-**i*** / *-**e***):

- *Ugo fa il **giornalista**.*
- *Sandra fa la **giornalista**.*

Molti nomi di professione al maschile singolare finiscono in *-**iere*** e al femminile in *-**iera***:

- camer**iere** / camer**iera**

Altri nomi di professione al maschile singolare finiscono in *-**tore*** e al femminile in *-**trice***:

- scrit**tore** / scrit**trice**

Un caso particolare è il nome ***professore*** (femminile: ***professoressa***).

La forma di cortesia

Per la forma di cortesia si usa la terza persona singolare femminile (***Lei***).

- *Buongiorno avvocato. Come **sta**?* • *Bene grazie. E **Lei**?*
- *Signor Belli, **Lei** quanti anni **ha**?*

Al plurale si usa la seconda persona plurale ***Voi*** (o più raramente la terza persona plurale ***Loro***).

- *Buongiorno signori, cosa **prendete** (**prendono**)?*

Avverbi di modo e di quantità

Gli avverbi di modo indicano il "come".

bene ▸ *Sto **bene** con Paola.*
male ▸ *Aldo sta **male**.*

Gli avverbi di quantità indicano il "quanto".

molto ▸ *Sabrina lavora **molto**.*
poco ▸ *In questo periodo dormo **poco**.*
un po' ▸ *Posso avere **un po'** di vino?*

Il grado dell'avverbio

Per intensificare il grado di un avverbio si può usare ***molto*** prima dell'avverbio o il suffisso *-**issimo*** alla fine.

- *Come stai?* • ***Molto** bene, grazie. / Ben**issimo**, grazie.*

Le preposizioni semplici *di, a, da, in, con, su*, per, *tra / fra*

Le preposizioni semplici hanno moltissimi usi ed è quasi impossibile indicare delle regole di uso.

di ▸ ***Di** dove sei? / Compro una bottiglia **di** vino. / Bevo un po' **di** caffè.*
a ▸ *Vado **a** casa. / Abito **a** Napoli. / Telefono **a** Luca.*
da ▸ ***Da** dove vieni? / Vivo a Roma **da** due anni. / Vado **da** Mario.*
in ▸ *Abito **in** Italia. / Sono **in** palestra. / Vado **in** macchina.*
con ▸ ***Con** chi vai al cinema? / Parto **con** il treno.*
su ▸ *Leggo il giornale **su** internet. / **Su** questo argomento non so niente.*
per ▸ *Devo comprare un regalo **per** Lucia. / Chiamo **per** avere alcune informazioni.*
tra / fra ▸ *Il treno parte **tra** / **fra** un'ora. / Abito **tra** / **fra** Pisa e Firenze.*

grammatica | modulo tre

Le preposizioni di luogo *a*, *in*, *da*, *di*

Quando il luogo è **geografico** si usa la preposizione ***in*** con i nomi di regione e nazione e la preposizione ***a*** con i nomi di città.

- *Firenze è **in** Toscana.* ‣ *Paul abita **in** Francia.* ‣ *Voglio andare **a** New York.*

Quando il luogo è una **persona** (un nome, un pronome, ecc.) si usa la preposizione ***da***.

- *Mario va **da** Francesco.* ‣ *Venite a mangiare **da** me stasera?*

Per indicare la provenienza si usa la preposizione ***di***.

- *Io non sono **di** Roma, sono **di** Napoli.*

grammatica | modulo quattro

I verbi riflessivi

I verbi riflessivi aggiungono un pronome prima del verbo e si coniugano come i verbi non riflessivi.

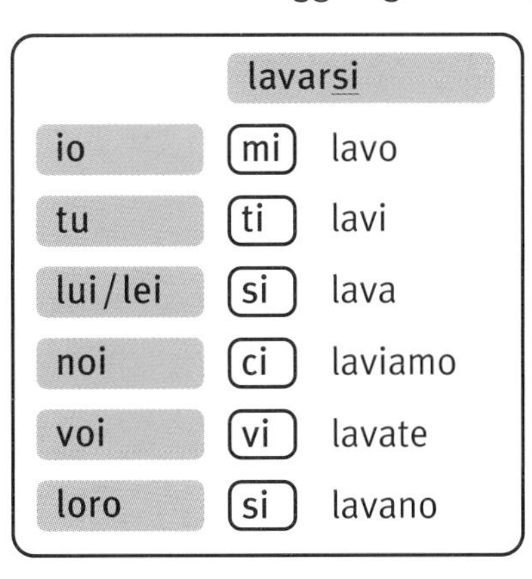

	lavarsi	
io	mi	lavo
tu	ti	lavi
lui/lei	si	lava
noi	ci	laviamo
voi	vi	lavate
loro	si	lavano

I verbi riflessivi indicano un'azione che "si riflette" sul soggetto.

verbo riflessivo		verbo non riflessivo
*Io **mi** vesto. (vestirsi)*	vs	*La mamma veste Marco. (vestire)*
*Io **mi** lavo le mani. (lavarsi)*	vs	*Franco lava la macchina. (lavare)*

Anche / *Neanche*

Anche si usa per affermare qualcosa, ***neanche*** si usa per negare qualcosa.

- ‣ *Mi sveglio sempre alle 8.* • ***Anche** io mi alzo presto.*
- ‣ *A pranzo di solito **non** mangio.* • ***Neanche** io.*

Gli avverbi di frequenza

Gli avverbi di frequenza indicano la frequenza con cui si svolge un'azione.

+++++ sempre	*Mi sveglio **sempre** alle 8.*
++++ quasi sempre	*La sera sto **quasi sempre** a casa.*
+++ spesso / di solito	*A pranzo **di solito** non mangio.*
++ qualche volta / a volte	*La domenica **qualche volta** / **a volte** vado al cinema.*
+ raramente / quasi mai	*Vado **raramente** a ballare. / Non vado **quasi mai** a ballare.*
– mai	*Io e Laura non siamo **mai** sullo stesso aereo.*

L'avverbio di frequenza *mai*

Prima dell'avverbio ***mai*** si deve usare la negazione ***non***.

- ***Non** vado **mai** al cinema.*

Quando è usato all'inizio di una domanda, l'avverbio ***mai*** significa *qualche volta / una volta* e non vuole la negazione.

- ‣ *Tu vai **mai** al cinema?* • *Sì, qualche volta.*

Gli articoli con i giorni della settimana

I giorni della settimana sono tutti maschili, solo "domenica" è femminile:
- ***il** lunedì, **il** martedì, **il** mercoledì, **il** giovedì, **il** venerdì, **il** sabato, **la** domenica.*

I possessivi

Gli aggettivi possessivi concordano in genere e numero con l'oggetto a cui si riferiscono.
- *Il venerdì pomeriggio viene a trovarmi Rita con **i suoi** bambini.*
- ***La mia** ragazza fa la hostess.*

L'aggettivo possessivo *loro* è invariabile.
- *Il **loro** amico non può venire alla festa.*
- *La **loro** casa è in centro.*

Di solito gli aggettivi possessivi hanno l'articolo.
- *Dov'è* **la tua** *borsa?*
- ***Le mie** amiche partono alle 8.*

	singolare		plurale	
	maschile	femminile	maschile	femminile
io	il mio	la mia	i miei	le mie
tu	il tuo	la tua	i tuoi	le tue
lui/lei	il suo	la sua	i suoi	le sue
noi	il nostro	la nostra	i nostri	le nostre
voi	il vostro	la vostra	i vostri	le vostre
loro	il loro	la loro	i loro	le loro

I possessivi e i nomi di parentela

Con i possessivi + i nomi di parentela al singolare non si usa l'articolo.
- *Quanti anni ha **tua sorella**?* (ma: *Quanti anni hanno **le tue sorelle**?*)
- *Come si chiama **suo zio**?* (ma: *Come si chiamano **i suoi zii**?*)
- ***Mio padre** fa l'avvocato.*

Con *loro* si usa sempre l'articolo anche con i nomi di parentela.
- ***La loro nonna** abita a Venezia.*
- ***I loro zii** vivono in Australia.*

Attenzione: prima del possessivo + ***mamma*** o ***papà*** si deve usare l'articolo.
- ***La sua** mamma non sta bene.*
- ***Il mio** papà ha 45 anni.*

C'è / Ci sono

Per indicare la presenza di qualcosa o qualcuno in un posto, al singolare si usa ***c'è*** e al plurale si usa ***ci sono***.
- *In Puglia **c'è** un mare bellissimo.*
- *D'estate **ci sono** molti turisti.*

I numeri dopo 1000

1.000	1.001	1.100	2.000	10.000
mille	milleuno	millecento	duemila	diecimila
100.000	**1.000.000**	**2.000.000**	**1.000.000.000**	**2.000.000.000**
centomila	un milione	due milioni	un miliardo	due miliardi

I numeri ordinali

I numeri ordinali sono aggettivi e vanno prima del nome.

▸ *Devi scendere alla **seconda** fermata.*

1	2	3	4	5	6	7	8
primo	secondo	terzo	quarto	quinto	sesto	settimo	ottavo
9	**10**	**11**	**12**	**13**	**14**	**15**	**16**
nono	decimo	undicesimo	dodicesimo	tredicesimo	quattordicesimo	quindicesimo	sedicesimo
17	**18**	**19**	**20**	**30**	**100**	**1.000**	**1.000.000**
diciassettesimo	diciottesimo	diciannovesimo	ventesimo	trentesimo	centesimo	millesimo	milionesimo

Stare + gerundio

Per esprimere un'azione che accade "in questo momento" si può usare la costruzione ***stare* + gerundio**.

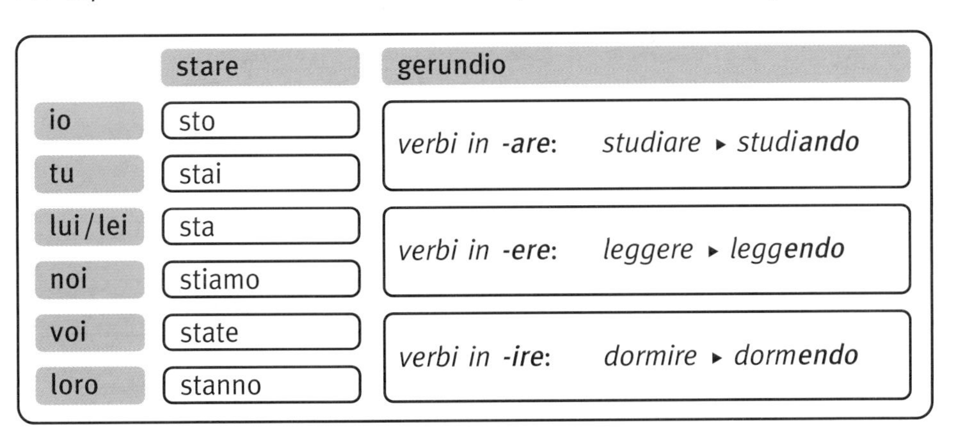

	stare	gerundio
io	sto	*verbi in **-are**: studiare ▸ studiando*
tu	stai	
lui/lei	sta	*verbi in **-ere**: leggere ▸ leggendo*
noi	stiamo	
voi	state	*verbi in **-ire**: dormire ▸ dormendo*
loro	stanno	

▸ *Che **stai facendo**?*
• ***Sto guardando** la tv.*

▸ *Che **sta facendo** Aldo?*
• ***Sta lavorando**.*

▸ *Che **state facendo**?*
• ***Stiamo andando** al cinema.*

Il pronome di luogo *ci*

Ci è un pronome. Si usa per non ripetere il nome di un luogo detto prima.

▸ *Tu sei di Firenze?* • *Sì, ma non **ci** vado da molti anni.*

▸ *A che ora vai a scuola la mattina?* • *Di solito **ci** vado verso le 8.*

Gli avverbi di luogo

a destra / a sinistra	*Devi girare **a sinistra** e poi **a destra**.*
accanto / vicino	*La farmacia è **accanto** / **vicino** al bar.*
davanti / di fronte	*Il ristorante è **davanti** / **di fronte** alla banca.*
dietro	*La moto è **dietro** alla macchina rossa.*
sopra	*I libri sono **sopra** al mio tavolo.*
sotto	*Il gatto è **sotto** al letto.*
qui / qua	*Puoi venire **qui** / **qua**, per favore?*
lì / là	*Arrivo **lì** / **là** tra cinque minuti.*

L'indirizzo

Per chiedere l'indirizzo si usa la formula *Tu dove abiti?* Per dire l'indirizzo di solito si usa il nome della strada (o piazza) seguito dal numero civico.

▸ *Tu dove abiti?* • *Io abito in **via del Palazzo Bruciato 8**.*

L'imperativo

L'imperativo si usa per dare ordini o consigli.
La coniugazione è uguale al presente indicativo, a parte la seconda persona singolare (tu) dei verbi in *-are* che finisce in *-a*.

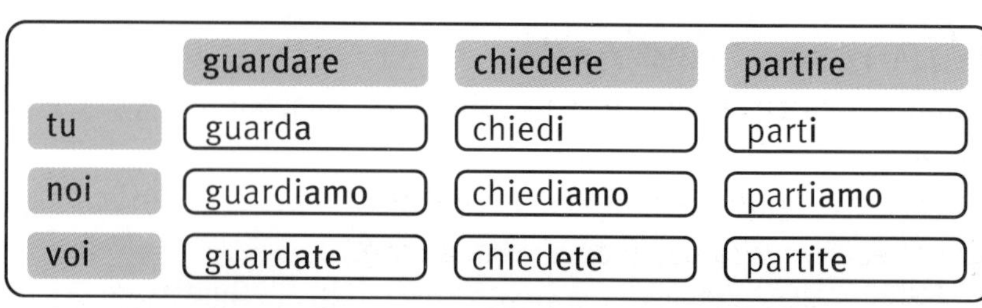

	guardare	chiedere	partire
tu	guarda	chiedi	parti
noi	guardiamo	chiediamo	partiamo
voi	guardate	chiedete	partite

Per formare l'imperativo negativo si aggiunge ***non*** prima dell'imperativo, a parte la seconda persona singolare, che si forma con ***non*** + l'infinito.

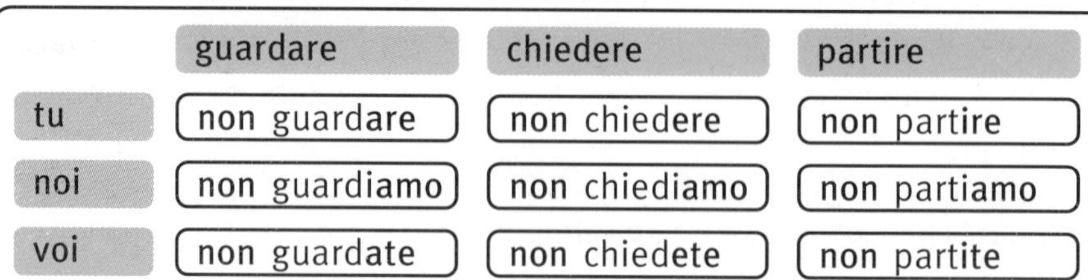

	guardare	chiedere	partire
tu	non guardare	non chiedere	non partire
noi	non guardiamo	non chiediamo	non partiamo
voi	non guardate	non chiedete	non partite

I verbi ***avere***, ***essere*** e ***sapere*** hanno l'imperativo irregolare alla seconda persona singolare (tu) e alla seconda persona plurale (voi).

	avere	essere	sapere
tu	abbi	sii	sappi
voi	abbiate	siate	sappiate

I verbi ***andare***, ***dare***, ***fare*** e ***stare*** hanno due forme per l'imperativo di seconda persona singolare (tu). Il verbo ***dire*** ha una sola forma.

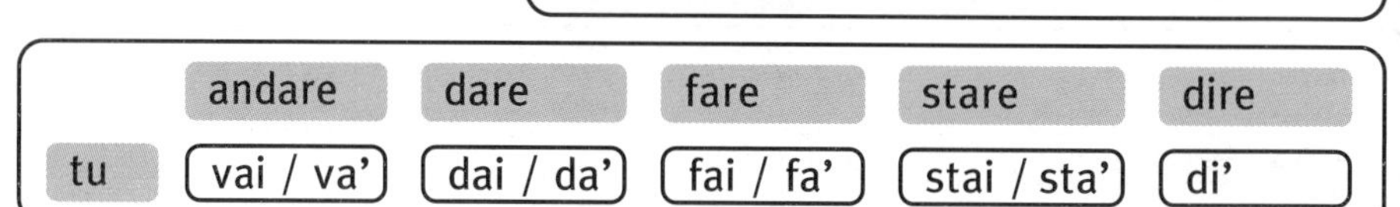

	andare	dare	fare	stare	dire
tu	vai / va'	dai / da'	fai / fa'	stai / sta'	di'

Questo e *quello*

Il pronome dimostrativo ***questo*** si usa quando l'oggetto è **vicino** alla persona che parla.

▸ *Quale libro preferisci?* • ***Questo.***

Il pronome dimostrativo ***quello*** si usa quando l'oggetto è **lontano** dalla persona che parla.

▸ *Qual è la tua borsa?* • *È **quella** vicino alla finestra.*

Questo e ***quello*** possono essere usati anche come aggettivi.

▸ ***Questa** casa è troppo piccola per noi.*

▸ ***Quelle** ragazze sono francesi.*

questo	singolare	plurale
maschile	questo	questi
femminile	questa	queste

quello	singolare	plurale
maschile	quello	quelli
femminile	quella	quelle

I pronomi diretti

I pronomi diretti si usano per non ripetere un nome (un oggetto diretto). I pronomi di terza persona (***lo***, ***la***, ***li***, ***le***) concordano con l'oggetto.

▸ *Vuoi un caffè?* • *No, grazie. **Lo** prendo più tardi.*

▸ *Chi è quella ragazza?* • *Non **la** conosco.*

▸ ***Mi** chiami quando arrivi?* • *Sì, **ti** chiamo, stai tranquillo.*

Il pronome ***lo*** può sostituire anche una frase.

▸ *Dov'è Mario?* • *Non **lo** so.*

Qualche volta si usa il pronome diretto insieme all'oggetto.

▸ *Gli esercizi **li** faccio domani, ora non posso.*

I pronomi diretti vanno prima del verbo.

Con un **verbo modale** + l'infinito si possono mettere prima del verbo modale o alla fine dell'infinito.

▸ *Chi accompagna i bambini a scuola?*

• ***Li** puoi accompagnare tu? / Puoi accompagnar**li** tu?*

	singolare	plurale
prima persona	mi	ci
seconda persona	ti	vi
terza persona maschile	lo	li
terza persona femminile	la	le

I pronomi indiretti

I pronomi indiretti si usano per sostituire una persona o un oggetto preceduti dalla preposizione ***a*** (complemento di termine).

▸ *Puoi dire a Paolo di comprare il biglietto?* • *D'accordo, **gli** scrivo subito una mail.*

▸ *Cosa regali a Rita per il suo compleanno?* • ***Le** regalo un libro.*

I pronomi indiretti si usano soprattutto con alcuni verbi (*piacere*, *dispiacere*, *sembrare*, ecc.).

▸ ***Ti piace** il rock?* ▸ *Non posso venire con voi, **mi dispiace**.*

Nell'italiano molto ricercato si usa la forma ***loro*** al posto del pronome indiretto di terza persona plurale ***gli***. ***Loro*** si usa dopo il verbo.

▸ *L'insegnante saluta gli studenti e **gli** dice / dice **loro** di aprire il libro.*

I pronomi indiretti vanno prima del verbo. Con **un verbo modale** + l'infinito si possono mettere prima del verbo modale o alla fine dell'infinito.

▸ *Sai dov'è Susanna? Devo dir**le** / **Le** devo dire una cosa importante.*

Le forme toniche (***a me***, ***a te***, ***a lui***, ***a lei***, ***a noi***, ***a voi***, ***a loro***), si usano quando si vuole dare particolare importanza alla persona.

▸ ***A me** Maria sembra molto simpatica. **A te**?*

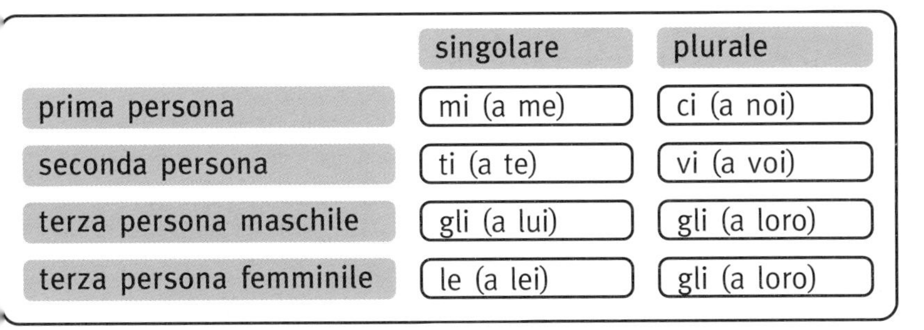

	singolare	plurale
prima persona	mi (a me)	ci (a noi)
seconda persona	ti (a te)	vi (a voi)
terza persona maschile	gli (a lui)	gli (a loro)
terza persona femminile	le (a lei)	gli (a loro)

Il verbo *piacere*

Quando il verbo ***piacere*** si riferisce a un nome singolare o è seguito da un verbo all'infinito, si usa la terza persona singolare ***piace***.

▸ *Mi **piace** la musica jazz.*

▸ *Mi **piace** scherzare.*

Quando si riferisce a un nome plurale si usa la terza persona plurale ***piacciono***.

▸ *Mi **piacciono** le cose difficili.*

Il verbo ***piacere*** di solito è preceduto dai pronomi indiretti.

▸ *Ti piacciono le moto?* • *No, non **mi** piacciono, preferisco le macchine.*

▸ *Di solito Marco mangia il gelato?* • *Sì, **gli** piace moltissimo.*

Il passato prossimo

Il passato prossimo si usa per parlare di azioni ed eventi passati conclusi. È formato dal presente indicativo del verbo ***avere*** o ***essere*** + il participio passato.

- *Ieri sera **ho guardato** un film in tv.*
- *Domenica Sergio **è andato** al mare.*

	guardare	andare
io	ho guardato	sono andato / a
tu	hai guardato	sei andato / a
lui/lei	ha guardato	è andato / a
noi	abbiamo guardato	siamo andati / e
voi	avete guardato	siete andati / e
loro	hanno guardato	sono andati / e

Il ***participio passato*** si forma così:

I *-are*

provare ▸ prov*ato*

II *-ere*

cadere ▸ cad*uto*

III *-ire*

riuscire ▸ riusc*ito*

Molti verbi (soprattutto in *-ere*) hanno un participio passato irregolare.

conoscere ▸ **conosciuto**
dire ▸ **detto**
essere ▸ **stato**
fare ▸ **fatto**
leggere ▸ **letto**
piacere ▸ **piaciuto**
prendere ▸ **preso**
scrivere ▸ **scritto**
vedere ▸ **visto**
venire ▸ **venuto**

Quando l'ausiliare è il verbo ***essere***, il participio passato concorda con il soggetto.

- *Ieri Marco è andat**o** al cinema.*
- *Ieri Paola è andat**a** al cinema.*
- *Ieri Marco e Luigi sono andat**i** al cinema.*
- *Ieri Paola e Concetta sono andat**e** al cinema.*

La maggior parte dei verbi usa l'ausiliare ***avere***. I verbi riflessivi e alcuni verbi che indicano uno spostamento o stato nello spazio usano ***essere***.

- *Stamattina **mi sono svegliato** tardi.*
- *Il treno **è partito** 5 minuti fa.*
- *Marcello **è caduto** dalla moto.*
- *A che ora **sei tornato** a casa ieri sera?*
- *Ieri sera **siamo rimasti** a casa.*

Il pronome relativo *che*

Il pronome relativo ***che*** si usa per unire due frasi che hanno un elemento in comune. ***Che*** sostituisce quell'elemento.

*Ho comprato **un libro**.*
\+ = *Ho comprato un libro **che** parla di fantascienza.*
***Il libro** parla di fantascienza.*

Che può sostituire un soggetto o un oggetto diretto (un oggetto senza preposizione).

*Il ragazzo **che** abita con me è americano.*
[soggetto]

*Il ragazzo **che** ho salutato è americano.*
[oggetto diretto]

Le preposizioni articolate

Le preposizioni semplici ***di***, ***a***, ***da***, ***in***, ***su*** possono unirsi con l'articolo determinativo e formare una preposizione articolata.

	il	lo	l'	la	i	gli	le
di	del	dello	dell'	della	dei	degli	delle
a	al	allo	all'	alla	ai	agli	alle
da	dal	dallo	dall'	dalla	dai	dagli	dalle
in	nel	nello	nell'	nella	nei	negli	nelle
su	sul	sullo	sull'	sulla	sui	sugli	sulle

Le preposizioni di tempo

dal... al...	*Lavoro **dal** lunedì **al** venerdì.*
fa	*Sono arrivato due ore **fa**.*
fra / tra	*Il treno parte **fra** / **tra** cinque minuti.*
nel	*Sono nato **nel** 1980.*

Gli avverbi di tempo

ora	***Ora** non posso parlare, ti chiamo domani.*
prima	***Prima** di partire, vai a salutare tuo padre.*
dopo / poi	*Mangio un panino e **dopo** / **poi** torno in ufficio.*
appena	***Appena** arrivo, ti telefono.*
ancora	*Ho mandato una mail a Lucia, ma non mi ha **ancora** risposto.*
già	*Mauro è **già** arrivato, Luca invece è in ritardo.*
presto	*La mattina mi alzo **presto**.*

La data

Per la data in italiano si usano i numeri cardinali.

- *3 marzo 2010*
- *tre marzo duemiladieci*

Solo per il primo giorno del mese si usano i numeri ordinali.

- *1° marzo 2010*
- *primo marzo duemiladieci*

Nelle lettere o all'inizio di un testo la data si può scrivere in vari modi.

- *Roma, 6 agosto 2010*
- *Roma, 6/8/2010*
- *martedì 6 agosto 2010*

Negli altri casi si usa l'articolo, eccetto quando c'è il giorno della settimana.

- *Sono nato **il** 16 luglio 1992.*
- *Oggi è **il** 10 settembre.*
- *Parto mercoledì 10 settembre.*

griglia di comparazione tra le competenze

previste per il Livello A1 dal *Quadro comune europeo* di riferimento per le lingue e i contenuti di Domani 1

	Descrizione delle competenze acquisite Sono in grado di:	Attività in Domani 1 (numero di pagina)
produzione orale	Presentarmi, dire che cosa faccio, da dove vengo, dove abito, dove vado. So svolgere attività analoghe anche parlando di altre persone.	11, 15, 21, 89, 98
produzione orale	Fare lo spelling.	14, 15
produzione orale	Memorizzare e recitare brevi dialoghi con le giuste pause e intonazione.	22
produzione orale	Formulare brevi frasi per narrare eventi passati.	127
produzione scritta	Produrre testi elementari, scrivere frasi isolate o liste di parole reagendo a un input non verbale (immagini, musica, suono...).	62, 99
produzione scritta	Produrre un breve volantino su un evento culturale.	29
produzione scritta	Fornire informazioni elementari su me stesso e altre persone (preferenze, luogo di residenza, attività nel tempo libero...), sia al presente che al passato.	11, 25, 79, 83, 122, 133
produzione scritta	Scrivere brevi e-mail per richiedere informazioni e rispondere a una richiesta analoga.	51, 106
comprensione orale	Cogliere le informazioni principali di conversazioni semplici (formali o informali) e le relative espressioni riferite alla vita quotidiana in generale.	20, 21, 24, 36, 41, 46, 63, 64, 70, 84, 85, 95, 96, 97, 119, 120
comprensione orale	Capire istruzioni formulate lentamente e in modo chiaro e seguire indicazioni stradali brevi e semplici.	95, 100, 108
comprensione orale	Capire le informazioni principali di brevi annunci formulati in modo chiaro e articolato.	19
comprensione orale	Capire le cifre e i numeri telefonici pronunciati in modo chiaro.	24, 25, 88
comprensione orale	Capire le informazioni principali di servizi giornalistici di argomento corrente enunciati in modo chiaro e articolato.	59
comprensione orale	Capire il senso generale o informazioni specifiche di un brano canoro.	117, 118
comprensione scritta	Riconoscere nomi, parole familiari, frasi isolate ed espressioni elementari collegati alla vita quotidiana o di argomento comune in brevi dialoghi, e-mail, post, SMS, ecc.	23, 26, 35, 48, 51, 69, 78, 81, 87, 104, 106, 123, 124
comprensione scritta	Capire le informazioni principali di un breve articolo tratto dalla stampa quotidiana.	66, 128
comprensione scritta	Farmi un'idea del contenuto di materiale informativo semplice e di brevi descrizioni, soprattutto con l'ausilio di immagini.	48, 57, 78, 102, 116
comprensione scritta	Capire indicazioni scritte brevi e semplici per andare da X a Y.	107
comprensione scritta	Ricomporre un breve racconto posizionandone le frasi in un ordine coerente.	42, 66, 108, 125
interazione orale	Chiedere, fornire e capire indicazioni (se mi vengono rivolte lentamente, chiaramente e direttamente) e seguire semplici spiegazioni.	101, 102, 111
interazione orale	Presentare me stesso o qualcun altro, scusarmi, salutare, congedarmi, ringraziare e rispondere ai ringraziamenti, indicare la mia professione e il mio luogo di residenza. Sono inoltre in grado di formulare domande per ottenere le informazioni di cui sopra.	12, 13, 15, 22, 24, 25, 43, 46, 70, 71, 108
interazione orale	Chiedere a qualcuno come sta e reagire alle notizie.	65
interazione orale	Chiedere e fornire informazioni semplici che riguardano argomenti familiari e formulare brevi enunciati finalizzati alla soddisfazione di bisogni elementari e concreti.	11, 15, 21, 24, 25, 34, 37, 45, 46, 50, 61, 70, 71, 73, 82, 86, 94, 117
interazione orale	Cavarmela con numeri, prezzi, orari e date.	13, 25, 35, 37, 42, 43, 45, 46, 88, 130
interazione orale	Collocare azioni in un tempo indefinito o definito usando espressioni quali: la domenica, la sera, la settimana scorsa, il venerdì sera, alle tre, un mese fa, fra due settimane, ecc.	64, 82, 125
interazione orale	Aprire una conversazione telefonica.	28, 29, 46
interazione orale	Formulare ipotesi semplici e confrontarle con quelle di un'altra persona.	64, 87, 108, 117
interazione orale	Rivolgermi a qualcuno o attirare la sua attenzione in modo formale o informale.	64, 70, 71
interazione orale	Improvvisare un dialogo sulla base di un input verbale.	67
interazione orale	Confrontarmi con qualcuno usando frasi semplici sugli aspetti positivi e negativi di un fenomeno, esprimere brevemente il mio parere e i miei gusti, accordo o disaccordo.	84, 87, 99, 105, 121, 122
interazione orale	Spiegare in modo elementare il funzionamento di una regola grammaticale.	83, 85
interazione orale	Fare una proposta, rispondere a un invito e concordare un appuntamento.	89, 131